Sam Eastland

Sam Eastland, de son vrai nom Paul Watkins, né en 1964, est le petit-fils d'un inspecteur de police londonien qui a servi dans la fameuse unité Ghost Squad de Scotland Yard dans les années 1940. Il travaille en ce moment à la suite des aventures de son héros, Pekkala, après la publication de *L'œil du Tsar rouge* (2010) et *Le cercueil rouge* (2011). Il vit aux États-Unis et en Angleterre.

D1085990

REJETÉ
DISCARD

RÉJETÉ
DISCARD

LE CERCUEIL
ROUGE

DU MÊME AUTEUR
CHEZ POCKET

L'œil du Tsar rouge
Le cercueil rouge

LP ROM EAS.   13.95$ RB

SEP '14

SAM EASTLAND

LE CERCUEIL ROUGE

Traduit de l'anglais (États-Unis)
par David Fauquemberg

BEACONSFIELD
Bibliothèque - Library
303 boul Beaconsfield,
Beaconsfield QC H9W 4A7

ÉDITIONS ANNE CARRIÈRE

Titre original :
THE RED COFFIN

Pocket, une marque d'Univers Poche,
est un éditeur qui s'engage pour la préservation
de son environnement et qui utilise du papier fabriqué
à partir de bois provenant de forêts gérées
de manière responsable.

Le Code de la propriété intellectuelle n'autorisant, aux termes de l'article L. 122-5, 2° et 3° a, d'une part, que les « copies ou reproductions strictement réservées à l'usage privé du copiste et non destinées à une utilisation collective » et, d'autre part, que les analyses et les courtes citations dans un but d'exemple et d'illustration, « toute représentation ou reproduction intégrale ou partielle faite sans le consentement de l'auteur ou de ses ayants droit ou ayants cause est illicite » (art. L. 122-4).
Cette représentation ou reproduction, par quelque procédé que ce soit, constituerait donc une contrefaçon, sanctionnée par les articles L. 335-2 et suivants du Code de la propriété intellectuelle.

© Sam Eastland, 2011, tous droits réservés
© S.N. Éditions Anne Carrière, Paris, 2011
pour la traduction française
ISBN : 978-2-266-23526-6

FSC
www.fsc.org

MIX
Papier issu de
sources responsables

FSC® C003303

Quand la moto franchit le sommet de la colline, le soleil scintilla sur les lunettes du pilote. Pour se protéger du froid de ce printemps naissant, il portait un manteau de cuir croisé, et une casquette d'aviateur en cuir bouclée sous le menton.

Il roulait depuis trois jours, ne s'arrêtant en route que pour refaire le plein de carburant. Ses sacoches étaient remplies des boîtes de conserve qu'il avait emportées.

La nuit, il ne dormait pas dans les villes, mais poussait sa moto sous le couvert des arbres. C'était un engin neuf, une Zundapp K500 avec cadre en acier embouti et fourches à parallélogramme. En temps normal, il n'aurait jamais eu les moyens de l'acheter, mais ce seul voyage suffirait largement à la rembourser. Il pensait à tout cela, le soir, en s'asseyant seul dans les bois, et il avalait une boîte de soupe froide.

Avant de camoufler la moto avec des branches mortes, il époussetait le cuir du siège à ressorts et l'énorme réservoir en forme de larme. Il crachait sur toutes les rayures et les essuyait de sa manche.

L'homme dormait à même le sol, enveloppé dans

une toile cirée, sans le réconfort d'un feu ni même d'une cigarette. L'odeur de la fumée aurait pu le trahir, un risque qu'il ne pouvait prendre.

Parfois, il était réveillé par le grondement des camions de l'armée polonaise sur la route toute proche. Pas un ne s'était arrêté. Une nuit, il avait entendu un craquement au milieu des arbres. Il sortit un revolver de la poche de son manteau et se redressa : rien qu'un cerf qui passait à quelques mètres de lui, à peine visible, comme si les ombres elles-mêmes étaient devenues vivantes. Jusqu'au matin, l'homme ne put se rendormir. Tourmenté par des cauchemars enfantins de silhouettes humaines couronnées de bois jaillissant de leur crâne, il ne désirait qu'une chose : sortir de ce pays. Depuis qu'il avait traversé la frontière allemande pour entrer en Pologne, il avait peur, même si en le voyant nul n'aurait pu s'en douter. Ce n'était pas la première fois qu'il faisait ce genre de voyage, et il savait d'expérience que sa peur ne le quitterait plus jusqu'à ce qu'il se retrouve parmi ceux de son peuple.

Le troisième jour, il entra en Union soviétique par un poste-frontière isolé, tenu par un soldat polonais et un soldat russe qui ne parlaient ni l'un ni l'autre la langue du collègue. Les deux hommes sortirent pour admirer son engin. « Zundapp », roucoulèrent-ils à mi-voix, comme s'ils avaient prononcé le nom d'un être aimé, et l'homme serra les dents en les voyant passer la main sur les pièces de chrome.

Quelques minutes plus tard, il se gara sur le bas-côté et repoussa ses lunettes sur son front, dévoilant deux pâles lunes de peau là où la poussière de la route ne s'était pas déposée. Se protégeant les yeux d'une main, il observa la campagne vallonnée. Les grains d'orge et de seigle sommeillaient encore sous la boue des champs labourés. De fines volutes de fumée s'élevaient des cheminées de fermes solitaires, dont les toits en ardoise étaient parsemés d'une mousse verte étincelante.

L'homme se demanda ce qu'auraient fait les habitants de ces maisons s'ils avaient su que leur mode de vie touchait à sa fin. Même s'ils l'avaient su, se dit-il, ils auraient sans doute continué à vivre comme ils le faisaient depuis toujours, gardant leur foi et s'en remettant aux miracles. C'est précisément pour cela, pensa-t-il, qu'ils méritent de disparaître. La tâche qu'il était venu accomplir précipiterait cette disparition. À compter d'aujourd'hui, ces gens ne pourraient plus rien faire pour enrayer le processus. Puis il essuya les traces de doigts des gardes-frontières sur son guidon et reprit sa route.

Il approchait du lieu de rendez-vous, roulant à tombeau ouvert sur les routes désertes, fendant des bancs de brume qui s'accrochaient au fond des cuvettes comme de l'encre se diffusant dans l'eau. Les paroles de chansons à demi oubliées s'échappaient de ses lèvres. À part cela, il ne prononçait pas un mot, comme s'il avait été seul au monde. En traversant ces campagnes vides, c'était ainsi qu'il se sentait.

Il atteignit enfin l'endroit qu'il cherchait. C'était une ferme abandonnée, dont le toit s'affaissait au milieu comme le dos d'un vieux cheval. Quittant la route principale, il franchit au guidon de sa Zundapp une ouverture dans le mur de pierre qui entourait la cour. Des arbres envahissants prenaient d'assaut le corps de ferme, leurs troncs épais gainés de lierre. Une volée de corbeaux s'éparpilla de leurs branches, et leurs silhouettes fantomatiques se reflétèrent sur les mares de la cour.

Quand il coupa le moteur, le silence s'abattit sur lui. Ôtant ses gants, il gratta les éclaboussures de boue séchée sur son menton. Elles s'écaillèrent comme des croûtes, découvrant sa barbe d'une semaine.

Des volets décrochés pendaient, mangés par la pourriture, aux fenêtres de la ferme. La porte défoncée à coups de pied gisait sur le sol, dans l'entrée. Des pissenlits poussaient dans les craquelures du plancher.

Il posa la Zundapp sur sa béquille, empoigna son revolver et pénétra prudemment dans la maison. Tenant l'arme le long de sa jambe, canon vers le bas, il s'engagea sur les planches grinçantes. Une lumière grisâtre filtrait par les fentes des volets. Au fond de la cheminée, une paire de chenets à tête de dragon le considérèrent au passage d'un air menaçant.

« Vous voilà… », dit une voix.

Le pilote de la Zundapp tressaillit, mais il ne brandit pas son arme. Il resta immobile, scrutant la pénombre. Puis il repéra un homme, assis à une table dans la pièce voisine qui avait jadis fait office de cuisine. L'étranger sourit, leva une main et la fit aller et venir lentement. « Jolie moto », ajouta-t-il.

Le pilote rangea son revolver et entra dans la cuisine.

« Juste à l'heure », déclara l'homme. Sur la table, devant lui, étaient posés un pistolet automatique Tokarev et deux petits gobelets métalliques, guère plus gros que des coquilles d'œufs. À côté des gobelets se trouvait une bouteille encore scellée de vodka géorgienne « Oustachi », qui avait la couleur bleu-vert de l'herbe servant à l'aromatiser. L'homme avait disposé une deuxième chaise de l'autre côté de la table, pour que le motard puisse s'asseoir.

« Comment s'est passé le voyage ? s'enquit l'homme.

— Vous les avez ? répliqua le pilote.

— Évidemment. »

L'homme plongea la main sous son manteau et en tira une liasse de documents enroulés comme un journal. Il les laissa retomber bruyamment sur le bois crasseux de la table, soulevant un minuscule nuage de poussière.

« Tout y est ? » demanda le pilote.

L'homme tapota la liasse d'un geste rassurant.

« Les schémas opérationnels complets de l'ensemble du projet Constantin. »

Le pilote de la Zundapp posa un pied sur la chaise et retroussa le bas de son pantalon. Une enveloppe en cuir était scotchée à son mollet. Il détacha l'adhésif, jurant à voix basse quand il arracha les poils de sa jambe. Puis il sortit une poignée de billets de l'enveloppe et les posa sur la table. « Comptez », dit-il.

L'homme s'exécuta, égrenant la liasse du bout des doigts.

Quelque part au-dessus d'eux, dans la charpente, des étourneaux poussaient des trilles en faisant claquer leurs becs.

Quand l'homme eut fini de compter, il remplit de vodka les deux gobelets et en souleva un. « Au nom de la Confrérie blanche, je tiens à vous remercier. Portons un toast à la Confrérie et à la chute du communisme ! »

Le pilote ne prit pas son gobelet.

« Nous en avons terminé ? demanda-t-il.

— Oui ! » L'homme fit claquer sur la table son

gobelet de vodka vide, tendit la main vers l'autre, le brandit en guise de salut et le but également. « Je crois que nous en avons terminé. »

Le pilote se pencha pour ramasser les documents. Tandis qu'il glissait la liasse dans la poche intérieure de son manteau, il s'arrêta pour examiner la pièce. Il étudia les dais de toiles d'araignées, le papier peint plissé et les fissures qui avaient fendu le plafond par saccades, telles les lignes de croissance d'un crâne.

Tu seras bientôt rentré chez toi, se dit-il. Et alors, tu pourras oublier que tout cela a eu lieu.

« Vous voulez une clope ? » proposa l'homme. Il posa un étui à cigarettes sur la table et, dessus, un briquet de cuivre.

Le motard dévisagea l'étranger, un peu comme s'il l'avait déjà rencontré sans pouvoir toutefois le remettre.

« Je ferais mieux d'y aller, rétorqua-t-il.

— La prochaine fois, peut-être… » L'homme sourit.

Le pilote fit volte-face et se dirigea vers sa moto. Il avait à peine fait trois pas quand l'homme empoigna son pistolet Tokarev, plissa les yeux pour viser le long de son bras tendu et, sans même se lever de sa chaise, abattit le pilote d'une balle en pleine tête. Le projectile déchira le crâne du motard et un morceau de son front ricocha sur le plancher. Il s'écroula comme une marionnette dont on aurait tranché les fils.

Alors l'homme se leva. Il contourna la table et fit rouler le cadavre du bout de sa botte. Le bras du pilote se balança et ses phalanges allèrent frapper le sol. L'homme se pencha pour reprendre les documents dans sa poche.

« Maintenant tu vas boire, salopard de fasciste »,

grommela-t-il. Puis il prit la bouteille de vodka et la vida sur le corps, inondant son visage, ses épaules, et la faisant couler le long de ses jambes. Une fois la bouteille vide, il la jeta à l'autre bout de la pièce. Le verre épais s'écrasa contre un mur pourri, sans se rompre.

L'homme fourra l'argent et les documents dans sa poche. Ensuite il ramassa son arme, ses petits gobelets et son étui à cigarettes. En sortant de la maison, il actionna le rouage métallique de son briquet et, quand le feu jaillit de la mèche, il laissa tomber le briquet sur le mort. L'alcool s'embrasa avec un bruissement de rideau se gonflant dans la brise.

L'homme sortit dans la cour et se planta devant la moto, effleurant du bout des doigts le blason Zundapp sur le réservoir. Puis il enfourcha l'engin, prit le casque et les lunettes suspendus au guidon. Il enfila le casque et ajusta les lunettes sur ses yeux. Leur monture de cuir avait conservé la chaleur du mort. D'un coup de kick, il démarra la moto et s'engagea sur la route, la Zundapp grondant tandis qu'il passait les vitesses.

Derrière lui, déjà loin, un champignon de fumée s'élevait des ruines en flammes de la ferme.

Officiellement, le restaurant Borodino, situé dans une rue paisible proche de la place Bolotnia à Moscou, était ouvert au public. Officieusement, son propriétaire et chef de rang, un homme au visage décharné qui répondait au nom de Chicherin, se réservait le droit de jauger d'abord tous ceux qui franchissaient la porte d'entrée aux panneaux de verre dépoli, ornés d'un décor de feuilles de lierre. Alors, soit Chicherin leur proposait une table, soit il dirigeait les clients vers un étroit couloir obscur menant, pensaient-ils, à une seconde salle à manger, de l'autre côté de la porte. En réalité, il les conduisait directement vers une allée longeant le restaurant. Le temps qu'ils comprennent ce qui leur arrivait, la porte s'était automatiquement refermée derrière eux. Si les clients refusaient toujours de comprendre le message et faisaient le choix de pénétrer à nouveau dans le restaurant, ils étaient accueillis par le barman, un ancien lutteur grec du nom de Niarchos, et éjectés de l'établissement.

Par un morne après-midi de mars, tandis que des mottes de neige sale s'agrippaient encore aux recoins ombragés de la ville, un jeune homme en uniforme militaire entra dans le restaurant. Il était grand, le visage étroit, avec des joues rosées et un air éternellement curieux. Sa tunique *gymnastiorka* taillée à la perfection épousait les formes de ses épaules et de sa taille. Il portait un pantalon de tissu bleu avec sur les côtés la bande rouge d'un passepoil, et des bottes montantes qui luisaient d'une couche de cirage fraîche.

Chicherin scruta l'uniforme, guettant un signe de grade supérieur. Tout rang inférieur à celui de capitaine valait aux soldats un voyage immédiat le long du couloir, vers ce que Chicherin avait surnommé la Grotte enchantée. Non seulement ce jeune homme n'avait aucun grade visible, mais il n'arborait aucun insigne qui aurait indiqué à quel corps il appartenait.

Chicherin était révolté, mais il sourit et dit « Bonjour » en inclinant légèrement la tête, sans quitter des yeux le jeune soldat.

« Bonjour à vous » fut la réponse. L'homme passa en revue les tables occupées, admirant les plats. « Ah, soupira-t-il. *Shashlik.* » Il désigna d'un geste un plateau de riz blanc duveteux, sur lequel un serveur était en train de déposer des cubes d'agneau rôti, d'oignons et de poivrons verts, qu'il faisait délicatement glisser de la brochette sur laquelle ils avaient été grillés.

« L'agneau a-t-il mariné dans le vin rouge, demanda-t-il en humant la vapeur qui passait devant lui, ou le jus de grenade ? »

Chicherin plissa les yeux. « Vous désirez une table ? »

Le jeune homme ne parut pas l'entendre.

« Oh, et là, reprit-il en désignant un autre plat, du saumon avec une sauce à l'aneth et au raifort...

— C'est exact. »

Chicherin le prit doucement par le bras et le conduisit vers le couloir.

« Par ici, s'il vous plaît.

— Par là ? »

Le jeune homme scruta le tunnel sombre du couloir.

« Oui, oui, confirma Chicherin. La Grotte enchantée. »

Docile, le jeune homme disparut dans l'allée.

Quelques instants plus tard, Chicherin entendit le claquement rassurant de la porte métallique qui se verrouillait. Puis le vain cliquetis de la poignée, quand le jeune homme essaya de rentrer.

Généralement, les gens comprenaient le message, et Chicherin ne les revoyait plus jamais. Cette fois, cependant, quand le jeune homme réapparut moins d'une minute plus tard, souriant toujours aussi innocemment, Chicherin hocha la tête à l'intention de Niarchos.

Niarchos essuyait avec un chiffon d'apparence crasseuse les verres à thé. Quand il croisa le regard de

Chicherin, il souleva la tête d'un geste sec, brutal, comme un cheval tentant de se débarrasser de sa bride. Puis, avec d'infinies précautions, il reposa le verre qu'il était en train de lustrer et sortit de derrière le bar.

« Il doit y avoir une erreur, déclara le jeune homme. Je m'appelle Kirov, et…

— Vous devriez partir », le coupa Niarchos.

Il était mécontent d'être ainsi obligé d'interrompre le flot plaisant de rêveries que lui procurait l'essuyage des verres.

« Je crois…, tenta de nouveau d'expliquer Kirov.

— Oui, oui, siffla Chicherin, apparaissant soudain à ses côtés, toute trace de sourire ayant quitté ses traits. Une erreur, dites-vous. Mais la seule erreur, c'est que vous soyez venu ici. Ne voyez-vous pas que ce n'est pas un endroit pour vous ? »

Il se tourna vers les tables, pour la plupart occupées par des hommes rougeauds aux joues flasques et aux tempes grisonnantes. Certains portaient une tunique de gabardine vert olive pourvue de l'insigne de commissaire supérieur. D'autres, des tenues civiles à la mode européenne, dont la laine de qualité était si finement tissée qu'elle semblait scintiller sous les lustres aux formes d'orchidées. En compagnie de ces officiers et politiciens étaient assises des femmes superbes, qui à l'évidence s'ennuyaient, tirant de petites bouffées de fumée de leurs cigarettes à filtre de liège.

« Écoutez, reprit Chicherin. Même si vous pouviez obtenir une table, je doute que vous ayez les moyens de payer le repas.

— Mais je ne suis pas venu pour manger, protesta Kirov. D'ailleurs, je cuisine moi-même, et j'ai l'impression que votre chef se repose trop lourdement sur ses sauces... »

Le front de Chicherin se froissa sous l'effet de la confusion.

« Donc vous cherchez du travail ?

— Non, répliqua le jeune homme. Je cherche le colonel Nagorski. »

Les yeux de Chicherin s'écarquillèrent. Son regard se tourna vers une table au coin de la salle, où deux hommes déjeunaient. Ils portaient tous deux des costumes. L'un avait la tête rasée, et le dôme disproportionné de son crâne évoquait une sphère de granit rose posée sur le piédestal blanc empesé de son col de chemise. L'autre avait d'épais cheveux noirs peignés en arrière. Ses pommettes anguleuses étaient compensées par une barbe taillée à ras, légèrement en pointe, au niveau du menton. Elle donnait l'impression que son visage avait été tendu sur des montants de bois en triangle inversé, si fort que la moindre expression risquait d'arracher la chair de ses os.

« Vous voulez voir le colonel Nagorski ? » demanda Chicherin.

Il fit un geste de la tête en direction de l'homme à la chevelure noire.

« Eh bien, le voilà, mais...

— Merci. » Kirov fit un pas en direction de la table. Chicherin lui empoigna le bras.

« Écoutez, mon jeune ami. Suivez mon conseil, et rentrez chez vous. Celui qui vous a confié cette mission cherche juste à vous faire tuer. Avez-vous la moindre idée de ce que vous êtes en train de faire ? Et à qui vous avez affaire ? »

Patiemment, Kirov plongea la main dans sa veste et

en tira un télégramme, dont le papier jaune et mince portait une bande rouge en haut, indiquant qu'il provenait d'un bureau du gouvernement.

« Vous devriez jeter un coup d'œil. »

Chicherin le lui arracha des mains.

Pendant tout ce temps, Niarchos, le barman, était resté planté devant le jeune homme, l'air menaçant, ses yeux noirs étrécis à l'extrême. Mais à présent, à la vue de ce télégramme qui lui semblait si fragile qu'il risquait à tout moment de se dissoudre en fumée, Niarchos sentait la nervosité le gagner.

Chicherin avait fini de lire le message.

« J'en ai besoin », déclara le jeune homme.

Chicherin ne répondit pas. Il continuait de fixer le télégramme, comme s'il s'attendait à voir d'autres mots se matérialiser.

Kirov fit glisser la mince feuille de papier hors des doigts de Chicherin et se dirigea vers le fond de la salle. Cette fois, Chicherin ne fit rien pour l'arrêter. Niarchos s'écarta pour le laisser passer, son énorme corps pivotant de côté, comme sur des gonds.

En gagnant la table du colonel Nagorski, Kirov s'arrêta pour contempler les plats, respirant les fumets et soupirant de contentement ou laissant échapper de légers grognements désapprobateurs devant l'abus grossier de crème et de persil. Lorsqu'il atteignit enfin la table de Nagorski, le jeune homme s'éclaircit la voix.

Nagorski leva les yeux. La peau tendue de ses pommettes avait l'éclat de la cire.

« Des crêpes pour les blinis ! hurla-t-il en giflant la table.

— Camarade Nagorski », dit Kirov.

Le regard de Nagorski s'était replongé dans son assiette, mais en entendant son nom il se figea.

« Comment connaissez-vous mon nom ? demanda-t-il d'un ton calme.

— Votre présence est requise, camarade Nagorski. »

Nagorski se tourna vers le bar, dans l'espoir de croiser le regard de Niarchos. Mais ce dernier paraissait totalement absorbé par le polissage de ses verres à thé. Nagorski chercha alors Chicherin des yeux, mais le gérant avait disparu. Finalement, il se tourna vers le jeune homme.

« Et où, au juste, ma présence est-elle requise ?

— On vous l'expliquera en chemin », répliqua Kirov.

Le compagnon de Nagorski était resté assis, bras croisés, le regard fixe, perdu dans d'insondables pensées.

Kirov ne put s'empêcher de remarquer que si l'assiette de Nagorski croulait sous la nourriture, celle du géant chauve ne contenait qu'une petite salade de choux et de betteraves marinés au vinaigre.

« Et qu'est-ce qui vous fait croire, articula Nagorski, que je vais me lever et sortir d'ici avec vous ?

— Si vous ne venez pas de votre plein gré, camarade Nagorski, j'ai reçu l'ordre de vous arrêter. »

Il lui tendit le télégramme. Nagorski écarta le document du revers de la main.

« M'arrêter ? » hurla-t-il.

Un silence soudain s'abattit sur le restaurant. Nagorski tamponna ses lèvres fines avec une serviette. Puis il jeta celle-ci sur son assiette pleine et se leva.

À présent, tous les regards étaient braqués sur la table au coin de la salle.

Nagorski se fendit d'un large sourire, mais ses yeux restaient froids et hostiles. Plongeant la main dans la poche de son manteau, il sortit un petit pistolet automatique. Les convives des tables voisines en eurent le souffle coupé. Fourchettes et couteaux cliquetèrent contre les assiettes.

Kirov fixa le pistolet.

« Vous avez l'air un peu nerveux », s'amusa Nagorski. Puis il fit pivoter l'arme sur sa paume, tournant la crosse vers l'extérieur, et la présenta à son voisin de table. Son compagnon tendit la main pour l'empoigner.

« Prends-en bien soin, ordonna Nagorski. J'en aurai besoin très bientôt.

— Oui, colonel », répondit l'homme.

Et il posa le pistolet à côté de son assiette, comme s'il s'était agi d'une pièce d'argenterie comme les autres.

Alors, Nagorski donna une grande tape dans le dos du jeune homme.

« Allons voir de quoi il retourne, hein ? »

Kirov manqua de perdre l'équilibre sous l'impact de la paume de Nagorski.

« Une voiture nous attend.

— Parfait ! s'exclama Nagorski d'une voix sonore. Pourquoi marcher quand on peut rouler ? »

Il éclata de rire et regarda autour de lui.

De vagues sourires traversèrent le visage des autres clients.

Les deux hommes se dirigèrent vers la sortie. En passant devant la cuisine, Nagorski aperçut le visage de Chicherin, encadré par la petite lucarne ronde de la porte battante.

Devant le Borodino, la neige fondue recouvrait les pavés, telle de la semence de grenouille. À peine la porte s'était-elle refermée derrière lui que Nagorski empoigna le jeune homme par le col et le plaqua contre la façade de brique du restaurant. Le jeune homme ne résista pas. Visiblement, il s'y attendait.

« Personne ne vient me déranger quand je suis en train de manger ! gronda Nagorski en le soulevant par le col, sur la pointe de ses pieds. Personne ne survit à une idiotie de ce genre ! »

Kirov fit un signe de tête en direction d'une berline noire dont le moteur tournait, garée au bord du trottoir.

« Il attend, camarade Nagorski. »

Nagorski jeta un coup d'œil par-dessus son épaule. Il remarqua une silhouette sur la banquette arrière. Il ne distinguait pas son visage. Puis il se retourna vers le jeune homme.

« Qui êtes-vous ? demanda-t-il.

— Mon nom est Kirov. Major Kirov.

— Major ? » Nagorski le relâcha brusquement. « Pourquoi ne me l'avez-vous pas dit plus tôt ? » Il recula d'un pas et défroissa le col de Kirov. « Nous aurions évité ce désagrément. »

Il se dirigea vers la voiture d'un pas décidé, et monta à l'arrière.

Le major Kirov s'installa au volant. Nagorski s'enfonça dans son siège. C'est alors, seulement, qu'il regarda la personne assise à ses côtés.

« Vous ! s'écria-t-il.

— Bonjour, dit Pekkala.

— Oh, merde », s'exclama le colonel Nagorski.

L'inspecteur Pekkala était un homme de grande taille, bâti en force, avec de larges épaules et des yeux légèrement bridés, couleur acajou. Il était né à Lappeenranta, en Finlande, en des temps où le pays était encore une colonie russe. Sa mère était une Laponne, originaire de Rovaniemi, au nord.

À l'âge de dix-huit ans, selon le souhait de son père, Pekkala s'était rendu à Petrograd pour s'engager dans la Légion finlandaise, régiment d'élite du tsar. Là, dès le début de sa formation, il fut repéré par le tsar, qui allait faire de lui son inspecteur spécial. Ce poste, qui n'avait jamais existé, donnerait un jour à Pekkala des pouvoirs absolument inimaginables jusqu'alors.

Pour se préparer à ce rôle, Pekkala fut confié aux soins de la police, puis de la police d'État – la gendarmerie – et enfin de la police secrète du tsar, qui était alors connue sous le nom d'Okhrana. Au cours de ces longs mois, on lui ouvrit des portes dont peu d'hommes soupçonnaient même l'existence. Une fois sa formation achevée, le tsar remit à Pekkala l'unique insigne qu'il porterait jamais – un lourd disque d'or, d'un diamètre aussi long que son petit doigt. Une incrustation d'émail blanc en barrait le centre, qui commençait par un point à une extrémité du disque, s'élargissait jusqu'à en occuper la moitié, avant de se rétrécir de nouveau jusqu'à se réduire à un point à l'autre extrémité. Une grosse émeraude ronde était encastrée au centre de la bande d'émail blanc. Ensemble, ces éléments dessinaient la forme aisément reconnaissable d'un œil. Pekkala n'oublierait jamais la première fois qu'il avait tenu le disque dans sa main, et avait effleuré l'œil du bout du doigt, sentant le sursaut lisse du joyau, comme un aveugle lisant en braille.

C'était à cause de cet insigne que Pekkala avait été surnommé l'Œil d'Émeraude. Le public ne savait pas grand-chose d'autre sur lui. Aucune photographie de lui ne pouvait être publiée, ni même prise. En l'absence de faits concrets, des légendes étaient nées autour de Pekkala, notamment des rumeurs selon lesquelles il n'était pas un être humain, mais une sorte de démon conjuré par la magie noire de quelque shaman de l'Arctique.

Durant ses années de service, Pekkala n'eut de comptes à rendre qu'au seul tsar. Au cours de cette période, il apprit tous les secrets de l'empire, et quand cet empire s'effondra et que tous ceux qui connaissaient ces secrets les emportèrent avec eux dans la tombe, Pekkala, à sa grande stupéfaction, fut le seul à rester en vie.

Capturé pendant la révolution, il fut envoyé au bagne sibérien de Borodok, où il s'efforça d'oublier le monde qu'il avait laissé derrière lui. Mais ce monde ne l'avait pas oublié.

Après sept années de solitude dans la forêt de Krasnagolyana, pendant lesquelles il avait davantage vécu comme un animal sauvage que comme un homme, Pekkala fut rapatrié à Moscou sur ordre de Staline en personne.

Pekkala avait dès lors repris ses fonctions d'enquêteur spécial, maintenant une fragile trêve avec ses anciens ennemis.

Dans les sous-sols de Moscou, le colonel Rolan Nagorski était assis sur une chaise métallique, dans une étroite cellule de la prison de la Loubianka. Les murs étaient peints en blanc. Une unique ampoule électrique, protégée par une cage de fer poussiéreuse, éclairait la pièce.

Nagorski avait enlevé sa veste et l'avait posée sur le dossier de la chaise. Une paire de bretelles lui enserrait les épaules. Tout en parlant, il retroussa ses manches, comme pour se préparer à une bagarre.

« Avant que vous ne commenciez à me poser vos questions, inspecteur Pekkala, laissez-moi vous en poser une…

— Je vous écoute », répliqua Pekkala.

Il était assis en face de lui, sur le même type de chaise. La pièce était si exiguë que leurs genoux se touchaient presque.

Malgré l'atmosphère suffocante de la cellule, Pekkala avait gardé son manteau noir à la coupe démodée : il descendait jusqu'au genou, avec des boutons invisibles qui se fixaient du côté gauche de la poitrine, et un petit col rabattu au ras du cou. Pekkala avait une manière forcée de se tenir droit, comme s'il avait souffert du dos. C'était dû à son pistolet, dont l'étui lui barrait le torse.

L'arme était un revolver Webley, calibre .455, avec une crosse en cuivre massif et un minuscule trou percé dans le canon juste derrière la mire, pour en limiter le recul quand on tirait. À l'origine, ces modifications n'étaient pas destinées à Pekkala mais au tsar lui-même, qui l'avait reçu en cadeau de son cousin, le roi George V. Le tsar l'avait à son tour offert à Pekkala : « Je n'ai pas besoin d'une telle arme, lui avait-il confié. Si mes ennemis venaient à m'approcher assez pour que j'en aie besoin, il serait déjà trop tard. »

« La question que je voulais vous poser, reprit Nagorski, est la suivante : pourquoi pensez-vous que j'aurais livré les secrets de ma propre invention à des

26

gens contre lesquels nous serons peut-être amenés à l'utiliser ? »

Pekkala ouvrit la bouche pour répondre, mais il n'en eut pas le temps.

« Voyez-vous, je sais pourquoi je suis ici, poursuivit Nagorski. Vous me croyez coupable d'atteinte à la sûreté nationale dans le cadre du projet Constantin. Je ne suis ni naïf ni mal informé au point d'ignorer ce qui se trame autour de moi. C'est pour cela que toutes les étapes du développement se sont déroulées dans une enceinte sécurisée. La base tout entière est bouclée en permanence, et placée sous mon contrôle. Tous ceux qui y travaillent ont été sélectionnés par mes soins, après enquête approfondie. Rien ne se passe au sein de la base sans que je le sache.

— Ce qui nous ramène à la raison de votre présence ici. »

Nagorski se pencha en avant.

« Oui, inspecteur Pekkala. C'est vrai, et j'aurais pu vous faire gagner du temps et m'éviter de perdre un repas hors de prix si vous m'aviez simplement laissé dire à votre coursier...

— Ce "coursier", comme vous dites, est un major de la Sécurité interne.

— Même les officiers du NKVD peuvent devenir de simples coursiers, inspecteur, maintenant que leurs chefs dirigent le pays. Ce que j'aurais pu dire à votre major, je vais vous le dire à vous : il n'y a eu aucune atteinte à la sécurité nationale...

— L'arme que vous avez baptisée T-34 est désormais connue de nos ennemis, répliqua Pekkala. C'est un fait que vous ne pouvez nier, j'en ai peur.

— Bien sûr que son existence est connue. On ne

peut pas concevoir, fabriquer et mettre à l'essai une machine de trente tonnes, et s'attendre à ce qu'elle demeure invisible. Mais ce n'est pas de son existence que je veux parler. Le secret tient à ce qu'elle peut faire. J'admets que certains membres de mon bureau d'études seraient capables de vous expliquer différentes pièces de ce puzzle, mais une seule personne en connaît tout le potentiel. » Nagorski se rassit au fond de sa chaise et croisa les bras. « Et cette personne, inspecteur Pekkala, c'est moi.

— Il y a une chose que je ne comprends pas, répondit Pekkala. Qu'a-t-elle de si extraordinaire, votre invention ? N'avons-nous pas déjà des chars ? »

Nagorski laissa échapper une quinte de rire.

« Absolument ! Il y a le T-26. » Il laissa retomber une main grande ouverte, comme si un char miniature avait été posé au creux de sa paume. « Mais il est trop lent. » Nagorski referma le poing. « Il y a aussi la série des BT. » L'autre main s'ouvrit. « Mais son blindage est insuffisant. Vous pourriez aussi bien me demander pourquoi nous construisons des armes, en général, alors qu'il y a autour de nous un tas de pierres que nous pourrions jeter sur nos ennemis quand ils nous envahiront…

— Vous me semblez bien confiant, camarade Nagorski.

— Je suis plus que confiant ! aboya Nagorski au visage de son interlocuteur. Je suis certain. Et pas seulement parce que j'ai inventé le T-34, mais parce que j'ai eu l'occasion de faire face à des chars d'assaut au cours d'une bataille. Ce n'est que lorsqu'on a vu leur masse vous foncer dessus et qu'on a constaté qu'il n'y a rien à faire pour les arrêter, qu'on peut comprendre pourquoi les chars sont capables de gagner non seulement une bataille, mais la guerre.

— Quand vous êtes-vous retrouvé face à des chars ? interrogea Pekkala.

— Lors de la guerre que nous avons livrée à l'Allemagne, et que Dieu nous vienne en aide si nous devons leur en livrer une autre... Quand la guerre a éclaté, à l'été 1914, je me trouvais à Lyon, pour participer au Grand Prix de France. À l'époque, la course automobile était toute ma vie. J'ai remporté cette course, vous savez, la seule course automobile que notre pays ait jamais gagnée... C'était le plus beau jour de ma vie, et tout aurait été parfait si mon chef mécanicien n'avait été renversé par un autre bolide, qui avait dérapé hors du circuit.

— Il est mort ? demanda Pekkala.

— Non, répondit Nagorski, mais il a été gravement blessé. Voyez-vous, inspecteur, la course est un jeu dangereux, même quand on n'est pas derrière le volant...

— Quand avez-vous commencé à vous intéresser à ces engins ? »

La conversation portant désormais sur les moteurs, Nagorski commença à se détendre.

« J'ai vu ma première automobile en 1907. C'était une Rolls-Royce Silver Ghost, que le grand-duc Mikhaïl avait importée en Russie. Mon père et lui avaient l'habitude de partir ensemble, chaque année, à la chasse au grand harle dans les marais du Pripet. Mon père a demandé à voir les rouages internes de la voiture. » Nagorski éclata de rire. « C'est comme ça qu'il les appelait. Les rouages internes. Comme s'il s'était agi d'une vulgaire pendule de cheminée...

29

Quand le grand-duc a soulevé le capot, ma vie a aussitôt changé. Mon père s'est contenté de regarder. Pour lui, ce n'était rien qu'un étrange assemblage de tubes métalliques et de boulons. Mais moi, ce moteur, je le comprenais. C'était comme si je l'avais déjà vu. Je n'ai jamais pu me l'expliquer vraiment. Tout ce que je savais, c'est que mon futur serait lié à ces engins. Il ne m'a pas fallu longtemps pour en fabriquer un moi-même. Au cours des dix années suivantes, j'ai remporté plus de vingt courses. Si la guerre n'avait pas eu lieu, j'aurais continué dans cette voie. Mais tout le monde a une histoire qui commence ainsi, n'est-ce pas, inspecteur ? Si la guerre n'avait pas eu lieu...

— Que vous est-il arrivé pendant la guerre ?

— Je n'ai pas pu rentrer en Russie, alors je me suis engagé dans la Légion étrangère. Il y avait des hommes venus des quatre coins du monde, qui s'étaient retrouvés coincés dans le mauvais pays au moment où la guerre a éclaté, sans aucun moyen de rentrer chez eux. J'étais dans la Légion depuis presque deux ans quand nous nous sommes retrouvés face à des chars d'assaut, près de la ville française de Flers. Nous avions tous entendu parler de ces machines. Les Britanniques avaient été les premiers à les utiliser contre les Allemands, à la bataille de Cambrai, en 1916. Mais, dès l'année suivante, les Allemands disposaient de leur propre modèle. Je n'en avais jamais vu, jusqu'à ce que nous nous retrouvions confrontés à eux sur le terrain. Ma première pensée fut qu'ils avançaient vraiment lentement. Six kilomètres à l'heure. Le rythme d'un marcheur. Et ils n'avaient rien d'élégant. C'était comme être attaqué par des cafards d'acier géants. Trois des cinq chars sont tombés en panne avant même de nous atteindre, un autre a été neutralisé par l'artillerie, et le cinquième est parvenu à s'échapper, mais nous l'avons retrouvé deux jours plus tard au bord de la route, carbonisé, à la suite, apparemment, d'un dysfonctionnement mécanique.

— Pour un premier contact, ça semble assez peu concluant…

— Certes, mais en voyant ces masses d'acier se faire détruire ainsi, ou leurs moteurs grincer et s'arrêter d'eux-mêmes, j'ai compris qu'elles représentaient l'avenir de la stratégie militaire. Il ne s'agit pas cette fois d'une simple lubie passagère dans l'art de massacrer les gens, comme l'arbalète ou le trébuchet. J'ai tout de suite compris ce qu'il fallait faire pour en améliorer la conception. J'ai entrevu des technologies qui n'avaient pas encore été inventées, mais que, au cours des mois suivants, j'ai développées dans ma tête et sur le moindre bout de papier qui me tombait sous la main. À la fin de la guerre, ce sont ces notes éparses que j'ai rapportées avec moi au pays. »

Pekkala connaissait la suite de l'histoire ; comment, un jour, Nagorski s'était présenté au Bureau soviétique des brevets, récemment créé à Moscou, avec plus de vingt projets différents, qui lui valurent au final de se voir confier la direction du projet T-34. Jusqu'alors, il avait survécu tant bien que mal dans les rues de Moscou en cirant les bottes d'hommes qui se retrouveraient par la suite sous ses ordres.

« Connaissez-vous la limite de mon budget de développement ? demanda Nagorski.

— Non, je ne la connais pas, avoua Pekkala.

— C'est parce qu'il n'y en a aucune. Le camarade Staline sait à quel point cette machine est cruciale pour la sécurité de notre pays. Si bien que je suis libre de dépenser tout l'argent que je veux, de réquisitionner tout ce que je veux, et de donner à n'importe qui l'ordre de faire ce que bon me semble… Vous m'accusez de mettre en péril la sûreté de cette nation, mais c'est à l'homme qui vous a envoyé ici qu'il faut faire ce reproche. Vous direz de ma part au camarade Staline que s'il continue à faire arrêter des membres des forces armées soviétiques au rythme actuel, il n'y aura bientôt plus personne pour piloter mes chars d'assaut, même s'il me laisse terminer mon travail ! »

Pekkala avait conscience que le pouvoir dont disposait Nagorski ne se mesurait pas tant à l'argent qu'il pouvait dépenser qu'au simple fait qu'il puisse prononcer de tels mots sans crainte de recevoir une balle en pleine tête. Et Pekkala ne répondit rien, non par peur de Nagorski, mais parce qu'il disait vrai.

Redoutant de perdre le contrôle du gouvernement, Staline avait ordonné des arrestations massives. Au cours des dix-huit derniers mois, plus d'un million de personnes avaient ainsi été interpellées. Parmi elles, la plupart des hauts dirigeants soviétiques, qui avaient été soit fusillés, soit envoyés au Goulag.

« Peut-être, suggéra Pekkala, avez-vous changé d'avis au sujet de votre fameux char. Quelqu'un dans votre situation pourrait très bien avoir l'idée de défaire ce qu'il a fait…

— En confiant ses secrets à l'ennemi, vous voulez dire ? »

Pekkala hocha lentement la tête.

« C'est une possibilité, répondit-il.

— Savez-vous pourquoi on l'a baptisé le projet Constantin ?

— Non, camarade Nagorski.

— C'est le nom de mon fils, mon seul enfant. Voyez-vous, ce projet est aussi sacré à mes yeux que ma propre famille. Je ne ferais jamais rien qui puisse lui nuire. Certains sont incapables de comprendre cela. Ils me discréditent comme si j'étais une sorte de Dr Franken-stein, dont la seule obsession serait de donner vie à un monstre. Ils ne savent pas le prix qu'il me faut payer pour de tels accomplissements. La réussite peut s'avérer aussi douloureuse que l'échec, quand on aspire à mener une vie normale. Mon épouse et mon fils en ont énormément souffert.

— Je comprends, déclara Pekkala.

— Vraiment ? insista Nagorski, l'implorant presque. Vous comprenez ?

— Nous avons tous les deux fait des choix diffi-ciles », répliqua Pekkala.

Nagorski acquiesça du chef, perdu dans ses pensées, et son regard dériva vers un coin de la pièce. Puis, soudain, il se tourna vers Pekkala.

« Alors vous devriez savoir que tout ce que je vous ai dit est vrai.

— Veuillez m'excuser, colonel Nagorski. »

Pekkala se leva, quitta la salle et remonta un couloir flanqué de portes métalliques. Ses pas ne faisaient aucun bruit sur la moquette grise. Le moindre son avait été supprimé, comme si l'on avait aspiré l'air de ces lieux. Au fond du couloir, une porte était entrebâillée. Pekkala frappa une fois, et entra dans une pièce à ce point enfumée que la première bouffée qu'il inspira était comme une bouchée de cendre.

« Alors, Pekkala ? » interrogea une voix. Assis seul sur une chaise dans la pièce vide se trouvait un homme de taille moyenne, trapu, le visage grêlé et la main gauche atrophiée. Sa chevelure était épaisse et sombre, peignée en arrière. Une moustache entrelacée de gris prospérait sous la base du nez. Il fumait une cigarette, dont il restait si peu qu'en une seule bouffée la braise aurait atteint ses lèvres.

« Tout va très bien, camarade Staline », répondit Pekkala.

L'homme écrasa sa cigarette sur la semelle de sa chaussure et rejeta l'ultime bouffée grisâtre en deux jets, par les narines.

« Que pensez-vous de ce colonel Nagorski ? demanda-t-il.

— Je crois qu'il dit la vérité.

— Et moi, je ne le crois pas, rétorqua Staline. Peut-être votre assistant devrait-il l'interroger.

— Le major Kirov, précisa Pekkala.

— Je sais qui il est ! »

Staline haussa le ton, gagné par la colère.

Pekkala comprit aussitôt. C'était la mention du nom de Kirov qui avait agacé Staline, car c'était également ainsi que se nommait l'ancien chef du Parti de Leningrad, assassiné cinq ans plus tôt. La mort de Kirov avait affecté Staline, non pas en raison d'une quelconque sympathie pour l'homme, mais parce qu'elle montrait que si une personne comme Kirov pouvait être tuée, alors Staline pouvait très bien être le suivant sur la liste. Depuis la mort de Kirov, il n'était plus jamais sorti dans la rue se mêler à un peuple sur lequel il régnait, mais en lequel il n'avait aucune confiance.

Staline joignit les mains et fit craquer ses phalanges les unes après les autres.

« Le projet Constantin a été compromis, et je crois que Nagorski en est responsable.

— Il me reste à en apporter la preuve, répondit Pekkala. Y a-t-il quelque chose que vous me cachiez, camarade Staline ? Avez-vous donc la preuve de ce que vous avancez ? À moins qu'il ne s'agisse que d'une arrestation de plus, auquel cas vous avez bien d'autres enquêteurs à votre disposition… »

Staline fit rouler le mégot entre ses doigts.

« Savez-vous combien de personnes j'autorise à me parler sur ce ton ?

— Pas beaucoup, j'imagine. »

Chaque fois qu'il rencontrait Staline, Pekkala sentait une sorte de vide émotionnel qui semblait irradier de sa personne. C'était lié à son regard si particulier. L'expression de son visage pouvait changer, mais celle de ses yeux, jamais. Quand Staline riait, vous amadouait ou, si cela ne fonctionnait pas, vous menaçait, c'était, pour Pekkala, comme assister à un changement de masques dans une représentation de kabuki japonais. Par moments, quand un masque cédait la place à un autre, Pekkala avait l'impression d'apercevoir ce qui se cachait derrière. Et ce qu'il apercevait, là-dessous, le remplissait d'effroi. Sa seule défense consistait à faire semblant de ne rien voir.

Staline sourit, et soudain le masque changea à nouveau.

« Pas beaucoup, c'est vrai. "Aucune" serait une réponse plus exacte. Vous avez raison de dire que j'ai d'autres enquêteurs, mais cette affaire est d'une trop grande importance. » Et il fourra le mégot dans sa poche.

Pekkala l'avait déjà vu faire cela. C'était une étrange

manie dans un pays où même les plus pauvres jetaient leurs mégots sur le sol et les abandonnaient. Étrange, en outre, de la part d'un homme qui ne manquerait jamais des quarante cigarettes qu'il fumait chaque jour, sans compter son tabac à pipe. Peut-être cela venait-il de son histoire personnelle, de l'époque où il dévalisait des banques à Tbilissi. Pekkala se demanda si, tel un mendiant des rues, Staline récupérait les restes de tabac collés à ses mégots pour se rouler d'autres cigarettes. Quelle que soit la raison de ce geste, Staline la gardait pour lui.

« J'admire votre audace, Pekkala. J'apprécie celui qui n'a pas peur de dire ce qu'il pense. C'est l'une des raisons pour lesquelles j'ai confiance en vous.

— Tout ce que je vous demande, c'est de me laisser faire mon travail. C'était la condition de notre accord. »

Staline laissa ses mains retomber sur ses genoux, dans un claquement impatient.

« Savez-vous, Pekkala, que mon stylo s'est posé un jour sur le papier de votre condamnation à mort ? J'étais à ça… » Il pinça l'air entre ses doigts, comme s'il avait tenu ce stylo, et traça dans le vide le spectre de sa signature. « Je n'ai jamais regretté mon choix. Et depuis combien d'années travaillons-nous ensemble ?

— Six. Bientôt sept.

— Pendant tout ce temps, ai-je jamais interféré dans l'une de vos enquêtes ?

— Non, reconnut Pekkala.

— Vous ai-je jamais menacé, pour la simple raison que vous n'étiez pas d'accord avec moi ?

— Non, camarade Staline.

— Or... » Staline pointa le doigt sur Pekkala, comme s'il l'avait visé avec le canon d'un pistolet. « ... vous ne pouvez pas en dire autant de votre ancien patron, ni des ingérences de sa femme, Alexandra. »

À cet instant, Pekkala fut projeté dans le passé. Tel un homme reprenant soudain ses esprits, il se retrouva dans le palais d'Alexandre, la main suspendue, prête à frapper à la porte du bureau du tsar.

C'était le jour où il était enfin parvenu à retrouver la trace de Grodek, le tueur.

Grodek et sa fiancée, une jeune femme du nom de Maria Balka, avaient été localisés dans l'appartement où ils se terraient, près du canal de la Moïka. Quand les agents de l'Okhrana avaient pris d'assaut l'immeuble, Grodek avait fait exploser une bombe qui détruisit le bâtiment et tua tous ses occupants, dont les agents qui étaient venus l'arrêter. Pendant ce temps, Grodek et Maria Balka s'étaient échappés par la porte de derrière, où Pekkala les attendait, anticipant leur fuite. Pekkala les prit en chasse le long d'une rue aux pavés verglacés, jusqu'au moment où Grodek tenta de franchir la rivière par le pont Potseluev. Mais des hommes de l'Okhrana avaient pris position sur l'autre rive, et les deux criminels se retrouvèrent pris au piège. C'est à ce moment-là que Grodek avait abattu sa fiancée plutôt que de la laisser tomber aux *mains des policiers. Le corps de la jeune femme tomba dans le fleuve et disparut parmi les plaques de glace qui dérivaient vers la mer comme des radeaux chargés de diamants. N'ayant pas le courage de sauter, Grodek essaya de se tirer une balle, mais son arme était vide, et il fut aussitôt appréhendé.*

Le tsar avait ordonné à Pekkala de se présenter au palais d'Alexandre avant quatre heures de l'après-midi, afin de lui faire son rapport. Il monta en courant les marches du perron et se précipita vers le bureau du tsar.

En l'absence de réponse, Pekkala frappa de nouveau, une nouvelle fois en vain. Avec précaution, il ouvrit la porte, mais la pièce était vide. Il poussa un soupir de désagrément. Même s'il n'aimait pas qu'on le fasse attendre, le tsar se souciait peu de faire attendre les autres.

C'est alors que Pekkala entendit sa voix qui provenait de la salle d'en face, de l'autre côté du couloir. Appartenant à la tsarine Alexandra, cette pièce était connue sous le nom de Boudoir mauve. Parmi la centaine de salles du palais d'Alexandre, c'était la plus célèbre, tant les gens la trouvaient hideuse. Pekkala ne pouvait qu'être d'accord. À ses yeux, tout dans ce boudoir avait une couleur de foie bouilli.

Pekkala se figea devant la porte de la salle, s'efforçant de reprendre son souffle après s'être tant démené pour arriver à l'heure. Alors, il distingua la voix de la tsarine. Le temps que leurs mots filtrent dans son cerveau, il comprit que c'était de lui qu'ils parlaient.

« Je ne renverrai pas, Pekkala ! » s'écria le tsar.

Pekkala reconnut le craquement étouffé de ses bottes d'équitation sur le plancher. Il savait exactement de quelle paire il s'agissait – elles avaient été tout spécialement importées d'Angleterre et étaient arrivées la semaine précédente. Le tsar s'efforçait encore de les faire à son pied, mais ses orteils souffraient le martyre. Il avait même confié à Pekkala avoir eu recours à la vieille combine des paysans pour assouplir les bottes neuves, laquelle consistait à uriner dedans puis à les laisser reposer ainsi une nuit entière.

Pekkala entendit ensuite la tsarine lui répondre de son habituel ton calme. Pekkala ne l'avait jamais entendue crier. La voix grave de la tsarine lui évoquait toujours celle d'une personne proférant des menaces. « Notre ami nous exhorte à le faire », dit-elle.

À la mention de cet « ami », Pekkala sentit ses mâchoires se crisper. C'était l'expression qu'utilisaient entre eux le tsar et la tsarine pour désigner ce saint autoproclamé qu'était Raspoutine.

Depuis son apparition à la cour du tsar, l'emprise de Raspoutine sur la famille impériale était devenue si forte qu'on le consultait désormais sur tous les sujets, qu'il s'agisse de la guerre, qui en était alors à sa deuxième année et qui allait de catastrophe en catastrophe, ou de la maladie du plus jeune fils du tsar, Alexeï. Même si l'information était officiellement démentie, les médecins avaient diagnostiqué chez le jeune homme une hémophilie. Des blessures dont n'importe quel garçon en bonne santé se serait relevé en riant le clouaient au lit pendant des jours. Il devait souvent se faire porter par son serviteur personnel, un marin nommé Derevenko.

La tsarine ne tarda pas à croire que Raspoutine avait le pouvoir de guérir Alexeï.

Inquiet de l'influence grandissante que Raspoutine

exerçait sur la famille royale, le Premier ministre, Piotr Stolypine, avait ordonné une enquête. Il transmit au tsar un rapport truffé d'histoires de débauches dans l'appartement de Raspoutine à Petrograd, et d'entrevues secrètes entre Raspoutine et la tsarine, dans la maison de sa meilleure amie, Anna Vyroubova.

La tsarine était peu appréciée du peuple russe. Les gens la surnommaient Nemka, « l'Allemande », et à présent que le pays était en guerre avec l'Allemagne, ils se demandaient de quel camp elle était.

Après avoir lu le rapport, le tsar donna l'ordre à Stolypine de ne plus jamais évoquer Raspoutine devant lui. Quand Stolypine fut abattu dans un opéra, à Kiev, par un assassin du nom de Dimitri Bogrov, et succomba cinq jours plus tard, le peu de cas qu'en firent le tsar et Alexandra suffit à créer un scandale à la cour de Russie. Lorsque Bogrov, le tueur, fut arrêté, on découvrit qu'il s'agissait d'un informateur rémunéré par les propres services secrets du tsar, l'Okhrana. Lors du procès de Bogrov, les avocats eurent interdiction de l'interroger sur d'éventuels liens avec la famille Romanov. Moins d'une semaine après la mort de Stolypine, Bogrov fut à son tour exécuté.

À compter de ce jour, les rendez-vous de Raspoutine avec la tsarine se poursuivirent sans aucun obstacle. Des rumeurs d'adultère se répandirent. Si Pekkala lui-même les jugeait infondées, ils étaient nombreux, dans son entourage, à penser le contraire.

Ce que Pekkala croyait volontiers, en revanche, c'était que l'inquiétude de la tsarine pour la santé de son fils l'avait menée au bord de la démence. Malgré toutes les richesses des Romanov, il n'existait aucun remède que l'argent pût acheter. Si bien que la tsarine s'en remettait aux superstitions qui gouvernaient à ce point son existence, désormais, qu'elle vivait dans un monde déformé par le voile de ses peurs. Et à travers ce voile, Raspoutine avait fini par acquérir à ses yeux la stature d'un dieu.

Le tsar lui-même ne se laissait pas convaincre si facilement, et l'influence de Raspoutine aurait fort bien pu s'estomper si un événement n'était venu tout à la fois lui assurer la confiance de la famille royale tout entière et sceller son destin. Lors d'un séjour au sinistre pavillon de chasse des Romanov, à Spala, le jeune tsarévitch avait glissé en sortant de son bain et souffrit d'une hémorragie si aiguë que les médecins conseillèrent à ses parents de préparer les funérailles. Un télégramme leur parvint alors, signé Raspoutine, assurant à la tsarine que son fils ne mourrait pas.

Ce qui se passa ensuite, même les plus féroces détracteurs de Raspoutine ne purent le nier.

Dès l'arrivée du télégramme, l'état d'Alexeï s'améliora subitement.

Dès lors, quoi qu'il pût faire, Raspoutine était devenu quasiment intouchable.

Quasiment.

Les excès de Raspoutine continuèrent, et Pekkala appréhendait en silence le jour où le tsar lui donnerait l'ordre d'enquêter sur le Sibérien. Dans un cas comme dans l'autre, cela marquerait en effet la fin de sa carrière, et de sa vie peut-être, comme pour Stolypine avant lui. C'était peut-être pour cette raison, ou parce qu'il préférait ne pas connaître la vérité, que le tsar n'avait jamais confié à Pekkala le fardeau d'une telle enquête.

« Notre ami, répondit vivement le tsar, ferait bien

42

de garder à l'esprit que j'ai moi-même nommé Pekkala à ce poste.

— Voyons, mon chéri..., répondit la tsarine, et il y eut le bruissement d'une robe sur le plancher. Personne ne laisse entendre que vous ayez eu tort de lui confier ce poste. C'est la loyauté de Pekkala à votre égard qui pose problème. »

En entendant ces mots, Pekkala ressentit une brûlure au creux de la poitrine. Il n'avait jamais rien fait qui pût être jugé le moins du monde déloyal. Mais, à cet instant, Pekkala sentit la bile lui inonder la gorge, car il savait que le tsar risquait de se laisser convaincre. Le tsar aimait à se considérer comme un homme de décisions et, dans certains domaines, il l'était. Mais il était capable de croire n'importe quoi ou presque dès lors que sa femme était décidée à l'en convaincre.

« Sunny, ne comprenez-vous pas ? protesta le tsar. Ce n'est pas à moi que Pekkala se doit d'être fidèle.

— Eh bien, ne croyez-vous pas que tel devrait être le cas ?

— Le devoir de Pekkala est lié à la mission que je lui ai confiée, poursuivit le tsar. Et c'est à cette mission qu'il doit rester fidèle.

— Son devoir... », voulut intervenir la tsarine.

Le tsar l'interrompit aussitôt.

« ... consiste à découvrir la vérité sur tous les sujets, quels qu'ils soient, que je lui soumets, aussi déplaisants qu'ils puissent être. Un tel homme fait régner la terreur dans le cœur de tous ceux qui cachent des secrets. Je me demande d'ailleurs, Sunny, si notre ami ne s'inquiète pas davantage pour lui-même que pour le bien-être de la Cour...

— *Vous ne pouvez pas dire cela, mon amour !*
Notre ami veut uniquement le bien de notre famille, et
de notre pays. Il vous a même envoyé un cadeau... »

Il y eut un froissement de papier.

« De quoi s'agit-il donc ?

— *C'est un peigne, répondit-elle. Il lui appartient*
et, selon lui, le passer dans vos cheveux avant vos
réunions quotidiennes avec les généraux vous portera
chance... »

Pekkala frissonna en pensant aux cheveux gras de
Raspoutine.

Le tsar pensait à la même chose.

« Je refuse de me livrer aux rituels repoussants de
Raspoutine ! » hurla-t-il, puis il quitta la pièce et sortit
dans le couloir.

Pekkala n'avait nulle part où se cacher. Il n'avait
qu'une seule possibilité : rester où il était.

Le tsar fut stupéfait de le trouver là.

Pendant quelques instants, les deux hommes se
dévisagèrent.

Pekkala rompit le silence, prononçant les premiers
mots qui lui vinrent à l'esprit :

« Les Anglais fabriquent d'excellentes bottes, à
ceci près qu'elles ne sont pas faites pour les êtres
humains... »

Alors la tsarine apparut dans l'embrasure de la
porte. Elle portait une robe simple, blanche, qui des-
cendait jusqu'au sol, dont les manches s'arrêtaient au
niveau des coudes et dont le col lui couvrait tout le
cou. Une ceinture de tissu noir, avec des pompons
aux deux extrémités, était nouée autour de sa taille.
Au cou, suspendu à une chaîne en or, elle portait un
crucifix en os taillé par Raspoutine lui-même. C'était

une femme à l'allure austère, dont les lèvres étroites s'effondraient sur les bords, avec des yeux enfoncés dans leur orbite et un front large et lisse. Pekkala avait vu des photographies d'elle, juste après son mariage avec le tsar. Elle semblait bien plus heureuse, alors. À présent, même au repos, des rides d'inquiétude lui striaient le visage, telles des craquelures sur le vernis d'une poterie.

« Que voulez-vous ? demanda-t-elle à Pekkala.

— Sa Majesté m'a demandé de lui remettre mon rapport à seize heures très précises.

— Alors, vous êtes en retard, répliqua-t-elle sèchement.

— Non, Majesté, rétorqua Pekkala. J'étais à l'heure. »

La tsarine comprit qu'il avait dû entendre tout ce qu'elle venait de dire.

« Quelles sont les nouvelles, pour Grodek ? interrogea le tsar, changeant de sujet à la hâte.

— Nous le tenons, Majesté », répondit Pekkala.

Le visage du tsar s'illumina.

« Bien joué ! »

Le tsar le gratifia d'une tape amicale sur l'épaule. Puis il fit volte-face et s'éloigna dans le couloir. En passant devant son épouse, il s'arrêta et lui murmura à l'oreille : « Allez donc le dire à votre ami. »

Il ne resta plus, ensuite, que Pekkala et la tsarine.

Elle avait les lèvres sèches à cause du Véronal, un barbiturique qu'on lui avait prescrit pour l'aider à dormir. Le Véronal lui donnait des maux d'estomac, si bien qu'elle avait eu recours à la cocaïne. Une drogue menait à l'autre. Au fil du temps, la cocaïne avait entraîné des dérèglements cardiaques, si bien qu'elle prenait désormais de petites doses d'arsenic. Lequel avait donné à la peau sous ses yeux une teinte vert brunâtre, et entraîné en outre des problèmes d'insomnie, ce qui la ramenait à son point de départ.

« Je souffre de cauchemars, lui confia-t-elle. Et vous êtes dedans, Pekkala.

— Je n'en doute pas, Majesté », répondit-il.

Pendant un long moment, la bouche de la tsarine resta légèrement entrouverte, tandis qu'elle tentait de saisir le sens de ses paroles. Puis ses dents se rejoignirent dans un craquement. Elle rentra dans son boudoir et referma la porte.

« Vous voulez la preuve que le projet T-34 a été compromis ? reprit Staline. Très bien, Pekkala. Je vais vous la donner : il y a deux jours, un agent allemand a tenté d'acheter les spécifications techniques de tout le projet Constantin…

— Les acheter ? s'étonna Pekkala. À qui ?

— À la Confrérie blanche, répondit Staline.

— La Confrérie ! »

Cela faisait longtemps que Pekkala n'avait pas entendu ce nom.

Quelques années plus tôt, Staline avait décrété la constitution d'une organisation secrète qui serait baptisée Confrérie blanche, formée d'anciens soldats restés fidèles au tsar longtemps après sa mort, et dont tous les efforts visaient à renverser le régime communiste. L'idée que Staline puisse créer une organisation dont le seul objectif consisterait à le faire tomber était si impensable qu'aucun des membres de cette confrérie n'aurait imaginé, même en rêve, que l'opération tout entière ait pu être contrôlée, dès le départ, par le Bureau des opérations spéciales du NKVD. C'était une tactique que Staline avait apprise de l'Okhrana : pour inciter les ennemis à sortir de leur cachette, faites-leur croire qu'ils participent à des actions contre l'État puis, sans leur laisser le temps de perpétrer des actes de violence, arrêtez-les. Depuis que la Confrérie blanchc avait vu le jour, des centaines d'agents anticommunistes avaient péri sous les balles de pelotons d'exécution, devant le mur de pierre de la cour de la prison de la Loubianka.

« Mais si c'est bien à eux que cet agent allemand avait affaire, remarqua Pekkala, alors vous n'avez aucune raison de vous inquiéter, puisque vous contrôlez la Confrérie. Après tout, elle est votre invention...

— Vous ne saisissez pas, Pekkala. » Staline se gratta la nuque, ses ongles raclant les cicatrices de variole incrustées sur sa peau. « Ce qui m'inquiète, c'est qu'ils connaissent ne serait-ce que l'existence du T-34. Un secret n'est vraiment en sécurité que lorsque nul ne sait même qu'il existe...

— Qu'est-il advenu de l'agent allemand ? demanda Pekkala. Puis-je l'interroger ?

— Vous pourriez, mais je crois que cette conversation se réduirait à un monologue.

— Très bien. Mais au moins, nous avons réussi à empêcher l'ennemi d'obtenir ces informations.

— Ce succès n'est que temporaire. Ils reviendront chercher.

— S'ils cherchent, vous devriez peut-être les laisser trouver ce qu'ils désirent, remarqua Pekkala.

— Cela a déjà été arrangé, répliqua Staline, tout en glissant une nouvelle cigarette entre ses lèvres. Et maintenant, retournez-y et interrogez-le de nouveau. »

Dans la forêt de la Rusalka, à la frontière russo-polonaise, une piste sinueuse traversait les bosquets de pins. Il avait plu, mais des éclairs de soleil tranchaient à présent l'air brumeux. De part et d'autre de la piste, les immenses pins avaient poussé de manière si dense que la lumière ne passait plus. Seuls des champignons émergeaient du tapis d'aiguilles brunes qui recouvrait le sol – le rouge tacheté de blanc de l'amanite tue-mouches et le blanc graisseux de l'amanite phalloïde, si vénéneuse qu'une seule bouchée pouvait tuer un homme.

Un bruit de sabots effraya un faisan tapi au fond de sa cachette. Dans un gloussement rauque et sonore, il décolla et disparut dans le brouillard.

Sur la piste, au détour d'une courbe, apparut un cavalier. Il portait un uniforme du même brun grisâtre que la fourrure d'un cerf en hiver. Ses bottes d'équitation luisaient d'une couche fraîche d'huile de pied de bœuf et l'aigle polonaise était gravée sur les boutons de cuivre de sa tunique. Dans sa main gauche, l'homme tenait une lance dont la lame courte, taillée comme un épieu à sanglier, scintillait brièvement quand elle traversait les piliers des rayons solaires. L'homme et son cheval ressemblaient à des spectres tout droit jaillis d'un temps bien antérieur à celui dans lequel ils venaient de se matérialiser. Puis d'autres hommes apparurent – un régiment de cavalerie – et ceux-là portaient des fusils en bandoulière, dans le dos. Ils avançaient en formation impeccable, deux colonnes de front et sept d'affilée.

Ces hommes appartenaient à la brigade de cavalerie de Pomorske et menaient une patrouille de routine. La piste qu'ils avaient empruntée serpentait de part et d'autre de la frontière russo-polonaise, mais puisqu'il n'y en avait pas d'autre, et que la forêt recevait si peu de visiteurs en dehors des bûcherons et des soldats surveillant la frontière, les troupes soviétiques et polonaises se croisaient parfois au milieu de la Rusalka.

Tandis qu'il s'engageait dans la courbe suivante, le cavalier de tête était absorbé par ses pensées, lesquelles portaient sur le caractère paisible de ces patrouilles, l'aspect sinistre de la Rusalka et le calme surnaturel qui toujours y régnait.

Soudain, son cheval se cabra, manquant de le désarçonner. Il s'accrocha pour ne pas tomber. Puis il aperçut, bloquant le passage devant lui, la forme trapue, énorme, d'un char d'assaut différent de tous ceux qu'il avait pu voir jusque-là. Le canon du tank était braqué sur lui, et l'ouverture béante à son extrémité semblait le contempler d'un regard furieux, tel l'œil d'un cyclope. Son vert pomme pourrie donnait l'impression que l'engin avait jailli de la terre sur laquelle il était campé.

Quand les autres soldats émergèrent du virage, hommes et chevaux sursautèrent d'effroi. Les lignes bien nettes de leur formation volèrent en éclats. Les lanciers crièrent des ordres secs en tirant sur leurs rênes, tentant de contrôler leurs montures.

Tiré de son sommeil d'acier, le moteur du char poussa un rugissement bestial. Deux colonnes de fumée bleutée jaillirent de ses pots d'échappement, virevoltant comme des cobras dans l'air humide.

L'un des chevaux polonais se cabra brusquement, et son cavalier fut projeté dans la boue. L'officier en charge de la troupe, seulement identifiable par le fait qu'il portait un revolver à la ceinture, hurla sur l'homme qui était tombé. Le soldat, le flanc maculé de boue, se remit en selle tant bien que mal.

Le char ne bougeait pas, mais son moteur mugissait de plus belle. Autour de l'immense machine, les flaques de vase verdâtre tremblaient.

Les lanciers échangeaient des regards, incapables de dissimuler leur peur. L'un des soldats empoigna son fusil. Voyant cela, l'officier éperonna son cheval pour rejoindre l'homme et lui arracha l'arme des mains.

Les lanciers étaient sur le point d'entamer une retraite confuse quand le moteur du char toussota et se tut.

L'écho s'évanouit peu à peu au milieu des arbres. Hormis le souffle lourd des bêtes, le silence retomba sur la forêt. Puis une trappe s'ouvrit sur la tourelle du char, et un homme se hissa dehors. Il portait le blouson de cuir noir à revers croisés des officiers tankistes russes. Il sembla d'abord ne pas même remarquer la présence des Polonais. Dès qu'il fut sorti de la trappe, il fit basculer ses jambes sur le côté du char et se laissa glisser jusqu'au sol. Alors, seulement, il montra qu'il avait vu les cavaliers. D'un geste embarrassé, il leva une main en guise de salut.

Les Polonais se regardèrent. Ils ne lui rendirent pas son salut.

« Tank cassé ! » s'écria le Russe dans un polonais approximatif, levant les mains dans un signe d'impuissance.

En un instant, la peur des lanciers s'évanouit. Ils se mirent aussitôt à rire et à parler entre eux.

Deux autres soldats s'extirpèrent du char, l'un par la tourelle et l'autre par une trappe située à l'avant, qui s'ouvrit comme une paupière clignant paresseusement. Les hommes qui descendirent portaient des combinaisons gris pierre et des casques rembourrés de tissu. Ils se tournèrent vers les Polonais, qui riaient encore, puis se réfugièrent à l'arrière du char. L'un des Russes ouvrit le compartiment moteur et l'autre se pencha dessus.

L'officier soviétique au blouson noir paraissait insensible aux rires des cavaliers. Il se contenta de hausser les épaules et répéta : « Tank cassé ! »

L'officier polonais hurla des ordres brefs à ses hommes, qui entreprirent aussitôt de reformer leurs colonnes initiales. Dès que ce fut fait, l'officier lança brusquement sa main vers l'avant, et la troupe avança. Les deux colonnes s'engagèrent de part et d'autre du tank, comme le flux d'un torrent autour d'une roche.

Les Polonais cachaient mal le mépris que leur inspirait cette machine en panne. Le cavalier de tête pointa le bout de sa lance vers le bas et fit courir la lame le long de la carcasse d'acier, arrachant une boucle de peinture blanche du grand numéro 4 dessiné sur son flanc.

Les Soviétiques ne firent rien pour les arrêter, absorbés qu'ils étaient dans la réparation de leur moteur.

Quand le dernier cavalier passa à leur hauteur, il se pencha sur sa selle jusqu'à toucher presque le commandant du char. « Engin cassé ! » s'exclama-t-il.

L'officier acquiesça du chef et sourit, mais dès que les chevaux furent passés, le sourire s'effaça de son visage.

Les deux membres d'équipage, jusqu'alors courbés sur le compartiment moteur, se redressèrent brusquement et observèrent les croupes oscillantes des chevaux au moment où elles négociaient la courbe suivante. Les cavaliers disparurent.

« C'est ça, le Polaque, commenta l'un des Russes, dans un quasi-murmure. Rigole.

— Nous aussi, on rigolera, poursuivit l'autre. Quand on pissera sur vos tombes de Polonais. »

Le commandant du char traça un cercle avec son doigt ; le signal de redémarrer le moteur.

Les équipiers hochèrent la tête. Ils refermèrent le capot et remontèrent à bord du tank.

Le T-34 revint à la vie dans un grondement de tonnerre et l'engin s'ébranla, labourant la piste et projetant une gerbe de boue tandis qu'il reprenait sa course. Arrivé devant un chemin non balisé, le conducteur bloqua l'une des chenilles. Le char pivota, puis les deux chenilles se remirent à tourner. Le T-34 s'engagea avec fracas dans le sous-bois, brisant les arbres sur son passage. Bientôt, il fut hors de vue et il ne resta plus que le bruit de son moteur, qui s'estompa dans le lointain.

Dans une allée sombre et étroite, à deux rues du Kremlin, Pekkala introduisit une longue clé de cuivre dans le verrou d'une porte cabossée. La porte était renforcée de plaques d'acier qui avaient jadis été peintes d'un jaune joyeux, comme pour capturer davantage que les quelques minutes de soleil qu'elle recevait quotidiennement, quand l'astre était à son zénith. À présent, la peinture avait presque disparu, et ce qui en subsistait était aussi terne qu'un vieux vernis.

Pekkala monta jusqu'au deuxième étage, piétinant d'un pas lourd les marches éraflées de l'escalier en bois, laissant traîner ses doigts sur la rampe de métal noir. Le peu de lumière qu'il y avait provenait d'une unique ampoule drapée de toiles d'araignées poussiéreuses. Dans un recoin sombre, un vieux chat gris, la fourrure en bataille, paressait sur une chaise brisée. Des seaux à charbon en zinc, vides, étaient empilés devant une porte, et des paillettes de houille scintillaient sur le tapis.

Mais, au deuxième étage, tout changeait. Là, les murs avaient été repeints. Un appui de fenêtre, égayé de pots de fleurs, surplombait la rue. Un portemanteau de bois était fixé à l'extrémité du couloir, un parapluie pendu au doigt crochu d'une patère. Sur la porte, peint au pochoir en lettres noires, figurait le nom de Pekkala et, dessous, le mot « enquêteur ». Plus bas, et en plus petit, on pouvait lire : « Kirov, assistant de l'inspecteur Pekkala ».

Chaque fois que Pekkala atteignait le deuxième étage, il remerciait en silence son si méticuleux adjoint. Parfois, en pénétrant dans son bureau, il se demandait s'il ne s'était pas trompé d'endroit, entrant par erreur dans un étrange arboretum. Le moindre espace libre était envahi par les plantes – le parfum sucré, éventé des tomates, les lèvres charnues des orchidées, les fleurs orange et violet, en forme de bec, d'un oiseau de paradis. Leurs feuilles étaient épousetées quotidiennement, leur terre maintenue humide sans être détrempée, portant les empreintes des doigts de Kirov, qui la tassait régulièrement avec la tendresse de qui borde le lit d'un enfant.

L'air était lourd dans cette pièce, comme dans une jungle, pensa Pekkala, et en voyant son bureau quasiment perdu dans la verdure, il se dit que l'endroit n'aurait pas été différent si tous les êtres humains avaient soudain disparu de la surface de la terre, et que les plantes avaient pris le pouvoir, engloutissant progressivement le monde des hommes.

Ce jour-là, une odeur de cuisine flottait dans le bureau, et Pekkala se souvint qu'on était vendredi, le seul jour de la semaine où Kirov lui préparait le déjeuner. Ces fumets de jambon bouilli, de clou de girofle et de sauce blanche lui arrachèrent un soupir de contentement.

Kirov, en uniforme, était penché sur le fourneau qui occupait un coin de la pièce. Il remuait le contenu d'une casserole en fonte avec une cuillère en bois, en fredonnant à mi-voix.

Quand Pekkala referma la porte, il fit volte-face, brandissant sa cuillère telle une baguette magique.

« Inspecteur ! Vous arrivez au bon moment.

— Vous n'êtes pas obligé de vous donner tant de mal, vous savez, répondit Pekkala d'un ton qui se voulait convaincant.

— Si cela ne tenait qu'à vous, répliqua Kirov, nous mangerions des conserves de viande militaires Tushonka trois fois par jour. Mes papilles gustatives finiraient par se suicider… »

Pekkala prit deux bols de terre cuite sur l'étagère et alla les poser sur l'appui de fenêtre. Puis il sortit deux cuillères métalliques du tiroir de son bureau et les apporta.

« Que nous avez-vous préparé de bon, aujourd'hui ? demanda-t-il, en jetant un coup d'œil au fond de la casserole, par-dessus l'épaule de Kirov.

— Un *boujenina*, répondit Kirov, portant à ses lèvres le bout fumant de sa cuillère en bois.

— Qu'est-ce donc ? s'étonna Pekkala en désignant les brindilles. On dirait de l'herbe.

— Ce n'est pas de l'herbe, expliqua Kirov. C'est du foin. »

Pekkala approcha son visage de la mixture qui bouillonnait au fond de la casserole.

« Le foin, ça se mange ?

— C'est juste pour parfumer. »

Kirov empoigna une louche dont l'émail rouge et blanc était ébréché, et versa une part de ragoût dans le bol de Pekkala.

Pekkala s'assit sur la chaise de bois grinçante de son bureau et jeta un regard méfiant à son déjeuner. « Du foin », répéta-t-il, en reniflant l'odeur qui s'élevait du plat.

Kirov alla se percher sur l'appui de fenêtre, au milieu de ses plantes. Ses longues jambes touchaient presque le sol.

Pekkala ouvrit la bouche pour poser une autre question. Plusieurs, en fait. De quel type de foin s'agissait-il ? D'où venait-il ? Qui donc avait eu cette idée ? Que signifiait *boujenina* ? Mais Kirov l'interrompit.

« Ne dites rien, inspecteur. Mangez ! »

Docile, Pekkala enfourna une cuillerée de *boujenina*, dont la chaleur salée se répandit dans tout son corps. Le parfum du clou de girofle grésilla dans son cerveau comme une décharge électrique. Et la saveur du foin l'envahit ; un arrière-goût de terre qui extirpa des ténèbres de sa mémoire des souvenirs d'enfance.

Ils mangèrent en silence, heureux.

Une minute plus tard, lorsque la cuillère de Pekkala racla le fond du bol, Kirov s'éclaircit bruyamment la voix.

« Vous avez déjà terminé ?

— Oui. Il en reste ?

— Il y en a encore, mais ce n'est pas la question ! Comment pouvez-vous manger si vite ? »

Pekkala haussa les épaules.

« Je mange comme ça.

— Ce que je veux dire, précisa Kirov, c'est que vous devriez apprendre à apprécier la nourriture. La nourriture est comme les rêves, inspecteur. »

Pekkala lui tendit son bol.

« Pourrais-je en ravoir, pendant que vous m'expliquez tout ça ? »

Dans un soupir exaspéré, Kirov lui prit le bol des mains, le remplit de nouveau et le lui redonna.

« Il existe trois types de rêves, expliqua-t-il. Le premier n'est qu'un simple griffonnage de l'esprit. Il ne signifie rien. C'est votre cerveau qui se détend, comme le ressort d'une horloge. Les rêves du deuxième type, eux, ont une signification. Votre inconscient essaie de vous dire quelque chose, mais vous devez l'interpréter.

— Et le troisième ? interrogea Pekkala, la bouche pleine.

— Le troisième type de rêve est ce que les mystiques nomment *barraka*. C'est un rêve éveillé, une vision, qui permet d'entrevoir le fonctionnement de l'univers.

— Comme saint Paul, intervint Pekkala, sur la route de Damas.

— Quoi ?

— Non, rien. »

Pekkala agita sa cuillère.

« Continuez. Quel rapport avec la nourriture ?

— Il y a d'abord le plat qu'on avale simplement pour se remplir l'estomac.

57

« — Une conserve de viande, par exemple », remarqua Pekkala.

Kirov tressaillit.

« Oui, ces viandes en boîte que vous dévorez. Puis il y a les repas qu'on prend au café, à l'heure du déjeuner, et qui ne sont guère meilleurs, hormis le fait qu'on n'a pas à faire la vaisselle...

— Et enfin ?

— Enfin, il y a les plats qui élèvent la cuisine au rang d'un véritable art. »

Pekkala, qui n'avait cessé de manger, laissa retomber sa cuillère dans le bol vide. En entendant cela, Kirov secoua la tête avec stupéfaction.

« Vous ne comprenez rien à ce que je vous raconte, n'est-ce pas, inspecteur ?

— Non, confirma Pekkala. Mais j'ai fait des rêves magnifiques. Je ne comprends pas pourquoi vous n'êtes pas devenu chef.

— Je cuisine parce que j'en ai envie, rétorqua Kirov. Pas par obligation.

— Ça change quelque chose ?

— Ça change tout. Si je devais cuisiner à longueur de journée pour des hommes tels que Nagorski, je n'y prendrais plus aucun plaisir. Savez-vous ce qu'il était en train de manger quand je suis entré dans le restaurant ? Des blinis. Avec du caviar de la mer Caspienne, dont chaque grain a la perfection d'une perle noire. Et il bouffait ça comme un goinfre, sans aucune appréciation de l'art culinaire... »

Pekkala jeta un regard piteux au fond de son bol déjà vide. Il avait fait de son mieux pour manger à un rythme digne, mais la vérité, c'est que si Kirov n'avait pas été là, il aurait repoussé son bol et dévoré le plat directement dans la casserole.

« En parlant de Nagorski, vous avez réussi à en tirer quelque chose ? interrogea Kirov.

— Tout dépend, répondit Pekkala, de ce qu'on entend par réussir.

— Cette machine qu'il est en train de construire... J'ai entendu dire qu'elle pesait plus de dix tonnes.

— Trente, pour être précis. Quand il en parle, on croirait qu'il évoque un membre de sa famille.

— Vous pensez qu'il est coupable ? »

Pekkala secoua la tête.

« Déplaisant peut-être, mais pas coupable, d'après ce que j'ai appris jusqu'ici. Je l'ai relâché. Il a regagné les installations où son tank est fabriqué. »

Pekkala remarqua alors un gros carton posé derrière la porte.

« Qu'est-ce que c'est ?

— Ah...

— Chaque fois que vous commencez par "Ah", je sais que ça ne va pas me plaire...

— Pas du tout ! s'écria Kirov. C'est un cadeau pour vous.

— Ce n'est pas mon anniversaire.

— Eh bien, disons que c'est une *sorte* de cadeau. À vrai dire, c'est plutôt...

— Donc ce n'est pas vraiment un cadeau.

— Non. Une suggestion, plutôt.

— Une suggestion, répéta Pekkala.

— Ouvrez-le ! » s'impatienta Kirov, brandissant sa cuillère.

Pekkala se leva de sa chaise et alla prendre le carton. Il le posa sur son bureau, puis souleva le dessus.

Dedans, il y avait un manteau plié avec soin, posé sur d'autres vêtements.

« Je me suis dit qu'il était temps pour vous d'avoir de nouveaux habits, expliqua Kirov.

— Nouveaux ? »

Pekkala baissa les yeux sur la tenue qu'il portait.

« Mais les miens sont neufs. Enfin, presque. Je les ai achetés l'année dernière. »

Kirov laissa échapper un bruit de gorge.

« Par "nouveaux", je voulais plutôt dire "modernes"…

— Je suis moderne ! protesta Pekkala. J'ai acheté ces vêtements ici, à Moscou. Ils m'ont coûté très cher. »

Il était sur le point de détailler l'argent qu'il avait été contraint de débourser quand Kirov lui coupa la parole.

« Très bien, déclara-t-il d'un ton calme, improvisant une autre approche. Où les avez-vous achetés ?

— Chez Linsky, près du théâtre du Bolchoï. Linsky fait des habits qui durent ! s'exclama Pekkala en tapotant le tissu de son manteau. Il m'a lui-même affirmé que lorsqu'on achète un manteau chez lui, c'est le dernier qu'on porte. C'est même sa devise personnelle, voyez-vous.

— Certes… » Kirov joignit les mains dans un claquement muet. « Vous savez le surnom que les gens donnent à ses créations ? Des "habits pour les morts".

— Eh bien, ça sonne un peu tragique…

— Mais bon Dieu, inspecteur, Linsky fournit les pompes funèbres !

— Et alors ? protesta Pekkala. Les directeurs de pompes funèbres doivent bien porter quelque chose, non ? Ils ne peuvent pas tous se promener nus. Mon père était croque-mort… »

Kirov souleva ses mains et les laissa retomber, à bout de patience.

« Linsky ne fournit pas les directeurs ! Il vend les habits que l'on enfile aux cadavres avant de les présenter aux proches. C'est pour ça que ses habits sont les derniers qu'on porte ! Parce qu'on est enterré avec ! »

Pekkala fronça les sourcils. Il examina les revers de son manteau.

« Mais j'ai toujours porté ce genre de manteau.

— C'est bien là le problème, inspecteur, argumenta Kirov. La mode, ça existe, même pour quelqu'un comme vous. Regardez. »

Kirov traversa la pièce et sortit le manteau du carton. Il le déplia avec précaution. Puis, le tenant par les épaules, il le souleva sous le nez de Pekkala.

« Regardez-moi ça. C'est la dernière mode. Essayez-le. C'est tout ce que je vous demande. »

À contrecœur, Pekkala l'enfila. Kirov l'aida à passer les bras et défroissa les épaules.

« Voilà ! annonça-t-il. Comment vous sentez-vous dedans ? »

Pekkala leva les bras et les rabaissa.

« Bien, je crois.

— Vous voyez ! s'écria Kirov en lui donnant une tape sur le bras. Je vous l'avais dit ! Et il y a aussi une chemise et un pantalon neufs. Personne ne pourra plus vous traiter de fossile… »

Pekkala fronça les sourcils.

« Je n'avais pas remarqué qu'on me traitait de fossile. »

Kirov le gratifia d'une tape amicale.

« C'est juste une expression. J'ai autre chose pour vous. Un vrai cadeau, cette fois. »

Il désigna l'appui de fenêtre, où un minuscule arbuste ployait sous le poids de petits fruits luisants, orange.

« Des mandarines ? demanda Pekkala.

— Des kumquats, rectifia fièrement Kirov. Il m'a fallu des mois pour en trouver un plant, et plus d'un an pour qu'il donne des fruits. Vous êtes prêt ?

— Des kumquats… », articula Pekkala, peu familier du mot.

Kirov tendit la main pour attraper un fruit entre pouce, index et majeur. Il le fit pivoter lentement jusqu'à ce que la boule se détache de sa tige, puis le tendit à Pekkala.

Celui-ci le prit des doigts de Kirov, et le renifla.

« Mangez ! s'exclama Kirov, soudain rougissant. C'est un ordre ! »

Pekkala plissa le front.

« Un ordre, Kirov ?

— Je vous suis supérieur en grade.

— Mais je n'ai aucun grade…

— Justement. » Kirov gifla l'air sous le nez de Pekkala, comme pour chasser une mouche. « Ne m'obligez pas à répéter. »

Pekkala croqua un petit morceau, déchirant la fine peau luisante du kumquat, puis les segments jaunâtres qu'elle contenait. Ses yeux se fermèrent d'un coup quand l'acidité lui inonda la bouche.

« C'est immangeable !

— C'est délicieux », corrigea Kirov.

Puis il retourna à la fenêtre et passa amoureusement le doigt sur les feuilles brillantes, vert foncé.

« Il vous faut une petite amie, Kirov. Ou une épouse. Vous passez beaucoup trop de temps avec ces kumquats. Et maintenant, si vous voulez bien, descendez chercher la voiture et attendez-moi devant l'entrée.

— Où partons-nous ?

— Nous avons rendez-vous avec trente tonnes d'acier russe. Nagorski a proposé de nous faire visiter l'endroit où l'on construit le tank. Il veut nous montrer à quel point les lieux sont sécurisés.

— Très bien, inspecteur. »

Kirov ramassa ses clés et sortit.

« Vous avez pensé à votre pistolet ? » l'interpella Pekkala.

Kirov poussa un grognement. Ses pas se figèrent.

« Vous aviez encore oublié, hein ?

— Je n'en ai pas besoin, cette fois, protesta-t-il.

— On ne le sait jamais à l'avance. C'est pour cela qu'il y a des règles, Kirov ! »

Kirov remonta les marches en traînant les pieds et rentra dans la pièce, puis il se mit à fouiller les tiroirs de son bureau.

« Vous l'avez égaré ? s'inquiéta Pekkala.

— Il est quelque part là-dedans », bredouilla Kirov.

Pekkala secoua la tête et soupira.

« Ah ! Le voilà ! »

Kirov exhiba un Tokarev automatique, l'arme réglementaire des officiers de l'armée et des agents de la police secrète.

« Maintenant, allez chercher la voiture, ordonna Pekkala.

— C'est comme si c'était fait ! »

Kirov repartit en coup de vent et dévala lourdement l'escalier.

Avant de quitter le bureau, Pekkala ôta le vêtement neuf, le reposa dans son carton, et enfila son vieux manteau. Tout en le boutonnant, il s'approcha de la fenêtre et se pencha pour contempler les toits de Moscou. Le soleil de fin d'après-midi projetait sur les ardoises un timide éclat argenté. Corbeaux et pigeons se partageaient les mitrons des cheminées. Son regard se posa de nouveau sur les plantes du rebord. Jetant un dernier coup d'œil dehors pour voir si Kirov était revenu, Pekkala tendit la main pour arracher un autre kumquat. Il le mit tout entier dans sa bouche et referma les dents dessus. Le goût acide explosa dans sa bouche. Il avala et expira brusquement. Puis il descendit dans la rue.

Une pluie fine tombait.

Kirov était debout près de la voiture – une Emka, modèle 1935, avec un toit rectangulaire, une calandre surdimensionnée et les phares perchés sur de larges ailes profilées qui lui donnaient un air hautain. Il tenait la portière arrière, dans l'attente de Pekkala. Le moteur tournait. Les essuie-glaces de l'Emka allaient et venaient de manière saccadée, comme les antennes d'un insecte.

En refermant derrière lui la porte jaune cabossée de l'immeuble, Pekkala manqua de percuter deux femmes qui passaient dans la rue. Elles étaient emmitouflées dans des écharpes et d'épais manteaux. Elles papotaient gaiement, leur souffle se condensant en halos au-dessus d'elles.

« Excusez-moi », dit Pekkala, basculant sur les talons pour éviter la collision.

Les femmes n'interrompirent pas leur marche. Elles

se contentèrent de lui jeter un coup d'œil, puis reprirent leur conversation.

Il les regarda s'éloigner, contemplant la femme de gauche. Il l'avait juste entraperçue – ses yeux pâles, et la mèche blonde qui lui barrait le front – mais soudain, son visage se vida de son sang.

Kirov remarqua son émoi.

« Pekkala », l'appela-t-il doucement.

Pekkala ne semblait pas l'avoir entendu. Il se lança d'un pas vif à la poursuite des passantes. Juste avant qu'elles ne tournent au coin de la rue, tendant le bras, il toucha l'épaule de la femme aux yeux clairs. Elle se retourna.

« Qu'y a-t-il ? s'effraya-t-elle. Que voulez-vous ? »

Il retira sa main comme s'il avait reçu un choc.

« Pardonnez-moi, bredouilla-t-il. Je vous ai prise pour une autre. »

Kirov marchait vers eux.

Pekkala avala sa salive, peinant à trouver ses mots.

« Je suis désolé.

— Qui avez-vous cru que j'étais ? » demanda-t-elle.

Kirov se planta devant eux.

« Veuillez nous excuser, mesdames, déclara-t-il d'un ton enjoué. Nous étions sur le point de partir dans l'autre direction.

— Eh bien, j'espère que vous trouverez celle que vous cherchez », souhaita la femme aux yeux bruns, s'adressant à Pekkala.

Les deux amies poursuivirent leur chemin, tandis que Kirov et Pekkala regagnaient la voiture.

« Vous n'aviez pas à me suivre comme ça, s'agaça Pekkala. Je suis tout à fait capable de me tirer tout seul d'une situation embarrassante.

— Moins capable, toutefois, que de vous y fourrer, répliqua Kirov. Combien de fois encore allez-vous galoper derrière des femmes étranges ?

— J'ai cru que c'était…

— Je sais pour qui vous l'avez prise, et je sais aussi bien que vous qu'elle n'est pas à Moscou. Elle n'est même pas dans le pays ! Et même si elle se trouvait ici, face à vous, cela ne changerait rien, puisqu'elle a refait sa vie. Avez-vous donc oublié tout cela ?

— Non, soupira Pekkala. Je n'ai pas oublié. »

Kirov posa la main sur son épaule.

« Venez, inspecteur, allons jeter un coup d'œil à ce tank. Ils nous laisseront peut-être en rapporter un à la maison.

— Nous n'aurions plus de problème quand quelqu'un nous prend notre place de stationnement, ajouta Pekkala en grimpant à l'arrière de l'Emka. Nous n'aurions qu'à nous garer sur lui. »

En s'engageant dans le flot des voitures, Kirov ne vit pas Pekkala se retourner vers la rue déserte où il avait rejoint les femmes, comme s'il s'attendait à y apercevoir un spectre de son ancien moi errant parmi les ombres.

Elle s'appelait Ilya Simonova. Elle avait été institutrice à l'école primaire de Tsarskoïe, juste à côté du domaine de la famille impériale. La plupart des employés du palais y envoyaient leurs enfants, et Ilya emmenait souvent des groupes d'écoliers se promener dans les parcs d'Alexandre et de Catherine. C'est là que Pekkala l'avait rencontrée, un jour qu'il rentrait à sa maisonnette de fonction, non loin de l'enclos à chevaux que l'on surnommait la « Maison de retraite ».

Soudain, il sentit sa poitrine devenir plus légère. Il

revit Ilya, la première fois qu'il l'avait aperçue, lors d'une garden-party célébrant le début d'une nouvelle année scolaire. À vrai dire, il ne s'était pas vraiment rendu à cette fête, mais l'avait aperçue en rentrant de la gare. Il s'était arrêté devant le mur de l'école et avait jeté un coup d'œil à l'intérieur.

De cet instant précis Pekkala avait tout oublié, hormis la vision de cette femme, debout devant une marquise blanche dressée pour l'occasion. Ilya portait une robe vert pâle. Elle n'avait pas de chapeau, si bien qu'il avait pu détailler son visage – de hautes pommettes et des yeux d'un bleu poussiéreux.

D'abord, il crut qu'il l'avait déjà vue ailleurs. Quelque chose, dans son esprit, lui donnait l'impression qu'il la connaissait. Mais ce n'était pas cela. Quelle qu'en soit la raison, cette tension soudaine de ses sens vers une chose qu'il ne pouvait expliquer le figea sur place. Avant qu'il ait compris ce qui lui arrivait, une femme s'était approchée de l'autre côté du mur pour lui demander s'il cherchait quelqu'un. Elle était grande et digne, ses cheveux gris noués en chignon.

« Qui est-elle ? demanda Pekkala, désignant du chef la femme à la robe verte.

— C'est la nouvelle institutrice, Ilya Simonova. Je suis la directrice, Rada Obolenskaya. Et vous, vous êtes le nouvel inspecteur du tsar...

— Inspecteur Pekkala. »

Il inclina la tête en guise de salut.

« Voulez-vous que je vous présente ?

— Oui ! s'écria Pekkala. Je... elle me rappelle quelqu'un. Enfin, je crois.

— Je vois, commenta Mme Obolenskaya.

— Je me trompe peut-être, expliqua Pekkala.

— Je n'ai pas l'impression », répondit-elle.

Il la demanda en mariage un an plus tard, jour pour jour.

Une date fut fixée, mais ils ne se marièrent jamais. Ils n'en eurent pas le temps. À la veille de la révolution, Ilya embarqua dans le dernier train en partance pour l'Ouest. Il était à destination de Paris, où Pekkala avait promis de la rejoindre dès que le tsar lui donnerait la permission de quitter le pays. Mais Pekkala ne le quitta jamais. Quelques mois plus tard, il fut arrêté par des miliciens bolcheviques, au moment où il tentait de passer en Finlande. Là commença son long périple jusqu'en Sibérie, et de longues années allaient s'écouler avant qu'une nouvelle occasion ne se présente de quitter le pays.

« *Vous êtes libre de partir dès maintenant, si vous le désirez, déclara Staline. Mais avant de prendre votre décision, il y a une chose que vous devez savoir.*

— Quoi ? demanda nerveusement Pekkala. Qu'est-ce que je dois savoir ? »

Staline le fixait avec attention, comme s'ils avaient joué aux cartes. Alors il ouvrit l'un des tiroirs de son bureau, dans un grincement de bois sec. Il en tira une photographie. Il l'étudia quelques instants, puis la posa sur le bureau, colla son index dessus et la fit glisser vers Pekkala.

C'était Ilya. Il la reconnut immédiatement. Elle était assise à une table de café. Dans son dos, imprimé sur l'auvent de l'établissement, il lut les mots : Les Deux Magots. *Elle souriait. Il distinguait ses dents saines et blanches. Alors, à contrecœur, le regard de Pekkala se posa sur l'homme assis à côté d'elle. Il était svelte, ses cheveux noirs plaqués en arrière. Il portait une veste et une cravate, une cigarette calée entre le pouce et l'index, qu'il tenait à la manière russe, l'extrémité incandescente en équilibre au-dessus de sa paume, comme pour en*

recueillir la cendre. Comme Ilya, l'homme souriait.
Tous deux regardaient quelque chose situé à gauche
de l'objectif. De l'autre côté de la table se trouvait
un objet qu'il faillit d'abord ne pas reconnaître. Cela
faisait si longtemps qu'il n'en avait pas vu... C'était
un landau, dont la capote était rabattue pour abriter
l'enfant du soleil.

Pekkala se rendit compte qu'il ne respirait plus. Il
dut se forcer à remplir ses poumons.

Doucement, Staline se racla la gorge.

« Vous ne pouvez pas lui en vouloir. Elle vous a
attendu, Pekkala. Elle a attendu très longtemps. Plus
de dix ans. Mais on ne peut pas attendre toute une
vie, n'est-ce pas ? »

Pekkala contemplait le landau. Il se demanda si
l'enfant avait ses yeux.

« Comme vous pouvez le constater, reprit Sta-
line en désignant la photographie, Ilya est heureuse
aujourd'hui. Elle a fondé une famille. Elle est pro-
fesseur, de russe évidemment, à la prestigieuse École
Stanislas. Elle s'est efforcée de laisser le passé der-
rière elle. C'est quelque chose que nous devons tous
faire, à un moment ou un autre de notre vie... »

Lentement, Pekkala redressa la tête, jusqu'à fixer
Staline droit dans les yeux.

« Pourquoi m'avez-vous montré cela ? »

Les lèvres de Staline se tordirent en un bref rictus.

« Vous auriez préféré débarquer à Paris, prêt à
commencer une nouvelle vie, et découvrir que le rêve
était de nouveau hors d'atteinte ?

— Hors d'atteinte ? »

Pekkala sentit la tête lui tourner. Son esprit semblait

se cogner aux parois de son crâne, comme un poisson pris au piège dans un filet.

« Vous pourriez aller la retrouver, évidemment. » Staline haussa les épaules.

« Dès que son regard se posera sur vous, toute la sérénité qu'elle aura mis des années à bâtir volera en éclats. Imaginons un instant que vous réussissiez à la convaincre de quitter l'homme qu'elle a épousé. Imaginons qu'elle décide même d'abandonner son enfant…

— Assez, l'interrompit Pekkala.

— Vous n'êtes pas ce genre d'homme, Pekkala. Vous n'êtes pas le monstre que vos ennemis voyaient jadis en vous. Si c'était le cas, vous n'auriez pas été un opposant aussi farouche pour les gens de mon camp. Les monstres sont faciles à vaincre. Avec eux, c'est seulement une question de sang et de temps, car leur unique arme, c'est la peur. Mais vous, Pekkala, vous avez gagné l'amour du peuple et le respect de vos ennemis. Je crois que vous ne comprenez pas à quel point cette chose est rare, et ceux dont vous avez gagné le cœur sont toujours là, dehors. »

Staline balaya l'air de sa main, désignant la fenêtre et le ciel bleu pâle de l'automne.

« Ils ne vous ont pas oublié, Pekkala, et je crois que vous non plus, vous ne les avez pas oubliés.

— Non, murmura Pekkala. Je n'ai pas oublié.

— Ce que j'essaie de vous dire, Pekkala, c'est que vous pouvez quitter ce pays, si telle est votre volonté. Je vous mettrai dans le prochain train pour Paris si c'est vraiment ce que vous voulez. Ou bien vous pouvez rester ici, où l'on a vraiment besoin de vous et où vous avez toujours votre place, si vous le désirez. »

Jusqu'alors, l'idée de rester ne l'avait jamais effleuré. Mais à présent Pekkala comprenait que son dernier geste d'affection envers celle dont il avait cru qu'elle deviendrait sa femme devait être de lui laisser croire qu'il était mort.

Ils roulaient à présent en pleine campagne, le moteur de l'Emka poussant des rugissements de bien-être en fendant la poussière de l'autoroute de Moscou. Kirov tenait le volant.

« Vous croyez que j'ai fait une erreur ? demanda Pekkala.

— Une erreur à quel sujet, inspecteur ? »

Kirov observa Pekkala dans le rétroviseur avant de fixer à nouveau la route.

« En restant ici. En Russie. J'avais une chance de m'en aller, et je l'ai refusée.

— Votre travail ici est important. Pourquoi croyez-vous que j'ai demandé à travailler à vos côtés, inspecteur ?

— J'ai jugé que cela vous regardait…

— C'est parce que tous les soirs, en me couchant, je sais que j'ai fait quelque chose qui importe vraiment. Combien de personnes peuvent honnêtement s'en vanter ? »

Replongeant dans son silence, Pekkala se demanda si Kirov avait raison ou si, en acceptant de travailler pour Staline, il avait trahi tous les idéaux pour lesquels il s'était jadis battu.

Des nuages gris étaient suspendus juste au-dessus de la cime des arbres.

À l'approche du complexe de Nagorski, Pekkala se tourna pour observer la haute clôture métallique qui bordait la route. La clôture semblait se déployer à l'infini. Elle mesurait deux fois la taille d'un homme et était surplombée d'une seconde enceinte protectrice, penchée au-dessus de la route, garnie de quatre rangs de barbelés. Par-delà l'enceinte s'étendait une forêt anarchique qui s'élevait d'un sol pauvre et maréca-geux.

La monotonie de cette structure n'était brisée, à intervalles irréguliers, que par des panneaux métal-liques fixés à la clôture. Une tête de mort était peinte dessus au pochoir, d'un jaune terne.

« Jusqu'ici, ça m'a l'air vraiment sécurisé », com-menta Kirov.

Mais Pekkala n'était pas si catégorique. Un signal intimidant et une épaisseur de barbelés qu'on aurait pu couper avec des tenailles de bricoleur, tout cela ne suffisait pas à lui inspirer confiance.

Enfin, ils aperçurent un portail. Un cabanon de gar-dien en bois, à peine assez grand pour qu'une personne puisse y tenir debout, se dressait de l'autre côté des barbelés. Il pleuvait maintenant, et les gouttes brillaient comme des pièces d'argent sur le toit goudronné de l'abri.

Kirov arrêta la voiture. Il fit sonner l'avertisseur.

Aussitôt, un homme jaillit de la guérite. Il portait une tunique militaire de coupe grossière, et bouclait sa ceinture de cuir brut, tirée vers le bas par le poids d'un étui de revolver. Il ouvrit le portail précipitamment, après avoir fait coulisser un verrou métallique aussi épais que son poignet.

Kirov avança jusqu'à la guérite. Pekkala baissa sa vitre.

« Vous êtes les médecins ? interrogea l'homme, le souffle court. Je ne vous attendais pas si vite…

— Les médecins ? » s'étonna Pekkala.

Le visage du garde changea d'expression. Son regard vide se fit soudain tranchant.

« Si vous n'êtes pas les médecins, alors qu'est-ce que vous venez faire ici ? »

Pekkala plongea la main dans sa poche intérieure, en quête de ses papiers. Le garde dégaina son revolver et le pointa sur son visage.

Pekkala se figea.

« Doucement », ordonna l'homme.

Pekkala sortit de sa poche son laissez-passer.

« Levez-le pour que je puisse voir », grommela le garde.

Pekkala s'exécuta.

Le laissez-passer était un carnet grand comme une main, d'un rouge terne, avec une couverture en carton recouvert de tissu, à la manière des vieux manuels d'école. Le sceau officiel de l'État soviétique, niché entre ses deux gerbes de blé, était imprimé dessus. À l'intérieur, en haut à gauche, une photographie de Pekkala avait été scellée à la cire chaude, craquelant l'émulsion. Dessous, en lettres bleu-vert pâles, figuraient les majuscules NKVD et un second tampon indiquant que Pekkala était en mission pour le compte du gouvernement. Sa date de naissance, son groupe sanguin et son numéro national d'identification remplissaient la page de droite.

La plupart des laissez-passer gouvernementaux ne comportaient que deux pages, mais dans celui de Pekkala, une troisième avait été ajoutée. Imprimés sur un papier jaune canari bordé de rouge, on pouvait lire les mots suivants :

L'HOMME IDENTIFIÉ SUR CE DOCUMENT AGIT SOUS LES ORDRES DIRECTS DU CAMARADE STALINE. NE L'INTERROGEZ PAS ET NE L'ARRÊTEZ PAS.

IL EST AUTORISÉ À PORTER DES VÊTEMENTS CIVILS, DES ARMES, À TRANSPORTER DES ARTICLES INTERDITS, NOTAMMENT DES POISONS, DES EXPLOSIFS ET DES DEVISES ÉTRANGÈRES. IL EST AUTORISÉ À PÉNÉTRER DANS LES ZONES PROTÉGÉES ET À RÉQUISITIONNER TOUT TYPE DE MATÉRIEL, INCLUANT LES ARMES ET LES VÉHICULES.

S'IL EST TUÉ OU BLESSÉ, PRÉVENEZ IMMÉDIATEMENT LE BUREAU DES OPÉRATIONS SPÉCIALES.

Cet ajout spécifique portait officiellement le nom de permis d'opérations classifiées, mais il était plus connu sous celui de passe fantôme. Grâce à lui, un homme pouvait en effet apparaître et disparaître à sa guise au milieu de la jungle des réglementations décrétées par l'État. Moins d'une douzaine de documents de ce type avaient été attribués. Même au sein du NKVD, la plupart des gens n'en avaient jamais vu.

La pluie éclaboussait le carnet, assombrissant le papier.

Le garde plissa les yeux pour déchiffrer les mots. Il lui fallut un moment pour prendre conscience de ce qu'il avait devant lui. Puis il regarda le revolver dans sa main, comme s'il n'avait aucune idée de la raison qui avait pu l'amener à le dégainer.

« Je suis désolé, s'excusa-t-il, remettant à la hâte l'arme dans son étui.

— Pourquoi pensiez-vous que nous étions des médecins ? interrogea Pekkala.

— Il y a eu un accident.

— Que s'est-il passé ? »

Le garde haussa les épaules.

« Je ne saurais pas vous dire. Quand la base m'a appelé dans ma guérite il y a environ une demi-heure, tout ce qu'ils m'ont dit, c'est qu'un docteur arriverait bientôt et que je devais le laisser passer sans délai. Quoi qu'il en soit, je suis sûr que le colonel Nagorski contrôle la situation. »

Le garde marqua une pause.

« Dites, vous êtes vraiment l'inspecteur Pekkala ?

— Pourquoi ne le serais-je pas ?

— C'est juste que… » Le garde eut un sourire gêné et se gratta le front avec son pouce. « Je n'étais pas sûr que vous existiez vraiment.

— Avons-nous la permission d'entrer ? s'impatienta Pekkala.

— Évidemment ! »

Le garde recula et leur fit signe d'avancer d'un grand geste du bras, comme pour débarrasser une table de ses miettes de pain.

Kirov embraya et se remit en route. L'Emka parcourut la longue piste droite pendant de longues minutes sans aucun bâtiment en vue.

« Cet endroit est vraiment au milieu de nulle part », marmonna Kirov.

Pekkala acquiesça d'un grognement. Il observait attentivement les arbres, qui semblaient se pencher sur la voiture, intrigués par ses occupants. Puis ils aperçurent devant eux un espace dégagé, où les arbres avaient été coupés pour laisser place à un ensemble d'édifices en brique trapus, au toit plat.

Comme ils se garaient dans une cour en terre battue, la porte d'un des bâtiments les plus petits s'ouvrit brusquement et un homme se rua dehors pour foncer droit sur eux. Comme le garde, il portait un uniforme de l'armée. Le temps de rejoindre l'Emka, il était déjà essoufflé.

Pekkala et Kirov descendirent.

« Je suis le capitaine Samarin », déclara l'homme du NKVD. Il avait des cheveux noirs, d'apparence asiatique, de fines lèvres et des yeux enfoncés.

« Par ici, docteur, ajouta-t-il de sa voix haletante. Vous aurez besoin de votre trousse médicale...

— Nous ne sommes pas médecins, expliqua Pekkala.

— Je ne comprends pas, répliqua Samarin, soudain nerveux. Qu'est-ce que vous faites ici, alors ?

— Je suis l'inspecteur Pekkala, du Bureau des opérations spéciales, et voici le major Kirov. Le colonel Nagorski a eu la gentillesse de nous offrir une visite guidée du complexe...

— J'ai bien peur que ce ne soit impossible, inspecteur. Mais je serai heureux de vous montrer pourquoi. »

Samarin conduisit les deux hommes vers ce qui ressemblait de prime abord à un immense lac à demi drainé, parsemé de mares boueuses. Au milieu du lac, pratiquement embourbé dans la vase jusqu'au sommet de ses chenilles, se trouvait l'un des tanks de Nagorski, un gros chiffre 3 dessiné sur son flanc. Deux hommes se tenaient debout à côté de l'engin, courbant le dos sous l'averse.

« Voici donc le T-34, commenta Pekkala.

— C'est exact. Et cet endroit, ajouta Samarin en désignant d'un geste la mer de vase, est ce que nous appelons notre terrain d'essai. C'est là qu'on teste les machines. »

La pluie redoublait, à présent, crépitant sur les feuilles mortes de la forêt toute proche, emplissant l'air d'un sifflement rageur. Une lourde odeur de terre mouillée flottait alentour, et la masse compacte des nuages, tel l'œil blanc révulsé d'un aveugle, voilait la coupole du ciel.

« Où est Nagorski ? » demanda Pekkala.

Samarin désigna les deux hommes à côté du tank.

Les silhouettes voûtées étaient beaucoup trop éloignées pour que Pekkala puisse distinguer laquelle était le colonel.

Il se tourna vers Kirov.

« Attendez-moi ici. »

Puis, sans prononcer un mot de plus, il se laissa glisser au bas de la berge escarpée. Il termina sa descente sur le dos, les habits et les mains englués de vase. Le limon d'un jaune brunâtre contrastait violemment avec le noir de son manteau. Quand il se releva, des filets d'eau noirâtre coulèrent de ses manches. Il fit un pas vers le char d'assaut, avant de se rendre compte qu'il avait perdu l'une de ses chaussures. Creusant pour l'extirper de la boue, Pekkala se tint sur une jambe, comme un héron, et enfonça son pied dans la chaussure avant de se remettre en route. Après avoir pataugé pendant de longues minutes d'un cratère inondé à l'autre, il atteignit le tank. Plus il approchait, plus l'engin paraissait énorme. Même à demi embourbé, le T-34 dressait sa masse immense au-dessus de lui.

Pekkala examina les deux hommes débraillés, tout aussi couverts de boue qu'il l'était lui-même. L'un d'eux portait ce qui avait dû être une blouse blanche de laboratoire. L'autre, un manteau de laine marron, dont le col en fourrure était maculé de vase. Mais aucun des deux n'était Nagorski.

« Vous êtes le médecin ? » demanda l'homme en blouse blanche. Son visage était large, carré, couronné d'une épaisse touffe de cheveux gris hérissés.

Pekkala se présenta.

« Eh bien, inspecteur Pekkala, bienvenue chez les fous, dit l'homme aux cheveux gris en écartant les bras.

— Déjà, un inspecteur, intervint le second, un homme de petite taille, d'apparence frêle, le teint si pâle que sa peau ressemblait à une perle nacrée. Vous ne perdez pas de temps, vous autres…

— Où est le colonel ? interrogea Pekkala. Il est blessé ?

— Non, répliqua l'homme aux cheveux gris. Le colonel Nagorski est mort.

— Mort ? s'écria Pekkala. Comment est-ce arrivé ? »

Les deux hommes échangèrent un regard, visiblement réticents à répondre.

« Où est-il ? reprit Pekkala. À l'intérieur du char ? »

L'homme aux cheveux gris se chargea des explications :

« Le colonel n'est pas dans le char. Le colonel Nagorski se trouve sous le char. »

Son compagnon montra le sol du doigt.

« Voyez par vous-même… »

Pekkala remarqua alors, au pied des chenilles du T-34, une grappe de doigts, dont les renflements pâles dépassaient à peine de l'eau. Scrutant intensément l'eau voilée de limon, il repéra une jambe, dont on ne distinguait que la partie inférieure. À l'extrémité de ce membre, qui semblait partiellement arraché, Pekkala distingua un soulier noir difforme. Toutes ses coutures paraissaient avoir cédé, comme si l'on avait tenté d'y insérer un pied bien trop volumineux.

« C'est Nagorski ?

— Ce qu'il en reste », répondit l'homme aux cheveux gris.

Malgré tous les morts que Pekkala avait pu examiner, la découverte d'un cadavre le sidérait toujours autant. C'était comme si son esprit, incapable d'endosser le fardeau de cette découverte, l'effaçait à chaque fois de sa mémoire. Par conséquent, le choc initial gardait toujours la même intensité.

Ce qui frappait surtout Pekkala, ce n'était pas le fait que chaque mort soit différent, mais à quel point, au contraire, les corps finissaient par se ressembler, qu'il s'agisse d'hommes ou de femmes, jeunes ou vieux, quand la vie les avait quittés. La même immobilité terrifiante les enveloppait, le même regard éteint et, bientôt, la même odeur écœurante, saisissante. Certaines nuits, il se réveillait avec la puanteur de la mort dans les narines. Titubant jusqu'au lavabo, il se rinçait le visage et se frottait les mains à s'en faire saigner, mais l'odeur restait, comme si tous ces cadavres avaient jonché le sol au pied de son lit.

Pekkala s'accroupit. Tendant le bras, il toucha le bout des doigts de Nagorski, sa propre main reflétant celle qui était submergée sous l'eau voilée de vase. L'image de Nagorski lui revint, fanfaronnant, en nage, dans la salle d'interrogatoire de la prison de la Loubianka. Il semblait alors indestructible. Au contact de la peau glaciale du mort, Pekkala sentit le froid lui envahir le bras, comme si sa propre vie était drainée à travers ses pores. Il retira sa main et se redressa, l'esprit déjà tourné vers la tâche qui l'attendait.

« Qui êtes-vous, tous les deux ? demanda-t-il.

— Je suis le professeur Ouchinsky, répondit l'homme aux cheveux gris. Chargé du développement de nouveaux armements ici, au complexe. » Désignant l'homme au manteau marron, il ajouta : « Et voici le professeur Gorenko.

— Je suis le spécialiste des questions de transmission, précisa le collègue, gardant ses mains au fond des poches, les épaules tremblant de froid.

— Comment est-ce arrivé ? poursuivit Pekkala.

— Nous ne savons pas très bien, répondit Gorenko, qui tentait d'enlever la boue de son manteau, ne parvenant qu'à l'incruster encore plus profond dans la laine. Ce matin, quand nous sommes arrivés, Nagorski nous a dit qu'il allait travailler sur le numéro 3. » Il frappa le flanc du tank de ses phalanges bleuies de froid. « Voici le numéro 3.

— Le colonel a précisé qu'il travaillerait seul, ajouta Ouchinsky.

— Était-ce inhabituel ? demanda Pekkala.

— Non, répondit Ouchinsky. Le colonel menait souvent des tests seul.

— Des tests ? Vous voulez dire que ce tank n'est pas encore achevé ? »

Les deux hommes secouèrent la tête.

« Il y a sept machines complètes dans la base. Chacune d'entre elles est équipée de mécanismes légèrement différents, configurations du moteur, ce genre de chose... Elles sont testées en permanence, et comparées entre elles. Au final, nous déterminerons une version standard. Puis le T-34 sera produit en masse. Mais jusque-là, le colonel voulait que tout demeure aussi secret que possible.

— Même pour vous ?

— Pour tout le monde, inspecteur, répliqua Gorenko. Sans exception.

— À quel moment vous êtes-vous rendu compte qu'il s'était passé quelque chose ?

— Quand je suis sorti de la chaîne d'assemblage principale, répondit Ouchinsky, en désignant du chef le plus vaste des bâtiments. Nous l'appelons la Maison d'Acier. C'est là que toutes les pièces du tank sont stockées. Il y a tellement de métal là-dedans que je suis étonné que la structure tout entière ne se soit pas encore enfoncée dans le sol ! Avant de sortir, je travaillais sur la version finale du mécanisme de transmission. Les engrenages de réduction sont enchâssés des deux côtés dans des supports blindés... »

Comme si c'était plus fort que lui, les mains de Gorenko se posèrent de nouveau sur le devant de son manteau et recommencèrent à gratter la boue incrustée dans la laine.

« Vous allez arrêter ! hurla Ouchinsky.

— C'est un manteau tout neuf, marmonna Gorenko. Je l'ai acheté hier.

— Le chef est mort ! » Ouchinsky saisit Gorenko par les poignets et écarta ses mains du manteau.

« N'êtes-vous donc pas capable de vous mettre ça dans la caboche ? »

Les deux hommes semblaient en état de choc. Pekkala avait déjà eu plusieurs fois l'occasion d'observer de tels comportements.

« Quand avez-vous compris que quelque chose clochait ? répéta-t-il, soucieux de remettre la conversation sur ses rails.

— Je fumais une cigarette dans la cour…, commença Ouchinsky.

— Interdiction de fumer dans l'usine, précisa Gorenko.

— J'y arriverai tout seul ! » s'emporta Ouchinsky, en enfonçant son index dans la poitrine de Gorenko.

Gorenko recula sous l'impact, manquant de perdre l'équilibre.

« Vous n'êtes pas obligé de vous comporter comme ça ! s'écria-t-il sèchement.

— … quand j'ai remarqué que le numéro 3 était à moitié enfoncé dans la vase, poursuivit Ouchinsky. Je me suis dit : "Regarde un peu ce qu'a fait le colonel… Il a embourbé son engin…" J'ai pensé qu'il l'avait fait volontairement, pour voir ce que cela donnait. C'est tout à fait le genre de test qu'il pouvait faire. J'ai attendu pour voir s'il allait réussir à se sortir de là, mais au bout d'un moment, j'ai commencé à me dire qu'il s'était passé quelque chose.

— Qu'est-ce qui vous a alerté ? intervint Pekkala.

— D'abord, le moteur ne tournait pas. Nagorski n'aurait jamais coupé le moteur dans de telles circonstances, même pour un test. Le tank risquait de sombrer entièrement, dans une boue aussi profonde. Si l'eau venait à inonder le compartiment moteur, tout le système de propulsion allait être détruit. Même Nagorski n'aurait pas pris un risque pareil…

— Rien d'autre ?

— Si. La trappe de la tourelle était ouverte, et la pluie tombait dru. Il aurait refermé la trappe. Et puis, enfin, il n'y avait aucun signe du colonel Nagorski.

— Qu'avez-vous fait, alors ?

— Je suis rentré et j'ai prévenu Gorenko. »

Gorenko y vit le signal qu'il pouvait enfin s'exprimer.

« Nous sommes tous les deux allés voir, continua-t-il.

— Nous avons d'abord inspecté l'intérieur du tank, expliqua Ouchinsky. Il était vide.

— Puis j'ai repéré le corps, sous les chenilles, ajouta Gorenko. Nous avons couru prévenir le capitaine Samarin, le chef de la sécurité. Nous sommes tous retournés au tank, et Samarin nous a dit de rester là.

— De ne toucher à rien. Puis il a couru appeler une ambulance.

— Et on n'a plus bougé d'ici, conclut Gorenko, serrant les bras autour de sa poitrine.

— Ne faudrait-il pas le sortir de là-dessous ? s'inquiéta Ouchinsky, le regard fixé sur la main du colonel, qui paraissait trembler dans cette mare agitée par le vent.

— Pas encore, rétorqua Pekkala. Tant que je n'aurai pas examiné les lieux, aucun élément de preuve ne doit être déplacé.

— C'est dur de se le représenter comme ça, marmonna Gorenko. Comme un simple élément de preuve… »

85

En temps voulu, pensa Pekkala, le corps de Nagorski aurait droit à tout le respect qu'il méritait. Mais, pour le moment, il faisait partie d'une équation, au même titre que la vase dans laquelle il gisait et que la masse d'acier qui avait broyé sa vie.

« Si Nagorski était seul, reprit-il, avez-vous une idée de la manière dont il a pu se retrouver sous cet engin ?

— Nous nous sommes posé exactement la même question, remarqua Ouchinsky.

— Ça semble tout à fait impossible, intervint Gorenko.

— Êtes-vous entrés dans l'habitacle depuis votre arrivée ?

— Juste le temps de constater qu'il était vide.

— Pourriez-vous me montrer le poste de pilotage ?

— Bien sûr », dit Gorenko.

À l'autre extrémité du char, Pekkala posa le pied sur l'une des chenilles et tenta de se hisser. Il perdit l'équilibre et retomba dans l'eau, les bras en croix, dans un grognement furieux. Le temps qu'il se relève, Gorenko avait contourné l'engin et prenait appui sur une aile.

« Il faut toujours monter par l'avant, inspecteur. Comme ça ! » Il grimpa sur la tourelle, ouvrit la trappe et se laissa tomber à l'intérieur.

Pekkala lui emboîta le pas, son manteau détrempé pesant sur ses épaules, et ses chaussures fichues glissant sur le métal lisse. Les doigts arc-boutés, il passait d'une prise à l'autre. Atteignant enfin la trappe de la tourelle, il jeta un coup d'œil dans l'espace exigu de l'habitacle.

« On tient à combien là-dedans ?

— Cinq », répondit Gorenko en levant les yeux sur lui.

Pekkala avait pourtant l'impression qu'il n'y avait pas assez de place pour Gorenko et lui, sans parler de trois hommes en plus.

« Ça va, inspecteur ?

— Oui, pourquoi ?

— Vous avez l'air un peu pâle.

— Tout va bien, mentit Pekkala.

— Bon. Alors descendez, inspecteur. »

Pekkala expira lourdement. Puis il se glissa tant bien que mal à l'intérieur.

La première chose qu'il remarqua, le temps que ses yeux s'accoutument à l'obscurité, fut une odeur de peinture fraîche mêlée à celle du gasoil. L'habitacle semblait encore plus étroit, vu de l'intérieur. Pekkala avait l'impression d'avoir pénétré dans une tombe. Des perles de sueur ruisselaient sur son front. Il avait des problèmes de claustrophobie depuis le jour, dans son enfance, où son frère Anton, pour lui jouer un tour, l'avait enfermé dans le crématorium qui servait à son croque-mort de père.

« C'est le compartiment de combat », expliqua Gorenko, perché sur un siège, dans le coin droit opposé. Le siège était fixé à la paroi métallique et possédait un dossier indépendant, incurvé en demi-cercle, épousant les contours de l'habitacle. Gorenko lui désigna un siège identique, sur la gauche. « Je vous en prie », dit-il, avec la cordialité d'un homme offrant à son invité de s'asseoir au salon.

Plié en deux, Pekkala s'installa sur le siège.

« Vous occupez maintenant le poste du chargeur, expliqua Gorenko. Et moi, celui du commandant. »

Il tendit une jambe et posa son talon sur un coffre qui contenait d'énormes obus, le long de la paroi. Chaque obus était arrimé par une sangle à ouverture rapide.

« Vous dites que le moteur était à l'arrêt quand vous êtes arrivés...

— C'est exact.

— Cela signifie-t-il que quelqu'un l'a éteint ?

— Je dirais que oui.

— Y a-t-il un moyen de le vérifier ? »

Gorenko scruta le poste de pilotage, un espace plus étroit encore situé juste au-dessus du compartiment de combat. Les yeux de Gorenko se plissèrent pour déchiffrer cet enchevêtrement chaotique de pédales, de manettes de direction et de leviers de vitesses.

« Ah, conclut-il. J'avais tort. Il est toujours en première. En marche avant. Le moteur a dû caler...

— Donc quelqu'un d'autre était aux commandes ? suggéra Pekkala.

— Probablement, répondit Gorenko, mais je ne peux pas l'affirmer avec certitude. Le levier de vitesses a très bien pu se déboîter tout seul pendant qu'il se trouvait dehors...

— J'ai entendu parler de boîtes de vitesses débrayant toutes seules, remarqua Pekkala. Mais embrayant, jamais...

— Ces engins ne sont pas encore totalement aboutis, inspecteur. Ils font parfois des choses qu'ils ne sont pas censés faire. »

L'instinct de Pekkala le suppliait de sortir de cette tombe d'acier. Il se força à garder son calme. « Remarquez-vous autre chose, là-dedans, qui ne soit pas à sa place ? »

Gorenko passa en revue l'habitacle et fit non de la tête.

« Tout est au bon endroit. »

Pekkala avait vu tout ce qu'il avait besoin de voir. Il était temps, maintenant, de récupérer le corps de Nagorski.

« Vous savez conduire cette machine ? demanda-t-il.

— Bien sûr, répliqua Gorenko. Mais la vraie question, c'est de savoir s'il pourra sortir de ce cratère sans être remorqué… C'est sans doute ce que Nagorski a voulu vérifier. »

Pekkala hocha la tête.

« Vous voulez bien essayer ?

— Certainement, inspecteur. Vous feriez mieux d'attendre dehors. Il est difficile de savoir ce qui va se passer quand je mettrai les chenilles en route. Il pourrait s'enfoncer encore davantage, et si cela devait arriver, ce compartiment serait inondé. Laissez-moi une minute pour vérifier que toutes les commandes fonctionnent, et surtout, ne restez pas trop près quand je démarrerai le moteur… »

Tandis que Gorenko se faufilait dans le minuscule poste de pilotage, Pekkala se hissa hors du char. Ses larges épaules frottaient douloureusement contre les bords de la trappe. Quand ses mains agrippèrent la barre d'appui fixée sur la tourelle, la solidité glaciale de l'engin parut irradier à travers sa peau. Pekkala était soulagé de revenir enfin à l'air libre, même si c'était pour se retrouver de nouveau sous l'averse.

Au pied du tank, Ouchinsky fumait une cigarette, la main courbée sur les braises pour les protéger de la pluie et du vent.

« Gorenko affirme que le moteur était embrayé,

déclara Pekkala, en atterrissant dans la boue à côté d'Ouchinsky, dans une gerbe d'éclaboussures.

— Ce n'était donc pas un accident.

— Peut-être pas. Nagorski avait-il des ennemis au sein de la base ?

— Disons plutôt, inspecteur, qu'il serait difficile de trouver qui que ce soit, ici, qui n'ait pas une dent contre lui. Il nous faisait travailler comme des esclaves. Nos noms n'étaient jamais cités dans ses rapports. Il s'attribuait systématiquement tout le mérite. Le camarade Staline doit sûrement penser que Nagorski a construit cet engin tout seul…

— Quelqu'un lui en voulait-il assez pour souhaiter sa mort ? » insista Pekkala.

Ouchinsky balaya d'un geste ces mots, comme si son visage s'était pris dans une toile d'araignée et qu'il voulait s'en débarrasser.

« Aucun d'entre nous n'aurait jamais pu avoir l'idée de lui faire du mal.

— Et pourquoi donc ?

— Parce que même si nous n'aimions pas la manière dont Nagorski nous traitait, le projet Constantin était devenu le but de notre vie à tous. Sans Nagorski, il n'aurait jamais pu voir le jour. Je sais que c'est sans doute difficile à comprendre, mais ce qui peut vous paraître un enfer… » Il déploya ses bras, comme pour embrasser le T-34 et l'immense bassin rempli de vase de son terrain d'essai. « … pour nous, c'est un paradis. »

Pekkala expira longuement.

« Comment des hommes peuvent-ils travailler à l'intérieur de ces engins ? Que se passe-t-il s'il arrive quelque chose ? Comment peuvent-ils sortir ? »

Les lèvres d'Ouchinsky se plissèrent, comme si aborder ce sujet lui avait paru dangereux.

« Vous n'êtes pas le seul à vous être posé la question, inspecteur. Une fois à l'intérieur, l'équipage du char est bien protégé, mais quand le blindage est endommagé, disons, par un projectile antichar, il est extrêmement difficile d'en sortir.

— Pouvez-vous améliorer ce point ? Pouvez-vous faciliter l'évacuation de l'équipage ? »

Ouchinsky acquiesça du chef.

« Oh, oui. C'est faisable, mais Nagorski a fondé la conception du T-34 sur l'optimisation de ses performances. L'équation est assez simple, inspecteur. Tant que le T-34 fonctionne, il est important de protéger ceux qui le font marcher. Mais dès lors que l'engin est neutralisé au combat, sa vie est tout simplement terminée. Et ceux qui le dirigent ne sont plus jugés nécessaires. Les pilotes d'essai lui ont d'ailleurs déjà trouvé un surnom.

— Qui est… ?

— Ils l'appellent le Cercueil rouge, inspecteur. »

La voix d'Ouchinsky fut soudain couverte par le bruit du moteur, que Gorenko venait de démarrer.

Pekkala et Ouchinsky reculèrent, tandis que les chenilles se mettaient à tourner, projetant des torrents d'eau vaseuse derrière l'appareil. Quand les semelles rencontrèrent une prise ferme, le T-34 commença à ramper vers le haut du cratère. Pendant quelques instants, on aurait dit que la machine tout entière allait rebasculer au fond, mais les vitesses craquèrent alors, et le T-34 fit une embardée qui l'arracha au trou. Gorenko mit le moteur au point mort, puis coupa le contact.

Le silence qui s'ensuivit, alors que le nuage des gaz d'échappement se dissipait dans le ciel, fut presque aussi assourdissant que le fracas du moteur.

Gorenko se hissa au-dehors. Les pans couverts de boue de son manteau voletèrent derrière lui comme une paire d'ailes brisées lorsqu'il bondit au pied du char. Il vint rejoindre Pekkala et Ouchinsky au bord de la fosse. En silence, les trois hommes baissèrent les yeux vers l'eau sombre du trou, qui bouillonnait encore.

Les gouttes de pluie donnaient comme la chair de poule à la surface de la mare, obscurcissant le fond. D'abord, ils ne purent distinguer le corps. Il semblait avoir disparu plus profond. Puis, tel un fantôme surgissant de la brume, le cadavre du colonel Nagorski remonta peu à peu en flottant. La pluie martelait son lourd manteau de toile, lequel était visiblement la seule chose qui maintenait encore ensemble les différentes parties du corps. Les jambes, brisées, se déployaient comme des serpents à partir du torse difforme. Leurs os avaient été broyés en un si grand nombre d'endroits que les membres paraissaient onduler, comme s'ils avaient été non pas le corps lui-même, mais un simple reflet. Ses mains s'étaient gonflées de manière obscène, le poids des chenilles ayant repoussé tous les fluides du corps vers ses extrémités. La pression avait fait éclater le bout des doigts, comme des gants trop usés. Une courbure dans le sol mou avait préservé la moitié du visage de Nagorski, mais le reste avait été broyé par les chenilles.

Ouchinsky contemplait le cadavre, paralysé par ce qu'il voyait.

« Tout est réduit à néant, se lamenta-t-il. Tout le fruit de notre travail. »

Gorenko bougea le premier, se laissant glisser au fond du cratère pour récupérer le corps. L'eau lui arrivait à la poitrine. Il souleva Nagorski. Vacillant sous la charge, Gorenko regagna le bord de la fosse.

Pekkala l'attrapa par les épaules et l'aida à remonter. Doucement, Gorenko posa le colonel par terre.

Quand le cadavre se retrouva allongé devant lui, Ouchinsky parut reprendre ses esprits. Malgré le froid, il ôta son manteau et en recouvrit Nagorski. Le tissu détrempé épousa le visage du mort.

Pekkala aperçut alors un homme de grande taille aux abords du terrain d'essai, à demi dissimulé par le rideau de pluie qui se déployait entre eux. Il crut d'abord reconnaître Kirov, avant de se rendre compte que l'homme était beaucoup plus grand que son adjoint.

« C'est Maximov, déclara Ouchinsky. Le chauffeur et garde du corps de Nagorski.

— Nous le surnommons T-33, ajouta Gorenko.

— Pourquoi donc ? s'étonna Pekkala.

— Avant que Nagorski ne décide de construire son char, expliqua Ouchinsky, il s'est construit un Maximov. »

À cet instant précis, un cri résonna du côté des sinistres bâtiments du complexe.

Le capitaine Samarin courait en direction du terrain d'essai, suivi de près par Kirov. Ce dernier hurla quelque chose à l'intention de Pekkala, mais ses paroles furent englouties par la pluie.

Aussi subitement qu'ils étaient apparus, Samarin et Kirov disparurent, Maximov sur leurs talons. Les trois hommes couraient à perdre haleine.

« Que se passe-t-il encore ? » s'inquiéta Ouchinsky.

Pekkala ne répondit rien. Il s'éloignait déjà dans la vase, en direction des bâtiments. Tantôt il s'enfonçait jusqu'aux genoux dans des cratères gorgés d'eau boueuse, tantôt il perdait l'équilibre et s'écroulait de tout son long sous la surface de l'étang. Pendant quelques instants, on aurait dit qu'il ne réapparaîtrait plus jamais, mais alors il se redressait, à bout de souffle, les cheveux recouverts de vase, le visage maculé de boue, telle une créature générée par quelque réaction chimique dans les entrailles boueuses du lac. Atteignant à quatre pattes le sommet de la berge, Pekkala s'arrêta pour reprendre son souffle. Il se retourna vers le char et vit les deux scientifiques, toujours plantés près du corps de Nagorski, comme s'ils n'avaient nulle part où aller. Pekkala repensa à ces chevaux de cavalerie qui restent sur le champ de bataille au côté de leur cavalier tombé au combat.

Il rattrapa Kirov et les autres sur la route qui menait au complexe.

« J'ai découvert un homme, expliqua Samarin, planqué dans l'une des réserves où sont entreposées les pièces détachées des engins. Je l'ai poursuivi dehors, jusqu'à la route, et là, il s'est volatilisé…

— Où sont les autres agents de sécurité ? interrogea Pekkala.

— L'un d'eux est posté devant l'entrée. Vous l'avez rencontré en arrivant. Il y en a seulement quatre autres, qui surveillent les bâtiments. C'est le dispositif mis en place par le colonel Nagorski. En cas d'alerte, tous les bâtiments doivent être verrouillés et placés sous surveillance.

— Vu l'importance de ce projet, pourquoi êtes-vous si peu nombreux à garder cet endroit ?

— Ce n'est pas une bijouterie, inspecteur, répliqua Samarin, sur la défensive. Les choses que nous surveillons sont aussi grandes que des maisons, et presque aussi lourdes. On ne peut pas les glisser dans sa poche et filer avec. Le colonel Nagorski aurait pu obtenir cent hommes pour patrouiller dans les lieux, s'il l'avait voulu, mais il affirmait qu'il n'en avait pas besoin. Ce qui inquiétait le colonel, c'est que quelqu'un puisse s'enfuir avec les plans de ses inventions. Ainsi, moins il y avait de gens qui traînaient par ici, mieux c'était. C'était sa manière de voir les choses.

— Très bien, reprit Pekkala. Les bâtiments sont verrouillés. Quelles autres mesures a-t-on prises ?

— J'ai appelé le quartier général du NKVD, à Moscou, pour demander de l'aide. Dès que je leur ai confirmé la mort du colonel Nagorski, ils m'ont dit qu'ils enverraient un escadron de soldats. Après vous avoir dirigé vers le terrain d'essai, j'ai appris par téléphone que les médecins avaient été interceptés et renvoyés à Moscou. Les soldats vont bientôt arriver, mais pour l'instant, il n'y a que nous. C'est pour ça que j'ai réquisitionné ces deux-là, ajouta-t-il en désignant Kirov et Maximov. J'ai besoin de toute l'aide disponible. »

Pekkala se tourna vers Maximov, afin de se présenter :

« Je suis…

— Je sais qui vous êtes », l'interrompit Maximov.

Sa voix était grave et sonore, comme si elle n'avait pas jailli de sa bouche, mais par vibrations, à travers sa poitrine. Tout en parlant à Pekkala, il ôta sa casquette, dévoilant son crâne rasé et son large front, qui semblait aussi solide que les flancs blindés du char de Nagorski.

« L'homme que vous avez vu…, interrogea Pekkala, en se retournant vers Samarin.

— Il s'est enfoncé dans les bois, le coupa Samarin. Mais il ne survivra pas très longtemps, là-dedans.

— Pourquoi ? s'étonna Pekkala, surpris qu'ils ne l'aient pas poursuivi.

— Les pièges, expliqua Samarin. Durant la construction du complexe, le colonel Nagorski disparaissait dans la forêt quasiment tous les jours. Personne n'avait le droit de le suivre. Il emportait des planches de bois, des tuyaux en métal, des rouleaux de fil de fer, des pelles, des caisses clouées pour que nul ne sache ce qu'elles contenaient. Personne ne sait combien de pièges il a construit. Des dizaines, peut-être des centaines. Ni quel genre de pièges, au juste. Nul ne sait où ils se trouvent, non plus, à part le colonel Nagorski.

— Pourquoi se donner tant de mal ? demanda Kirov. Il y avait sûrement…

— Vous n'avez pas connu le colonel Nagorski, l'interrompit Samarin.

— Il n'existe aucune carte de l'emplacement des pièges ? demanda Pekkala.

— Pas que je sache. Nagorski a cloué de petits disques de couleur sur certains troncs d'arbres. Certains sont bleus, d'autres rouges ou jaunes. Leur signification, s'ils en ont une, seul Nagorski la connaît… »

Scrutant les profondeurs de la forêt, Pekkala repéra quelques disques, qui étincelaient tels des yeux dans la pénombre.

Un bruit leur fit tourner la tête – une série de battements sourds, quelque part au milieu des bois.

« Là-bas ! » hurla Samarin, dégainant son revolver d'un geste précipité.

Une forme courait dans la forêt, si vive que Pekkala crut d'abord qu'il s'agissait d'un animal. Aucun homme ne se déplace si rapidement, pensa-t-il. La silhouette apparaissait puis disparaissait, bondissant comme un cerf à travers les buissons de ronces du sous-bois. Puis elle traversa une clairière, et Pekkala reconnut qu'il s'agissait d'un homme. Aussitôt, un déclic se produisit en lui. Il comprit que s'ils ne l'arrêtaient pas maintenant, jamais ils ne le retrouveraient dans cette forêt sauvage. Il n'avait pas oublié Nagorski et ses pièges, mais un étrange instinct s'était réveillé en lui, prenant le dessus sur le souci rationnel de sa propre sécurité. Sans un mot pour ses compagnons, il s'engagea en courant dans la forêt.

« Attendez ! » hurla Samarin.

Pekkala fonçait entre les arbres, dégainant son arme sans même ralentir.

« Vous êtes devenu fou ? » lui cria Samarin.

Pekkala jeta un regard par-dessus son épaule. Kirov s'était joint à la chasse et il enjambait les buissons, peinant à rattraper Pekkala.

« C'est de là pure folie ! » rugit Samarin. Puis, dans un cri qui vida l'air de ses poumons, il se précipita à son tour dans la forêt.

Les hommes couraient à perdre haleine dans la pénombre du sous-bois, les ronces leur lacérant les jambes.

« Le voilà ! » s'écria Samarin.

Pekkala avait les bronches en feu. Le poids de son

manteau lui écrasait les épaules et entravait les mouvements de ses cuisses.

Samarin l'avait dépassé, à présent, et, prenant de la vitesse, il gagnait du terrain sur le fugitif. Soudain, il s'arrêta en dérapant, levant la main pour les mettre en garde. Pekkala parvint à ralentir juste à temps pour ne pas le percuter. Il se plia en deux, les mains sur les genoux, la gorge à vif, peinant à reprendre son souffle.

D'un geste bref, Samarin désigna un fil de fer tiré en travers du chemin. Le fil traversait ensuite un clou tordu planté dans une souche toute proche. De là, le fil se déployait à travers les feuilles d'un arbre, au bord du chemin. Enfin, leurs yeux parvinrent à distinguer l'endroit où il s'entortillait autour du bâton d'une grenade russe, modèle 33, suspendue à une branche par une tresse d'herbes sèches, juste au-dessus de leurs têtes. À la moindre secousse, le fil se serait décroché, actionnant le mécanisme de la grenade, puisque les modèles 33 – semblables à des boîtes de soupe fixées à une tige courte mais pesante, et enveloppées d'un manchon préfragmenté – étaient habituellement déclenchées par le simple geste de les propulser dans les airs.

« On continuera à le poursuivre, décréta Samarin en se penchant pour défaire le nœud, dès que j'aurai désarmé ce machin. »

Au moment de reprendre sa course, Pekkala jeta un dernier regard à la grenade. C'est alors qu'il remarqua que son couvercle coulissant, qui aurait dû contenir le détonateur en forme de cigarette, était vide. L'idée que cela pût être, pour une raison ou une autre, intentionnel s'esquissait à peine sous son crâne lorsqu'il entendit un frôlement assourdissant dans les branches, au-dessus de lui.

Il eut juste le temps de se tourner vers Samarin. Leurs regards se croisèrent.

Une forme frôla Pekkala, vive comme l'éclair, effleurant de son souffle froid la joue de l'inspecteur. Puis il y eut un grand bruit sourd. Des feuilles s'abattirent tout autour de lui.

Pekkala n'avait pas bougé, paralysé par la proximité de cette chose, quelle qu'elle soit, qui venait de le frôler. Mais il se força à se retourner vers Samarin.

Celui-ci lui sembla d'abord être assis, étrangement courbé, contre la souche d'un arbre. Ses bras étaient jetés sur le côté, comme pour reprendre l'équilibre. Un sombre amas de terre, de bois et d'acier érodé dissimulait une partie de son corps. Il fallut un moment à Pekkala pour identifier cet objet : c'était un tuyau en métal scié en diagonale, telle l'aiguille d'une gigantesque seringue. Il avait ensuite été fixé avec du lierre au tronc d'un jeune arbre tordu, et s'était retrouvé libéré par la pression du pied de Samarin.

La grenade n'était là que pour faire diversion, détournant leurs regards du véritable danger dissimulé sous le feuillage.

Le tuyau acéré avait frappé Samarin en pleine poitrine. L'impact l'avait projeté contre la souche. Le bois pourri avait volé en éclats et une cohorte de fourmis d'un noir étincelant, de cloportes et de perce-oreilles se ruait à présent en ordre dispersé hors de ce trône poussiéreux. Les insectes envahirent les épaules de Samarin, migrèrent le long de ses bras, avant de s'échapper par les passerelles de ses doigts. Samarin vivait encore. Il regardait droit devant lui, et ses traits exprimaient la résignation. Puis ses yeux se figèrent, devenant comme ceux d'un chat. L'instant d'après, il était mort.

L'averse avait cessé. Déchiquetant les nuages, des rayons de soleil obliques perçaient à travers le feuillage, donnant à l'air lui-même des teintes de cuivre en fusion.

Kirov atteignit l'endroit où Pekkala s'était immobilisé.

Ils distinguèrent au loin un bruissement rythmé de pas, qui s'estompait peu à peu.

« Pas la peine de continuer, déclara Kirov. Mais où est Maximov, bon Dieu ? Pourquoi ne nous a-t-il pas aidés ?

— Il est trop tard, maintenant, répondit Pekkala. J'ignore qui est cet homme – en tout cas, nous l'avons perdu. »

En se tournant une nouvelle fois vers l'endroit où l'homme avait disparu, l'idée lui traversa l'esprit que ce n'était peut-être pas un homme qu'ils avaient poursuivi, mais un être surnaturel, une créature capable de planer au-dessus du sol, indifférente aux pièges, qui s'était enveloppée dans les millions de branches enchevêtrées des arbres et volatilisée.

Les deux hommes s'approchèrent de Samarin. Il n'y avait aucun moyen de le dégager en douceur. Pekkala appuya sa botte contre l'épaule du mort et arracha brutalement le tuyau de sa poitrine.

Ensemble, Kirov et Pekkala portèrent le cadavre jusqu'à la route. Là, ils tombèrent sur Maximov, qui les attendait à l'endroit exact où ils l'avaient laissé. Il regarda le corps de Samarin. Puis il redressa la tête et fixa Pekkala droit dans les yeux, sans prononcer un mot.

Kirov ne put contenir sa rage. Il marcha sur Maximov, jusqu'à ce que les deux hommes ne se trouvent plus qu'à un bras d'écart.

« Pourquoi ne nous avez-vous pas aidés ? hurla-t-il.

— Je sais ce qu'il y a dans cette forêt », répliqua Maximov, sa voix ne trahissant aucune émotion.

Alors Kirov pointa du doigt le cadavre du capitaine Samarin.

« Lui aussi, il savait ! Il savait, et il nous a pourtant suivis. »

La tête de Maximov pivota lentement, jusqu'à ce que ses yeux se posent sur le mort.

« C'est vrai, dit-il.

— C'est quoi, votre problème ? cria Kirov. Vous aviez peur de prendre ce risque ? »

Cette insulte sembla faire tressaillir Maximov, comme si le sol s'était mis à trembler sous ses pieds.

« Il y a de meilleures façons de servir votre pays, camarade commissaire, que de vous débarrasser de votre vie à la première occasion...

— Vous réglerez tout ça plus tard, intervint Pekkala. Pour l'instant, nous avons de la visite. »

Un camion militaire dont les plaques d'immatriculation étaient celles du NKVD approchait sur la route. Les bâches de toile étaient baissées. En passant devant eux, le chauffeur jeta un coup d'œil par la fenêtre, aperçut Samarin, et se retourna pour faire un commentaire à la personne assise sur le siège passager. Le camion se rangea devant le complexe. Des hommes en armes, portant les képis bleus des forces de sécurité du

NKVD, sautèrent sur le sol boueux et prirent position autour des bâtiments.

Un officier descendit de la cabine. C'est seulement lorsqu'il commença à marcher vers eux que Pekkala constata qu'il s'agissait d'une femme, car elle portait le même képi et la même tenue que les hommes, dissimulant les courbes de ses hanches et de sa poitrine. Elle était de taille moyenne et avait le visage rond, de grands yeux verts.

La femme se planta devant eux, étudiant leurs habits débraillés et sales.

« Je suis le commissaire-major Lysenkova, Bureau des affaires internes du NKVD. »

À peine le nom lui fut-il parvenu aux oreilles que Pekkala se souvint d'avoir entendu parler d'elle. Elle était connue pour le poste qu'elle occupait au sein du NKVD et qui lui valait le mépris de la plupart de ses collègues. La commissaire Lysenkova avait la tâche peu enviable d'enquêter sur les crimes commis au sein de son propre service. Au cours des deux années précédentes, plus de trente hommes du NKVD avaient été exécutés après avoir été reconnus coupables de crimes sur lesquels Lysenkova avait enquêté. Au sein des rangs pourtant soudés du NKVD, Pekkala n'avait jamais entendu le moindre commentaire flatteur à son sujet. La rumeur disait même qu'elle avait dénoncé ses propres parents aux autorités, et que toute sa famille s'était retrouvée en Sibérie.

Étant donné la réputation qui la précédait, Pekkala fut surpris par l'apparence physique de Lysenkova. Sa dureté légendaire ne collait pas avec ce visage arrondi, et les vêtements qu'elle portait auraient été trop petits pour lui quand il avait douze ans.

« Lequel d'entre vous est Pekkala ? demanda-t-elle.

— C'est moi. »

Pekkala sentit l'éclat de ses yeux verts se poser sur lui.

« Que s'est-il passé, ici ? » interrogea Lysenkova, désignant d'un geste brusque le cadavre de Samarin.

Pekkala lui raconta tout.

« Et vous avez échoué à arrêter cette personne ?

— C'est exact, reconnut-il.

— Je serais curieuse de savoir, reprit-elle, comment vous avez réussi à arriver sur les lieux du crime avant moi, inspecteur.

— Quand nous avons quitté Moscou, répliqua Pekkala, le crime n'avait pas encore été commis. Mais maintenant que vous êtes ici, commissaire Lysenkova, j'apprécierai toute l'aide que vous pourrez nous apporter. »

Elle cligna des yeux.

« Vous semblez vous méprendre, inspecteur, sur qui dirige cette enquête... Ce complexe est sous le contrôle du NKVD.

— Très bien, admit Pekkala. Que comptez-vous faire, maintenant ?

— Je vais examiner moi-même le corps du colonel Nagorski, pour essayer de déterminer les circonstances exactes de sa mort. Pendant ce temps, je vais envoyer des gardes patrouiller sur la route principale, au cas où ce fugitif réussirait à traverser les bois.

— Et la famille de Nagorski ? demanda Pekkala.

— Son épouse et son fils vivent ici, dans la base, intervint Maximov.

— Savent-ils ce qui s'est passé ? interrogea Lysenkova.

— Pas encore, répondit Maximov. Il n'y a pas de téléphone chez eux, et personne n'est allé sur place depuis l'accident.

— Je vais leur apprendre la nouvelle », proposa Pekkala.

Mais, tout en parlant, il se demanda comment il trouverait les mots justes. Son métier consistait à s'occuper des morts et de ceux qui les avaient conduits là ; pas de ceux qui devaient continuer à vivre sur les ruines d'un tel désastre.

Lysenkova réfléchit quelques instants.

« D'accord, accepta-t-elle. Et venez me faire un rapport quand vous en aurez terminé. Mais d'abord, ajouta-t-elle en hochant la tête vers Samarin, enterrez-moi ce corps.

— Ici ? s'exclama Kirov en la dévisageant. Tout de suite ?

— Il s'agit d'une base secrète, rétorqua Lysenkova. Tout ce qui arrive ici est classé top secret, y compris qui travaille et qui a la malchance de mourir là. Avez-vous déjà entendu parler du canal de la mer Blanche, major ?

— Évidemment. »

Destiné à relier la mer Blanche à la Baltique, soit une distance de plus de deux cents kilomètres, ce canal avait été creusé au début des années 1930, presque exclusivement par des bagnards, avec des outils rudimentaires, dans l'un des climats les plus rudes de la planète. Des milliers d'ouvriers avaient péri et, au bout du compte, le canal se révéla trop étroit pour les cargos qui étaient censés l'emprunter.

« Savez-vous ce qu'on a fait des prisonniers qui sont morts au cours des travaux ? » reprit Lysenkova. Sans attendre de réponse, elle poursuivit : « Leurs corps étaient enfouis dans le ciment encore frais des parois du canal. Voilà ce qui arrive aux secrets, major, dans ce pays. On les enfouit. Donc, faites ce que je dis et ensevelissez-le.

— Où ? demanda Kirov, qui n'arrivait toujours pas à en croire ses oreilles.

— Ici, sur la route, si ça vous chante, rétorqua sèchement Lysenkova. Mais où que ce soit, faites-le vite. »

Elle pivota sur ses talons et se dirigea vers le complexe.

« Je vois que les rumeurs disaient vrai », commenta Kirov, en regardant Lysenkova regagner le camion à grandes enjambées.

Maximov se détourna pour cracher.

« Pourquoi n'avez-vous pas fait valoir votre rang supérieur, inspecteur ? demanda Kirov, s'adressant à Pekkala.

— J'ai un mauvais pressentiment, répondit Pekkala. Le simple fait qu'elle soit là signifie qu'il se passe des choses plus graves que nous ne l'avions cru. Pour l'instant, voyons où elle va nous mener… » Il se tourna vers Maximov pour lui demander : « Pourriez-vous me conduire chez l'épouse de Nagorski ? »

Maximov acquiesça.

« Enterrons d'abord Samarin, ensuite je vous emmènerai là-bas. »

Les trois hommes transportèrent le corps jusqu'à l'orée du bois. Faute de pelle, ils se servirent de leurs mains pour creuser une tombe dans la terre molle et noire. À un demi-bras sous la surface, la fosse se remplit d'un liquide sombre suintant du sous-sol tourbeux. Ils n'eurent d'autre choix que d'y déposer Samarin, les bras croisés sur la poitrine, comme pour cacher le tunnel qui traversait son cœur. L'eau noire l'engloutit entièrement. Ils tassèrent ensuite la terre spongieuse au-dessus du corps. Quand ce fut terminé et qu'ils se redressèrent, aucune trace ou presque ne laissait deviner qu'un homme était enterré là.

Maximov partit chercher sa voiture, et Kirov se tourna vers Pekkala.

« Pourquoi ne commençons-nous pas par arrêter ce salopard ?

— L'arrêter ? s'étonna Pekkala. Pour quel motif ?

— Je ne sais pas ! éructa Kirov, encore trop énervé pour penser clairement. Pourquoi pas pour couardise ?

— Vous me semblez l'avoir jugé bien rapidement...

— Parfois, il suffit d'un instant. J'ai déjà eu l'occasion de le rencontrer, vous savez. Il était assis à la table de Nagorski, le jour où je suis allé au restaurant de Chicherin pour l'arrêter. Je n'ai pas aimé sa tête, ce jour-là, et je l'aime encore moins maintenant.

— Avez-vous envisagé un seul instant qu'il ait pu avoir raison ?

— À propos de quoi ?

— Raison de ne pas s'aventurer en courant dans cette forêt. Après tout, pourquoi vous êtes-vous mis à courir ? »

Kirov fronça les sourcils, confus.

« J'ai couru parce que vous couriez, inspecteur.

— Et vous savez pourquoi j'ai couru, reprit Pekkala, malgré la mise en garde de Samarin ?

— Non, dit Kirov en haussant les épaules. Je ne sais pas.

— Moi non plus, poursuivit Pekkala. Et nous avons

de la chance d'être encore là, debout, et pas six pieds sous terre. »

La voiture de Maximov apparut au coin d'un bâtiment et se dirigea vers eux.

« J'ai besoin que vous gardiez un œil sur Lysenkova, ajouta Pekkala. Quoi que vous puissiez découvrir, Kirov, gardez-le pour vous jusqu'à nouvel ordre. Et votre sang-froid, gardez-le également.

— Ça, marmonna Kirov, je ne peux pas vous le promettre. »

Maximov s'engagea sur une piste étroite qui s'éloignait des lugubres bâtiments du complexe.

« Veuillez excuser mon adjoint, déclara Pekkala, assis sur le siège passager. Parfois, il agit sans réfléchir.

— Il me semble, rétorqua Maximov, qu'il n'est pas le seul. Mais s'il s'agit de me réconforter, camarade inspecteur, épargnez-vous cette peine...

— D'où êtes-vous, Maximov ? interrogea Pekkala, modifiant son approche.

— J'ai vécu dans bien des endroits. Je ne suis de nulle part.

— Et que faisiez-vous avant la révolution ?

— La même chose que vous, inspecteur. Je travaillais pour gagner ma vie, et j'ai réussi à survivre. »

Pekkala se tourna vers les arbres flous qui défilaient sur sa droite.

« Ça fait deux questions que vous esquivez. »

Maximov écrasa la pédale de frein. Les roues se bloquèrent, et la voiture partit en dérapage. L'espace d'un instant, elle sembla vouée à terminer sa course dans le fossé, mais s'immobilisa juste avant de quitter la route. Maximov coupa le moteur, puis se tourna vers Pekkala.

« Si vous n'aimez pas que j'esquive vos questions, alors vous feriez peut-être mieux d'arrêter de m'en poser.

— C'est mon travail, de poser des questions. Et tôt ou tard il vous faudra y répondre. »

Maximov garda le silence pendant un long moment. Il se contentait de fusiller Pekkala du regard mais, au fil des secondes, la colère quitta ses yeux.

« Je suis désolé, finit-il par déclarer. La seule raison pour laquelle j'ai survécu aussi longtemps, c'est que j'ai su me taire. Difficile de se défaire de ses vieilles habitudes, inspecteur.

— La survie a été difficile pour nous tous, reconnut Pekkala.

— Ce n'est pas ce que j'ai ouï dire sur vous, répliqua Maximov. Les gens racontent que vous êtes béni des dieux…

— Ce ne sont que des histoires, Maximov.

— Vraiment ? Je vous ai pourtant vu ressortir de cette forêt sans une égratignure.

— Je n'étais pas le seul.

— Je suis sûr que cela serait d'un grand réconfort pour le capitaine Samarin, s'il était encore vivant. Vous savez, quand j'étais enfant, j'ai entendu dire que quand un Russe part dans les bois, il se perd. Mais quand un Finlandais met un pied dans la forêt… » Il joignit le bout de ses doigts puis les écarta lentement, comme pour relâcher une colombe. « … il disparaît, purement et simplement.

— Je vous l'ai dit, ce ne sont que des histoires.

— Non, inspecteur. C'est davantage que cela. Je l'ai vu de mes propres yeux.

— Qu'avez-vous donc vu ?

— J'étais présent, sur la perspective Nevski, le jour où, cela ne fait aucun doute, vous auriez dû mourir… »

C'était un soir d'été. Pekkala avait passé toute la journée à chercher un cadeau d'anniversaire pour Ilya, errant sans fin devant les vitrines de la galerie du Passaj – un passage sous verrière, bordé de bijouteries de luxe, de tailleurs chics et de boutiques d'antiquités. Des heures durant, il avait arpenté la galerie en tous sens, se forçant à entrer dans les magasins exigus, où il savait que des vendeurs et vendeuses l'assailliraient aussitôt.

Pour la troisième fois de la journée, il en sortit et s'enfuit vers la perspective Nevski et son immense marché couvert connu sous le nom de Gostiny Dvor. Le sol y était recouvert de sciure de bois, de feuilles de chou flétries et de tickets de caisse chiffonnés, griffonnés sur le papier gris de blocs-notes bon marché. Des camions se garaient sur les pavés de l'immense zone de livraison, et des manutentionnaires en tunique bleue à boutons argentés, les mains enveloppées de chiffons pour se protéger des échardes des caisses de bois, chargeaient légumes et fruits.

Sous les vastes halles froides et sonores du Gostiny Dvor, dans les cris des vendeurs scandant leurs listes de produits et le doux bruissement des pas dans la sciure, Pekkala s'assit sur un tonneau dans le café fréquenté par les manutentionnaires, pour siroter un verre de thé, et il sentit son cœur se dénouer enfin après ces heures passées dans l'atmosphère oppressante du Passaj.

Le dernier train pour Tsarskoïe Selo partait une demi-heure plus tard. Conscient qu'il ne pouvait rentrer les mains vides, il se força à retourner une nouvelle fois au Passaj. C'est maintenant ou jamais, se dit-il.

Une minute plus tard, au moment de quitter les halles du marché, il remarqua un homme debout contre l'un des piliers de l'entrée. L'homme l'observait discrètement. Pekkala savait toujours quand on l'épiait, qu'il ait repéré ou non la personne qui s'en chargeait. Il le sentait flotter dans l'air, comme de l'électricité statique.

Pekkala lui jeta un bref coup d'œil en passant devant lui, détaillant ses habits – le long manteau taillé dans une laine grise comme les plumes d'une colombe, son feutre légèrement démodé, arrondi en haut, avec un bord ovale qui dissimulait ses yeux. Il avait une moustache impressionnante, qui descendait jusqu'à l'angle de sa mâchoire, et une bouche étriquée, agitée de rictus nerveux.

Mais Pekkala était si préoccupé par le cadeau d'Ilya qu'il n'y pensa bientôt plus.

Dehors, le ciel du soir, qui ne s'assombrissait pas avant minuit à cette période de l'année, scintillait comme une coquille d'ormeau.

Il avait presque atteint la sortie quand il sentit une pression dans son dos. L'homme au feutre était planté *derrière lui. Il tenait un pistolet dans la main droite. C'était une arme automatique de piètre qualité, un modèle fabriqué en Bulgarie, qu'on retrouvait souvent sur les lieux de crimes, car il ne coûtait pas cher et qu'on pouvait aisément s'en procurer au marché noir.*

« Êtes-vous celui que je crois ? » interrogea l'homme.

Avant d'avoir pu imaginer une réponse, Pekkala entendit un lourd claquement.

Des étincelles jaillirent du barillet de l'arme. L'air se voila de fumée.

Pekkala comprit qu'on lui avait tiré dessus, mais il ne sentit ni l'impact de la balle ni la douleur piquante et brûlante qui, savait-il, céderait bientôt la place à un engourdissement progressif de tout le corps. Or il n'éprouvait rien de tout cela.

L'homme le fixait du regard.

C'est alors seulement que Pekkala remarqua que tout, autour de lui, s'était soudain figé. Il y avait des gens partout, les porteurs, les chalands avec leurs filets à provisions, les vendeurs derrière leurs barricades de victuailles. Et tous ces gens le regardaient.

« Pourquoi ? » demanda-t-il à l'homme.

Il n'y eut pas de réponse. Une expression de terreur envahit le visage de l'homme. Il posa le canon du pistolet sur sa propre tempe et appuya sur la gâchette.

La détonation résonnait encore sous le crâne de Pekkala quand l'homme heurta brutalement le sol.

Alors, le silence qui régnait une seconde auparavant se brisa d'un coup, et un mur de bruits encercla Pekkala. Il entendit les cris gutturaux d'hommes prononçant des ordres inutiles. Une femme l'agrippa par le bras.

« C'est Pekkala, s'écria-t-elle. Ils ont tué l'Œil d'Émeraude ! »

Précautionneusement, Pekkala entreprit de déboutonner son manteau. Cet acte lui paraissait soudain étrange, comme s'il l'avait fait pour la première fois. Il ouvrit son manteau, son gilet et, enfin, sa chemise. Il se prépara à la vue de la blessure, à l'effroyable blancheur de la peau transpercée, aux flots de sang cadencés d'une artère tranchée. Mais sa peau était lisse, intacte. N'en croyant pas ses yeux, Pekkala se passa la main sur la poitrine, certain d'y trouver une plaie.

« Il n'est pas blessé ! hurla un manutentionnaire. La balle ne l'a même pas touché !

— Mais je l'ai vu ! s'exclama la femme qui avait agrippé le bras de Pekkala.

— Il n'aurait jamais pu le manquer ! s'écria le porteur.

— Peut-être que l'arme ne marchait pas ! » intervint un autre homme, un poissonnier dont le tablier était maculé d'entrailles et d'écailles. Il se pencha pour ramasser le pistolet dans la sciure.

« Bien sûr qu'elle marche ! reprit-il en désignant le mort. En voici la preuve ! »

Un halo de sciure gorgée de sang se formait autour de la tête du cadavre. Le feutre gisait, renversé à côté de lui, comme un nid éjecté de son arbre. Les yeux de Pekkala étaient rivés au minuscule ruban de soie qui servait à fixer entre elles les deux extrémités du cuir intérieur du chapeau.

« Laissez-moi regarder, dit le manutentionnaire en tentant d'arracher le pistolet des mains du poissonnier.

— Attention ! » protesta sèchement ce dernier.

Comme leurs doigts se refermaient sur l'arme, le coup partit. La balle alla frapper une pyramide de pommes de terre. Les deux hommes poussèrent un glapissement et laissèrent tomber l'arme.

« Ça suffit ! » cria Pekkala.

Ils se tournèrent vers lui, les yeux écarquillés, comme s'il avait été une statue qui se serait soudain animée. Il ramassa le pistolet et le fourra dans sa poche.

« Allez me chercher la police », ordonna-t-il d'un ton calme.

Les deux hommes, libérés de son regard pétrifiant, disparurent dans des directions opposées.

Plus tard, ce soir-là, après avoir fait son rapport à la police de Petrograd, Pekkala se retrouva dans le bureau du tsar. Le souverain était assis derrière sa table de travail. Il avait passé la soirée à s'occuper de la paperasse. Il tenait absolument à lire lui-même tous les documents officiels, dont il annotait les marges à l'encre bleue. Cela ralentissait bien sûr la gestion des affaires de l'État, mais le tsar préférait prendre les décisions lui-même. Repoussant les documents sur le côté, il posa les coudes sur le bureau et appuya son menton sur ses mains repliées. De son doux regard bleu, il étudia Pekkala.

« Vous êtes certain que vous allez bien ?

— Oui, Majesté, répondit Pekkala.

— Eh bien, pas moi, répliqua le tsar. Je vous le dis sincèrement. Bon sang, mais que s'est-il passé, Pekkala ? J'ai appris qu'un fou vous avait tiré dessus en pleine poitrine, mais que la balle s'était évaporée dans les airs... La police a examiné le pistolet. Le rapport indique qu'il fonctionne parfaitement. Toute la

ville en parle. Vous devriez entendre ce que les gens racontent sur vous... Ils affirment que vous êtes un être surnaturel. Demain, tout le pays sera au courant. Avez-vous la moindre idée de qui était cet homme, et de la raison pour laquelle il voulait vous tuer ?

— Non, Majesté. Il n'avait aucun papier d'identité sur lui. Son corps ne portait aucune marque distinctive : ni tatouages, ni cicatrices, pas même un grain de beauté. Toutes les étiquettes avaient été retirées de ses vêtements. Il ne correspond à la description d'aucune personne actuellement recherchée par la police. Nous ne saurons probablement jamais qui il était, ni pourquoi il voulait ma mort.

— Je craignais que vous ne répondiez cela, soupira le tsar. Nous n'avons donc aucune réponse.

— Nous en avons une », corrigea Pekkala.

Il posa un objet devant le tsar – un amas gris froissé de la taille d'un œuf de rouge-gorge. Le souverain le prit entre ses doigts.

« De quoi s'agit-il ? C'est lourd.

— Du plomb.

— Est-ce la balle ?

— Deux balles fondues l'une dans l'autre, précisa Pekkala.

— Deux ? s'étonna le tsar. Où les avez-vous trouvées ?

— Je les ai extraites du crâne du mort. »

Le tsar laissa retomber les balles sur le bureau.

« Vous auriez pu me le dire plus tôt. »

Il sortit un mouchoir et s'essuya les doigts.

« Pendant que les policiers examinaient le pistolet, expliqua Pekkala, j'ai décidé d'examiner le corps. Ce

115

n'est pas l'arme qui était défaillante, Majesté. C'est la balle.

— Je ne comprends pas. Comment une balle peut-elle être défaillante ?

— La balle qu'il a tirée sur moi ne contenait pas la dose de poudre requise. Le pistolet était de piètre qualité, tout comme les munitions fournies avec. Quand l'arme a fait feu, la cartouche a bien éjecté sa balle, mais seulement dans le canon, où elle est restée bloquée. Quand il a de nouveau pressé sur la gâchette, la deuxième balle est venue percuter la première...

— Et les deux balles ont pénétré dans son crâne en même temps.

— Exactement.

— Et pendant ce temps, le monde entier vous prend pour une sorte de sorcier... »

Le tsar se passa les doigts dans la barbe.

« Avez-vous informé la police de votre découverte ?

— Pas encore. Le temps que je mène mon examen, il était déjà tard. Je préviendrai le chef de la police de Petrograd dès demain matin. Il pourra alors faire une déclaration publique.

— Eh bien, Pekkala... » Le tsar posa le bout de ses doigts sur le bureau, comme un pianiste sur le point de jouer. *« Je veux que vous fassiez quelque chose pour moi.*

— Quoi donc, Majesté ?

— Rien.

— Je vous demande pardon ?

— Je veux que vous ne fassiez rien. »

Il désigna la porte, au-delà de laquelle s'étendaient les vastes terres de la Russie.

« *Laissez-les croire ce qu'ils veulent croire.*

— *Que la balle a disparu ?* »

Le tsar ramassa le morceau de plomb et le fit tomber dans la veste de son gilet.

« *Elle a disparu* », *conclut-il.*

« Vous étiez là ? demanda Pekkala.

— Je traversais par hasard le marché couvert, répondit Maximov. J'ai tout vu, et je me suis toujours demandé comment vous aviez pu survivre.

— Plus tard, quand vous aurez répondu à certaines de mes questions, je répondrai peut-être à certaines des vôtres. »

La maison de Nagorski était une datcha à l'ancienne, avec un toit de chaume et des fenêtres aux volets fermés. Elle était visiblement là depuis beaucoup plus longtemps que les bâtiments du complexe. Juchée sur la rive d'un petit lac, c'était le seul édifice en vue. Hormis l'étroite clairière qui délimitait la maison, une forêt dense courait jusqu'au bord de l'eau.

L'endroit était calme et paisible. Maintenant que le ciel s'était dégagé, la surface du lac luisait d'un doux éclat dans la lumière du soir. Au milieu du lac, un homme était assis sur une barque. Il tenait une canne à pêche dans la main droite. Son bras oscillait lentement d'avant en arrière. La longue soie argentée, qu'embrasait par intermittence le soleil rasant du crépuscule, jaillissait de la canne, s'incurvait sur elle-même puis se détendait de nouveau jusqu'à ce que sa petite mouche tachetée vienne effleurer la surface du plan d'eau. Autour de l'homme, de minuscules insectes pétillaient comme des bulles de champagne.

Pekkala était si concentré par cette vision qu'il ne vit pas la femme qui contournait la maison, jusqu'à ce qu'elle vienne se planter pratiquement devant lui. Elle était belle, mais semblait épuisée. Il émanait d'elle comme un désespoir silencieux. Ses cheveux sombres, coupés court, étaient ondulés en bouclettes. Elle avait un menton étroit et des yeux si noirs que ses iris donnaient l'impression d'avoir sombré au fond de ses pupilles.

Ignorant Pekkala, elle se tourna vers Maximov, qui descendait de voiture.

« Qui est cet homme ? demanda-t-elle. Pourquoi est-il si sale et vêtu comme un croque-mort ?

— C'est l'inspecteur Pekkala, répondit Maximov. Du Bureau des opérations spéciales.

— Pekkala, répéta-t-elle en écho. Oh, oui. Vous avez arrêté mon mari au beau milieu de son déjeuner.

— Placé en garde à vue, corrigea Pekkala. Pas arrêté.

— Je croyais que l'affaire était réglée.

— Elle l'était, madame Nagorski.

— Alors, pourquoi êtes-vous ici ? »

Pekkala comprit qu'une partie d'elle savait déjà. On aurait dit qu'elle s'était attendue à apprendre cette nouvelle, non pas simplement ce jour-là, mais depuis fort longtemps.

« Il est mort, n'est-ce pas ? » demanda-t-elle d'une voix soudain brisée.

Pekkala hocha la tête.

« Oui. Je suis désolé. »

Maximov tendit le bras pour poser la main sur l'épaule de la femme. Elle le repoussa d'un geste brusque. Puis, ramenant sa main devant elle, elle saisit Maximov au visage.

« Vous étiez censé veiller sur lui ! » hurla-t-elle, levant les poings avant de les abattre violemment contre sa poitrine, dans un bruit qui ressemblait à un roulement de tambour assourdi. Maximov chancela en arrière, trop abasourdi par sa colère pour lui résister.

« C'était votre boulot ! cria-t-elle. Il vous a sorti de l'ornière. Il vous a offert une chance quand personne ne voulait de vous. Et voilà ! C'est ainsi que vous le remerciez ?

— Madame Nagorski, murmura Maximov. J'ai fait tout ce que je pouvais pour lui. »

Mme Nagorski dévisagea Maximov comme si elle ignorait même qui il était.

« Si vous aviez tout fait, mon mari serait encore vivant. »

La silhouette sur la barque tourna la tête, alertée par les éclats de voix. Pekkala vit alors qu'il s'agissait d'un jeune homme, et comprit qu'il ne pouvait être que le fils de Nagorski, Constantin.

Le jeune homme remonta sa ligne, posa la canne à pêche et empoigna les avirons. Lentement, il regagna la rive, les rames grinçant sur le cuivre des dames de nage, l'eau dégoulinant des pales tel un flot de mercure.

Mme Nagorski fit volte-face et s'éloigna vers la datcha. En grimpant la première marche du perron, elle trébucha. Son bras jaillit en avant et s'arc-bouta

contre le bois pour la retenir. Ses mains tremblaient.
Elle s'assit sur les marches.

Pekkala l'avait déjà rejointe.

Le regard de la femme se posa sur lui, puis se
détourna de nouveau.

« J'ai toujours dit que ce projet le détruirait, d'une
manière ou d'une autre. »

Pekkala lui raconta ce qui s'était passé sur le terrain d'essai.

« Il faut que je voie mon mari, déclara-t-elle.

— Je ne suis pas sûr que ce soit une bonne idée.

— Je veux le voir, inspecteur. Tout de suite. »

Devant la fermeté du ton, Pekkala comprit qu'il ne
servait à rien de tenter de l'en dissuader.

La barque venait d'accoster. Le garçon remonta
les avirons avec la précision inconsciente d'un oiseau
repliant ses ailes, puis descendit de l'embarcation instable. Il dépassait sa mère de la tête et des épaules,
avait des yeux noirs et de courts cheveux ébouriffés
qui auraient eu besoin d'être lavés. Son épais pantalon
de toile était rapiécé au niveau des genoux et semblait
avoir déjà appartenu à quelqu'un d'autre avant qu'il
n'en hérite. Il portait un pull troué aux coudes et ses
pieds nus étaient constellés de piqûres d'insectes, qu'il
ne paraissait même pas remarquer.

Constantin se figea sur la berge, les yeux oscillant
d'un visage à l'autre, attendant que quelqu'un lui
explique.

Ce fut Maximov qui descendit le rejoindre. Il passa
le bras autour des épaules du garçon et lui parla d'une
voix trop basse pour que les autres puissent entendre.

Le visage de Constantin devint blême. Il semblait

contempler une chose que personne d'autre ne pouvait voir, telle que le spectre de son père apparu devant lui.

En voyant cela, Pekkala sentit son cœur se nouer, comme si son sang s'était subitement changé en sable.

Tandis que Maximov conduisait Mme Nagorski au complexe, Pekkala prit place avec Constantin autour de la table familiale, dans la salle à manger de la datcha. Des schémas techniques par dizaines recouvraient les murs. Certains étaient les schémas éclatés de différents moteurs. D'autres décomposaient les mécanismes internes d'armes à feu, ou le tracé sinueux de systèmes d'échappement. Sur des étagères, aux quatre coins de la pièce, étaient exposées des pièces métalliques percées de trous, de petites pales de radiateur, un bloc de bois dans lequel des vis de différentes tailles avaient été enfoncées. Un chaînon de chenille de tank trônait sur le manteau de la cheminée. La pièce n'avait pas une odeur de maison – l'odeur du feu de bois, de la cuisine et du savon. Il y flottait au contraire des relents d'huile de moteur et l'odeur âcre de l'encre bleue utilisée pour les croquis industriels.

Le mobilier était de la plus haute qualité – des placards en noyer avec des vitrines en losange, des chaises en cuir avec des clous de cuivre courant le long des coutures comme des bandes de mitrailleuse, et la table à laquelle ils étaient assis était bien trop vaste pour l'intérieur étriqué de cette datcha.

Pekkala comprit que la famille Nagorski avait probablement appartenu à l'ancienne aristocratie. La plupart de ces familles avaient soit fui le pays pendant la révolution, soit été englouties par les camps de travail. Rares étaient celles qui étaient restées, et plus rares encore celles qui s'accrochaient aux reliques de leur ancien statut social. Ce genre de luxe n'était permis qu'à ceux qui s'étaient rendus particulièrement précieux pour le gouvernement. Nagorski avait certes gagné ce privilège, mais Pekkala se demanda ce qu'il adviendrait des siens, maintenant qu'il avait disparu.

Pekkala avait compris qu'il n'y avait rien à dire. Parfois, tenir simplement compagnie à quelqu'un était le mieux que l'on puisse faire.

Constantin regardait farouchement dehors, par la fenêtre, tandis que les derniers éclats violacés du crépuscule s'écoulaient peu à peu dans le noir profond de la nuit. En voyant le jeune homme à ce point refermé sur lui-même, Pekkala se rappela la dernière fois qu'il avait vu son propre père, par ce matin glacial de janvier où il avait quitté la maison familiale pour s'engager dans la Légion finlandaise du tsar.

Il était penché à la fenêtre d'un train, et ce dernier quittait la gare. Son père se tenait sur le quai dans son long manteau noir, son chapeau à large bord solidement planté sur le crâne. Sa mère était trop bouleversée pour les accompagner à la gare. Son père levait une main en guise d'adieu. Au-dessus de sa tête, recourbées vers l'arrière comme les dents d'une anguille, des stalactites étaient suspendues au toit du bâtiment.

Deux ans plus tard, resté seul à s'occuper de son affaire de pompes funèbres, le vieil homme fit une crise cardiaque en tirant un corps sur un traîneau jusqu'au crématorium qui se trouvait à l'écart de la maison, au milieu des bois. Le cheval qui tirait habituellement le traîneau avait trébuché sur la glace cet hiver-là et boitait bas, si bien que le père de Pekkala avait tenté de s'en charger lui-même.

On retrouva le vieil homme à genoux devant le traîneau, les mains posées sur ses cuisses, le menton enfoncé dans la poitrine. Les traits de cuir qui servaient habituellement à atteler le cheval pour qu'il tire le traîneau le long de cette étroite piste forestière étaient passés autour des épaules du père. La manière dont il était agenouillé donnait l'impression qu'il s'était simplement arrêté un moment pour se reposer et qu'il allait, d'un instant à l'autre, se relever pour traîner son fardeau.

Même si cela avait été le souhait de son père qu'il s'enrôle dans la Légion plutôt que de rester à la maison pour l'aider à tenir le commerce familial, Pekkala ne s'était jamais pardonné de ne pas avoir été là pour relever le vieux quand il s'était écroulé dans la neige.

Pekkala lisait à présent des sentiments semblables sur le visage du jeune homme. Soudain, Constantin prit la parole.

« Allez-vous trouver qui a assassiné mon père ?

— Je ne suis pas certain qu'il ait été assassiné, répondit Pekkala. Mais si c'est le cas, je traquerai les responsables, quels qu'ils soient.

— Retrouvez-les, gronda Constantin. Retrouvez-les et tuez-les. »

À cet instant, des phares balayèrent la pièce, et la voiture de Maximov vint se ranger devant la maison. Quelques secondes plus tard, la porte d'entrée s'ouvrit et Mme Nagorski apparut.

« Pourquoi fait-il si sombre ici ? » s'étonna-t-elle. Elle courut allumer une lampe au kérosène.

Constantin bondit sur ses pieds.

« L'as-tu vu ? Est-ce donc vrai ? Est-il vraiment mort ?

— Oui, confirma-t-elle, et les larmes lui montèrent enfin aux yeux. C'est vrai. »

Pekkala les laissa seuls. Il sortit sur le porche rejoindre Maximov, qui fumait une cigarette.

« C'est l'anniversaire du garçon, aujourd'hui, lui confia Maximov. Il mérite une meilleure vie. »

Pekkala ne répondit rien.

L'odeur persistante du tabac brûlé flottait dans l'air humide du soir.

Pekkala retourna à l'usine d'assemblage – la structure de brique au toit plat qu'Ouchinsky avait rebaptisée Maison d'Acier. Tout l'espace était occupé par des postes de travail où l'on fabriquait et testait les pièces détachées du tank. Des moteurs étaient entreposés le long d'un mur, dans des coffres de bois. Contre le mur opposé, les carapaces de métal nu de plusieurs chars étaient posées en équilibre sur des rails d'acier, la rouille dévorant déjà les points de soudure, comme si l'acier avait été saupoudré de cannelle. Plus loin, tels des îlots dans cette immense serre, des mitrailleuses étaient alignées. Dominant de haut la chaîne de montage, des poutrelles d'acier incurvées soutenaient le plafond. Aux yeux de Pekkala, l'endroit était marqué par une étrange absence de vie, comme si ces tanks n'avaient pas été une préfiguration du futur, mais les fragments d'un lointain passé, tels les ossements de dinosaures jadis si terrifiants attendant d'être assemblés par les archéologues.

Une table avait été totalement dégagée. Des pièces de moteur, mises de côté à la hâte par les hommes du NKVD, jonchaient le sol. Sur la table reposaient les restes du colonel Nagorski. L'affreuse blancheur de la chair déchirée et vidée de son sang semblait luire sous les projecteurs de l'usine. Lysenkova, qui venait d'achever l'examen du cadavre, était en train de remonter une cape de pluie militaire sur le visage de Nagorski.

À ses côtés se tenait Kirov, le visage crispé. Il avait déjà vu des corps, mais jamais dans un tel état.

Même Lysenkova paraissait touchée, bien qu'elle fît de son mieux pour n'en rien montrer.

« Il est impossible de l'affirmer avec certitude, confia-t-elle à Pekkala, mais tout semble indiquer un dysfonctionnement du moteur. Nagorski était en train de tester l'engin, seul. Il a mis le moteur au point mort, est sorti pour vérifier quelque chose, et le tank a dû réembrayer tout seul... Il a perdu l'équilibre et le tank lui est passé dessus avant que le moteur ne cale. En tout cas, c'est une évidence : il s'agit d'un accident. »

Kirov, planté à côté d'elle, secoua lentement la tête.

« Avez-vous parlé au personnel de l'usine ? demanda Pekkala.

— Oui, répondit-elle. Pas un ne manque à l'appel, et aucun d'eux ne se trouvait avec Nagorski à l'heure de sa mort.

— Et l'homme que nous avons poursuivi dans les bois ? interrogea Pekkala.

— Eh bien, j'ignore qui il est, mais il ne travaillait pas ici. Étant donné le caractère accidentel de la mort de Nagorski, l'homme que vous avez poursuivi n'était probablement qu'un chasseur qui avait réussi à pénétrer dans l'enceinte du complexe.

« — Dans ce cas, pourquoi s'est-il enfui quand on lui a ordonné de s'arrêter ?

— Si des hommes armés vous prenaient en chasse, inspecteur Pekkala, ne vous enfuiriez-vous pas aussi ?

— Cela ne vous dérange pas que j'examine le corps ?

— Très bien, répondit-elle d'un ton irrité. Mais soyez bref. Je rentre à Moscou pour faire mon rapport. Le corps de Nagorski restera là jusqu'à nouvel ordre. Des gardes arriveront bientôt pour s'assurer que personne n'y touche. Je vous demanderai d'être parti à leur arrivée. »

Les deux hommes attendirent que le major Lysenkova ait quitté les lieux.

« Qu'avez-vous découvert ? demanda Pekkala.

— Ce qu'elle dit au sujet des chercheurs est exact. Ils ont tous été disculpés par les gardes, qui les ont vus ici à l'heure où Nagorski est mort. Durant les heures de travail, les gardes sont postés à l'intérieur de chacun des bâtiments du complexe, ce qui signifie également que les chercheurs eux-mêmes ont pu attester de la présence ici du personnel de sécurité. Samarin faisait sa ronde habituelle ce matin, et tous les membres du personnel l'ont vu à un moment ou à un autre.

— Il ne manque personne ?

— Non, et apparemment aucun membre du personnel ne se trouvait au moment des faits près de l'endroit où Nagorski est mort. »

L'attention de Kirov se reporta sur la cape de pluie, dont les bosses et les replis épousaient cruellement les contours d'une forme humaine.

« Mais quand elle affirme qu'il s'agit d'un accident, elle se trompe…

— Qu'est-ce qui vous fait penser cela ?

— Vous feriez mieux de jeter un coup d'œil vous-même, inspecteur. »

Empoignant le bord de la cape, Pekkala la fit descendre lentement, découvrant le visage et les épaules de Nagorski. Ce qu'il découvrit alors lui fit serrer les dents.

Il ne subsistait du visage qu'un masque craquelé comme du cuir, sous lequel le crâne disloqué ressemblait davantage à une poterie brisée qu'à un assemblage d'os. Pekkala n'avait jamais vu un cadavre aussi endommagé que celui qui gisait sous ses yeux.

« Là. » Kirov désignait un endroit où le contenu du crâne de Nagorski s'était retrouvé à l'air libre.

Saisissant avec précaution la mâchoire du mort, Pekkala fit basculer la tête sur le côté. Dans l'éclat des projecteurs, un minuscule fragment argenté étincela sous ses yeux.

Pekkala tira de sa poche un cran d'arrêt à manche de corne. Il fit sauter la lame acérée et en posa la pointe contre l'objet argenté. L'arrachant du bout d'os ridé dans lequel il était enfoncé, il laissa retomber le fragment métallique sur la paume de sa main. En le regardant de plus près, Pekkala remarqua que ce n'était pas de l'argent. C'était du plomb.

« De quoi s'agit-il ? demanda Kirov.

— Un éclat de balle, répondit Pekkala.

— Ce qui écarte la thèse de l'accident. »

Tirant un mouchoir de sa poche, Pekkala y glissa l'éclat de plomb et plia le tout.

« Pourrait-il s'agir d'un suicide ? interrogea Kirov.

— Nous allons voir… »

L'attention de Pekkala se reporta sur le visage broyé

de Nagorski. Il chercha l'orifice d'entrée d'une balle. Palpant le dessous du crâne, explorant du bout des doigts les cheveux emmêlés, il vint buter contre un sursaut irrégulier à l'endroit où la balle avait frappé la tête. Enfonçant ses doigts dans la plaie, il en suivit la trajectoire jusqu'à un point de sortie sur le côté droit du visage de Nagorski, où la chair était déchiquetée.

« Ce n'était pas un suicide, en conclut Pekkala.

— Comment pouvez-vous en être sûr ? s'étonna Kirov.

— Un homme qui se suicide avec un pistolet tiendra l'arme contre sa tempe droite s'il est droitier, ou sa tempe gauche s'il est gaucher. Ou alors, s'il sait s'y prendre, il enfoncera le pistolet entre ses dents et se tirera dans le palais. Le coup déchirera la *dura oblongata*, le tuant instantanément. »

Il remonta la cape de pluie sur le cadavre de Nagorski, puis essuya le sang sur ses doigts.

« Comment faites-vous pour vous habituer ? demanda Kirov en le regardant gratter les caillots de sang coincés sous ses ongles.

— On peut s'habituer à n'importe quoi », répondit Pekkala.

Kirov et Pekkala ressortirent de l'entrepôt au moment où les gardes du NKVD débarquaient pour s'occuper du cadavre de Nagorski. Debout dans l'obscurité, les deux hommes remontèrent le col de leurs manteaux pour se protéger du crachin qui s'était mis à tomber.

« Êtes-vous certain que le major Lysenkova n'avait pas remarqué l'impact de balle sur le crâne de Nagorski ? interrogea Pekkala.

— Elle a à peine examiné le corps, répondit Kirov.

J'ai l'impression qu'elle veut se débarrasser au plus vite de cette affaire… »

Une silhouette surgit des ténèbres. C'était Maximov. Il les attendait depuis un moment.

« Il faut que je sache, déclara-t-il. Qu'est-il arrivé au colonel Nagorski ? »

Kirov se tourna vers Pekkala. Imperceptiblement, celui-ci fit oui de la tête.

« Il a été abattu », répondit Kirov.

Les muscles des mâchoires de Maximov se tendirent d'un coup.

« C'est de ma faute, marmonna-t-il.

— Pourquoi dites-vous cela ? s'étonna Pekkala.

— Yelena – Mme Nagorski – avait raison. C'était mon boulot de le protéger.

— Mais si j'ai bien compris, intervint Pekkala, il vous a renvoyé juste avant d'être tué. »

Maximov acquiesça.

« C'est vrai, mais quand même, c'était mon boulot…

— On ne peut pas protéger un homme contre sa volonté », remarqua Pekkala.

Si les mots de Pekkala réconfortèrent Maximov, ce dernier n'en laissa rien paraître.

« Que vont-ils devenir, maintenant ? s'inquiéta Maximov. Yelena ? Et Constantin ?

— Je n'en sais rien, répondit Pekkala.

— Personne ne s'occupera d'eux, intervint Kirov. Pas maintenant qu'il est mort.

— Et vous, Maximov ? reprit Pekkala. Qu'allez-vous faire, à présent ? »

Maximov secoua la tête, comme si cette pensée ne lui était pas venue à l'esprit.

« Assurez-vous qu'ils soient pris en charge », dit-il.

Un vent glacial soufflait à travers les arbres, dans ce qui ressemblait au frôlement d'un serpent.

« Nous ferons de notre mieux, assura Pekkala. Maintenant, rentrez vous reposer.

— Cet homme me rend nerveux, marmonna Kirov, après que Maximov eut disparu dans le noir.

— Ça fait partie de son boulot, répondit Pekkala. Quand nous serons de retour au bureau, je veux que vous trouviez tout ce que vous pourrez sur Maximov. Je lui ai posé quelques questions aujourd'hui, mais il les a toutes esquivées.

— Nous pourrions le faire venir à la Loubianka pour l'interroger... »

Pekkala secoua la tête.

« Je ne crois pas que nous tirerons grand-chose de lui de cette façon. Un homme de sa trempe ne parlera que s'il le veut bien. Contentez-vous d'éplucher les archives de la police.

— Très bien, inspecteur. Nous rentrons à Moscou ?

— Pas encore, répondit Pekkala. Maintenant que nous savons qu'une arme à feu a été utilisée, il faut fouiller le trou où le corps de Nagorski a été retrouvé.

— Ça ne peut pas attendre demain matin ? » protesta Kirov, plaquant son col contre sa gorge.

Le silence fut la seule réponse de Pekkala.

« C'est bien ce que je pensais... », grommela Kirov.

Pekkala fut réveillé par des coups frappés à sa porte.

Il crut d'abord que le vent avait poussé un volet. Une tempête de neige s'était levée. Pekkala se dit qu'au matin il lui faudrait jouer de la pelle pour sortir de chez lui.

Le cognement se produisit de nouveau, et cette fois Pekkala comprit que quelqu'un, dehors, demandait à entrer. Il frotta une allumette et posa la lampe à pétrole allumée près de son lit.

Il entendit une troisième fois frapper à la porte.

« C'est bon, j'arrive ! » hurla-t-il. Engourdi de sommeil, il ramassa sa montre de gousset sur la table de chevet et jeta un coup d'œil aux aiguilles. Il était deux heures du matin. Il entendit un soupir près de lui. Ilya se laissa rouler sur le dos. Ses longs cheveux lui recouvraient le visage, et elle les repoussa d'un geste à demi inconscient de la main.

« Que se passe-t-il ? demanda-t-elle.

— Il y a quelqu'un à la porte », répondit-il dans un murmure tout en enfilant ses habits, remontant ses bretelles sur ses épaules.

Ilya se redressa sur le coude. « En plein milieu de la nuit ! »

Pekkala ne répondit pas. Après avoir boutonné sa chemise, il se dirigea vers l'entrée, emportant la lampe. Au moment où sa main allait se poser sur la poignée de cuivre de la porte, il hésita, conscient que des coups à la porte à deux heures du matin n'annonçaient jamais rien de bon. Il avait laissé son revolver sur une étagère de la chambre, comme il le faisait chaque soir. Il se demandait à présent s'il ne valait pas mieux retourner le chercher.

Le poing pesant martela de nouveau la porte.

« Je vous en prie ! » s'écria une voix.

N'ayant pas le cœur de laisser l'intrus, quel qu'il soit, plus longtemps dehors par ce froid, Pekkala lui ouvrit. Une rafale d'air glacial s'engouffra dans la pièce, accompagnée d'un nuage de neige qui scintilla comme les écailles d'un poisson à la lumière de la lampe.

Devant lui se dressait un homme emmitouflé dans un épais manteau en zibeline. Il avait de longs cheveux gras, le regard perçant et une barbe broussailleuse qui lui dessinait un menton légèrement pointu. Malgré le gel, il suait à grosses gouttes. Et des relents aigres d'alcool se diffusaient par tous ses pores.

« Il faut que vous me sauviez ! gémit Raspoutine.

— Vous sauver de quoi ? » demanda Pekkala.

Raspoutine marmonna des paroles incohérentes, le nez enfoncé dans la chemise de Pekkala.

« De quoi ? répéta ce dernier. Il est deux heures du matin, Raspoutine. »

Raspoutine se redressa, ouvrit grand ses bras et posa les mains sur les épaules de Pekkala.

« De moi-même !

— Qu'est-ce que vous faites par ici ?

— J'étais à l'église de Kazan... »

Raspoutine déboutonna son manteau, découvrant une tunique rouge sang et une culotte de cheval bouffante, enfoncée dans une paire de bottes montantes.

« Enfin, j'y étais jusqu'à ce qu'ils m'en chassent.

— Qu'avez-vous encore fait ?

— Rien ! s'indigna Raspoutine. Pour une fois, j'étais sagement assis, à ne rien faire. Et alors, ce maudit politicien de Rodzianko m'a demandé de partir. Il m'a traité d'infâme païen ! » Il serra le poing et le brandit devant lui. « Je lui ferai perdre son boulot, pour cet affront ! » Puis il s'effondra sur le fauteuil de Pekkala.

« Qu'avez-vous fait après qu'ils vous ont mis dehors ? interrogea celui-ci.

— Je suis allé directement au Villa Rode !

— Oh non, soupira Pekkala. Pas là-bas... »

Le Villa Rode était une taverne de Petrograd. Raspoutine s'y rendait quasiment tous les soirs, car il n'avait pas besoin d'y régler ses additions. Elles étaient reportées sur un compte anonyme qui, Pekkala le savait, avait en fait été créé par la tsarine en personne. En outre, le propriétaire du Villa Rode avait reçu de l'argent pour construire une salle annexe à l'arrière de l'établissement, qui était réservée à Raspoutine. Il s'agissait, de fait, de son propre club privé. La tsarine avait pris ces mesures sur les conseils des agents des services secrets chargés de suivre Raspoutine dans tous ses déplacements et de veiller à ce qu'il ne se crée pas d'ennuis. La tâche s'étant révélée impossible, l'existence d'un abri sûr, où Raspoutine pouvait boire à volonté, et gratuitement, permettait au moins aux services secrets de le protéger de tous ceux qui s'étaient juré d'avoir sa peau à la première occasion. Il avait déjà subi deux tentatives d'assassinat : à Pokrovsky en 1914, et l'année suivante à Tsaritsyne. Loin de l'inciter à se terrer chez lui, terrifié, ces incidents l'avaient au contraire persuadé qu'il était indestructible. Les agents des services secrets étaient certes capables de le protéger de ses assassins potentiels, mais ils n'avaient aucun moyen de le protéger contre lui-même.

« Arrivé au Villa, poursuivit Raspoutine, j'ai décidé de porter plainte contre Rodzianko. Et puis je me suis dit : "Non ! Je vais directement aller voir la tsarine, et tout lui raconter moi-même…" »

— Le Villa Rode se trouve à Petrograd, remarqua Pekkala. Ce n'est pas la porte à côté…

— Je suis venu en voiture. »

Pekkala se souvint alors que la tsarine lui avait offert une magnifique Hispano-Suiza – tout en omettant de lui payer auparavant des leçons de conduite.

« Et vous pensiez qu'elle vous recevrait à une heure pareille ?

— Évidemment. Pourquoi pas ?

— Eh bien, que s'est-il passé ? Vous lui avez parlé ?

— Je n'en ai pas eu l'occasion. Cette maudite automobile a eu un problème.

— Un problème ?

— Elle a foncé dans un mur, répondit Raspoutine en désignant d'un geste vague le monde extérieur. Quelque part par là…

— Vous avez détruit la voiture, répliqua Pekkala,

sa voix se faisant soudain monocorde à la pensée de cette machine splendide réduite en pièces.

— J'ai continué à pied vers le palais, poursuivit Raspoutine. Mais je me suis perdu en route. Puis j'ai aperçu votre maison, Pekkala, et me voici... Je m'en remets à votre miséricorde. Je ne suis qu'un pauvre malheureux qui vous supplie de lui servir à boire...

— Quelqu'un d'autre a déjà répondu favorablement à votre requête, répliqua Pekkala. Plusieurs fois. »

Raspoutine ne l'écoutait plus. Il venait d'apercevoir l'un des œufs de saumon qui lui parsemaient la barbe. Il le pinça entre ses doigts et le fourra dans sa bouche. Ses lèvres se plissèrent tandis qu'il pourchassait l'œuf à l'intérieur de sa joue. Puis, soudain, son visage s'illumina.

« Ah ! grogna-t-il. Je vois que vous avez déjà de la visite. Bonsoir, madame l'institutrice. »

En se retournant, Pekkala découvrit Ilya plantée sur le seuil de la chambre. Elle avait enfilé l'une des chemises gris sombre de Pekkala, celles qu'il portait lorsqu'il était de service. Ses bras étaient croisés sur sa poitrine. Les manches, sans leurs manchettes, lui descendaient sur les mains.

« Quelle beauté ! soupira Raspoutine. Ah, si vos élèves vous voyaient...

— Mes élèves ont six ans. »

Il agita ses doigts, puis il les laissa reposer sur les accoudoirs du fauteuil, comme les tentacules de quelque créature pâle surgie de l'océan.

« On n'est jamais trop jeune pour apprendre la vie...

— Chaque fois que j'essaie de prendre votre

défense en public, répliqua Ilya, vous prononcez une horreur de ce genre. »

Raspoutine soupira et laissa sa tête retomber en arrière.

« Laissez parler les rumeurs...

— Avez-vous vraiment détruit votre voiture, Grigori ? demanda-t-elle.

— Ma voiture s'est détruite toute seule, répondit Raspoutine.

— Comment faites-vous pour rester ivre la majeure partie du temps ?

— Cela m'aide à comprendre le monde. Et ça aide le monde à me comprendre. Certaines personnes sont cohérentes quand elles sont sobres. D'autres, quand elles ne le sont pas.

— Vous parlez par énigmes, comme toujours... » Ilya lui sourit.

« Ce ne sont pas des énigmes, madame. Rien que la malheureuse vérité. »

Ses paupières palpitèrent. Il tombait de sommeil.

« Ah non, hors de question ! » protesta Pekkala. Il empoigna le fauteuil et le fit pivoter, pour se retrouver face à lui.

Raspoutine bloqua son souffle et ferma les yeux.

« Alors, reprit Pekkala, il paraît que vous conseillez à la tsarine de se débarrasser de moi ?

— Quoi ? » Raspoutine entrouvrit un œil.

« Vous avez très bien entendu.

— Qui vous a dit ça ?

— Peu importe.

— C'est la tsarine qui veut vous faire renvoyer », déclara Raspoutine. Tout à coup, l'ivresse l'avait quitté. « Je vous aime bien, Pekkala, mais je ne peux rien y faire.

— Pourquoi donc ?

— Voici comment les choses fonctionnent, expliqua Raspoutine. La tsarine me pose une question. Je sais tout de suite, à sa manière de la poser, si elle veut m'entendre répondre oui ou non. Et quand je lui réponds ce qu'elle veut entendre, cela la rend heureuse. Alors, son idée devient mon idée, et elle court voir le tsar, son amie Vyrubova ou qui bon lui semble, et elle leur annonce que j'ai dit cette chose. Mais ce qu'elle oublie toujours de préciser, c'est que cette idée était d'abord la sienne. Voyez-vous, Pekkala, la raison pour laquelle je suis tant aimé de la tsarine, c'est que je suis exactement ce qu'elle a besoin que je sois, tout comme le tsar a besoin de vous. Elle a besoin de moi pour lui faire sentir qu'elle a raison, et il a besoin de vous pour se sentir en sécurité. Malheureusement, dans un cas comme dans l'autre, tout cela n'est qu'illusion. Et il existe encore bien d'autres gens comme nous, qui ont chacun leur propre tâche – enquêteurs, amants, assassins – et ne se connaissent pas entre eux. Seul le tsar nous connaît tous. Bref, si vous avez entendu dire que je souhaitais votre départ, alors oui : c'est vrai. » Raspoutine s'extirpa tant bien que mal du fauteuil et se redressa, chancelant, devant Pekkala. « Mais ce n'est vrai que parce que la tsarine l'a d'abord désiré...

— Je crois que vous avez fait assez de sermons pour cette nuit, Grigori. »

Raspoutine eut un sourire paresseux. « Bonne nuit, Pekkala. » Puis il salua Ilya d'un geste, comme si elle ne s'était pas trouvée à l'autre bout de la pièce, mais à une infinie distance. Quand il leva la main, un bracelet scintilla sur son poignet. Il était en platine, et l'emblème des Romanov était gravé dessus : encore un présent de la tsarine. « Et bonne nuit à vous, belle dame dont j'ai oublié le nom...

— Ilya, répondit-elle, d'un ton plus chargé de pitié que d'indignation.

— Alors bonne nuit, belle Ilya. »

Raspoutine écarta les bras et se fendit d'une révérence théâtrale, ses cheveux s'abattant comme un rideau sur son visage.

« Vous ne pouvez pas sortir maintenant, protesta Pekkala. La tempête ne s'est toujours pas calmée.

— Mais je dois y aller, répliqua Raspoutine. Je suis attendu à une autre fête. Le prince Youssoupov m'a invité chez lui. Il a promis des gâteaux et du vin. »

L'instant d'après, il était reparti, laissant derrière lui des relents de sueur et d'oignons au vinaigre.

Ilya s'avança dans la pièce de séjour, ses pieds nus évitant les flaques de neige fondue qui avaient coulé des bottes de Raspoutine. Elle prit Pekkala dans ses bras.

« Toutes les fois que j'ai vu cet homme, il était soûl.

— Il n'est jamais aussi soûl qu'il en a l'air », remarqua Pekkala.

Deux jours plus tard, Pekkala arriva à Petrograd juste au moment où l'on repêchait le cadavre de Raspoutine dans les eaux de la Neva, près de l'île Petrovsky. Son corps avait été jeté sous la glace, roulé dans un tapis.

Peu de temps après, Pekkala arrêtait le prince Youssoupov, qui avoua aussitôt le meurtre de Raspoutine. Avec l'aide d'un docteur de l'armée, un nommé Lazovert, du député Pourichkevitch et du grand-duc Dimitri

Pavlovitch, cousin du tsar, Youssoupov avait d'abord tenté d'assassiner Raspoutine avec des gâteaux empoisonnés à l'arsenic. Chaque pâtisserie en contenait une dose suffisante pour venir à bout d'une demi-douzaine d'hommes, mais Raspoutine en avait ingurgité trois sans effet apparent. Youssoupov avait ensuite versé de l'arsenic dans un verre de vin de Hongrie et l'avait servi à Raspoutine, qui l'avait bu, avant d'en demander un second. Pris de panique, Youssoupov avait alors empoigné le Browning appartenant au grand-duc et abattu Raspoutine en lui tirant dans le dos. À peine le Dr Pourichkevitch venait-il de le déclarer mort que Raspoutine s'était redressé et avait empoigné Youssoupov par le cou. Totalement hystérique à présent, le prince s'était enfui au premier étage de son palais, poursuivi par Raspoutine, qui grimpait l'escalier en rampant derrière lui. Enfin, après avoir encore tiré plusieurs fois sur Raspoutine, les assassins l'avaient enroulé dans le tapis, avaient noué ce dernier avec une corde et l'avaient jeté dans le coffre de la voiture du Dr Pourichkevitch. Ils avaient roulé jusqu'au pont Petrovsky et balancé le corps dans la Neva. Une autopsie montra qu'en dépit de tout ce qu'on lui avait fait subir, Raspoutine était mort de noyade.

L'enquête de Pekkala avait apporté des preuves de la culpabilité de ces hommes, mais ses résultats ne furent jamais rendus publics, et aucun des meurtriers ne fut envoyé en prison.

En repensant à la nuit où Raspoutine était apparu chez lui en plein blizzard, il avait regretté de ne pas avoir traité avec davantage de bonté cet homme si clairement voué à la mort.

Dans l'éclat aveuglant d'une lumière électrique produite à grand fracas par un générateur portatif, Pekkala et Kirov s'activaient au fond du cratère. Au début, l'eau glacée et fangeuse leur arrivait à la taille, mais à l'aide de seaux ils étaient parvenus à en écoper la majeure partie. Ils se servaient à présent, pour localiser le pistolet, d'un détecteur de mines militaire. L'appareil était constitué d'une longue tige de métal recourbée à une extrémité pour former une poignée, et sur laquelle était fixé, à l'autre extrémité, un disque aplati. Au milieu du manche, une boîte de forme oblongue accueillait les batteries, la molette de contrôle du volume et divers cadrans.

Après que Pekkala leur eut présenté son passe fantôme, les gardes du NKVD avaient fourni aux deux hommes tout le matériel dont ils avaient besoin, et les avaient même aidés à traîner le générateur à travers le terrain d'essai.

Pekkala déplaçait lentement le disque du détecteur de mines au-dessus du sol, à l'affût du signal qui indiquerait la présence de métal. Ses mains étaient à ce point engourdies qu'il sentait à peine la poignée métallique de l'appareil.

Le générateur bourdonnait entre deux cliquetis, remplissant l'air de gaz d'échappement.

À quatre pattes, Kirov passait la boue au crible à l'aide de ses seules mains.

« Pourquoi le tueur n'aurait-il pas gardé l'arme sur lui ?

— Il l'a peut-être gardée, répondit Pekkala, si tant est que ce soit un "il". Mais il est plus probable qu'il s'en est débarrassé dès qu'il l'a pu, au cas où il serait arrêté et fouillé. Sans pistolet, il pouvait s'en tirer sans trop de problèmes. Mais avec une arme sur lui, aucune chance.

— Et il ne s'attendait certainement pas à ce que nous fassions des recherches dans toute cette boue, ajouta Kirov, dont les lèvres viraient au bleu caractéristique des noyés. Parce que ça serait vraiment dingue de le faire, pas vrai ?

— Exactement ! »

Ils distinguèrent alors un bip : un seul, et quasiment imperceptible.

« Qu'est-ce que c'était ? demanda Kirov.

— Je n'en sais rien, répondit Pekkala. Je n'ai jamais utilisé ce genre d'appareil. »

Kirov désigna le détecteur d'un geste affolé.

« Eh bien, recommencez !

— J'essaie ! répondit Pekkala, balançant le disque au-dessus du sol.

— Doucement ! hurla Kirov, et il se releva, la vase s'agrippant avec un bruit de succion à ses bottes remplies d'eau. Laissez-moi essayer. »

Pekkala lui tendit l'appareil. Ses mains à moitié

gelées restèrent arc-boutées autour du souvenir de la poignée métallique.

Kirov fit glisser le disque au ras du sol.

Rien.

Kirov poussa un juron.

« Ce satané bidule ne... »

Puis le signal retentit de nouveau.

« Là ! » cria Pekkala.

Avec précaution, Kirov fit repasser le disque au-dessus du même endroit. Le détecteur bipa de nouveau, puis une nouvelle fois et finalement, quand Kirov l'immobilisa, émit un bourdonnement constant.

Pekkala tomba à genoux et se mit à creuser, malaxant la boue de ses mains comme un boulanger pétrissant sa pâte.

« Ce n'est pas ici, grommela-t-il. Il n'y a pas de pistolet.

— Je vous avais bien dit que ce bidule ne marchait pas », rétorqua Kirov.

À cet instant, le poing de Pekkala se referma sur quelque chose de dur. Une pierre, se dit-il. Il allait la jeter plus loin quand, à la lumière du générateur, il aperçut un éclat métallique. Enfonçant ses doigts dans la vase, il buta sur ce qu'il identifia aussitôt comme une cartouche. La prenant entre son pouce et son index, il la montra à Kirov et sourit comme un chercheur d'or qui vient de trouver la pépite qui lui permettra de vivre jusqu'à la fin de ses jours. Il essuya la boue sur la base de la cartouche, pour pouvoir distinguer les références gravées dans le cuivre.

« 7,62 mm, déclara-t-il.

— Ça pourrait être un Nagent.

— Non, objecta Pekkala. La cartouche est trop courte. Cette balle ne provient pas d'une arme russe. »

Après avoir cherché pendant une heure encore, sans rien trouver, Pekkala mit fin aux recherches. Les deux hommes s'extirpèrent tant bien que mal de la fosse, éteignirent le générateur et regagnèrent le complexe d'un pas incertain, dans le noir.

La porte de la guérite des gardes était fermée, et ces derniers introuvables. Pekkala et Kirov tremblaient à présent de tous leurs membres et avaient besoin de se réchauffer avant de repartir vers Moscou. Ils tentèrent de pénétrer à l'intérieur des autres bâtiments, mais tous étaient verrouillés.

Désespérés, ils empilèrent plusieurs palettes de bois endommagées, trouvées derrière la Maison d'Acier. Prenant un jerrycan d'essence dans le coffre de leur voiture, ils les firent flamber sans tarder.

Tels des somnambules, les deux hommes tendirent leurs mains vers le brasier. Assis à même le sol, ils ôtèrent leurs bottes et en firent couler des filets d'eau sale. Puis ils collèrent aux flammes leurs pieds livides, jusqu'à ce que leur chair entre en ébullition. Les ténèbres tourbillonnaient alentour, comme si les entrailles de la terre étaient soudain remontées à la surface et avaient inondé le monde.

« Il y a une chose que je ne comprends pas, déclara Kirov, quand ses dents cessèrent enfin de claquer. C'est pourquoi le major Lysenkova est venue ici… Le NKVD a des dizaines d'inspecteurs à sa disposition. Pourquoi envoyer celle qui n'enquête que sur les crimes commis au sein du NKVD ?

— Je ne vois qu'une possibilité, répondit Pekkala.

Le NKVD pense forcément que le coupable appartient à ses services...

— Cela n'explique pas pourquoi le major Lysenkova était à ce point pressée de clore l'affaire... »

Pekkala soupesait la cartouche sur sa paume, l'examinant à la lumière du feu.

« Cette cartouche devrait ralentir un peu les choses.

— Je ne sais pas comment vous faites, inspecteur...

— Comment je fais quoi ?

— Comment vous pouvez vous occuper des cadavres avec autant de calme, expliqua Kirov. Surtout quand ils sont si... si déglingués.

— J'ai l'habitude, maintenant. »

Pekkala repensa à l'époque où l'on faisait venir son père pour récupérer des corps retrouvés dans les bois. Parfois, ces cadavres étaient ceux de chasseurs qui avaient disparu au cours de l'hiver. Ils étaient tombés à travers la fine glace des lacs et n'étaient réapparus qu'au printemps, pâles comme l'albâtre, pris dans les herbes et les branchages. Parfois, c'étaient des vieux partis se promener en forêt qui s'étaient perdus et étaient morts de froid et de faim. Ce qui restait d'eux était souvent à peine identifiable, se résumant à un simple échafaudage d'os. Pekkala et son père emportaient toujours un cercueil, dont les planches de pin brut sentaient encore la sève. Ils enveloppaient la dépouille dans une épaisse toile goudronnée.

Il y avait eu bien des expéditions de ce genre, dont aucune ne lui avait donné de cauchemars. Seul un de ces voyages l'avait marqué à tout jamais.

C'était le jour où le juif mort était arrivé à cheval dans la ville.

Son cheval avait remonté la grand-rue de Lappeenranta, en pleine tempête de neige. Le juif était assis sur sa selle, mort de froid, sa barbe enchevêtrée couverte de glaçons et ses doigts durs comme de la pierre agrippés aux rênes. Le cheval s'était arrêté devant l'atelier du maréchal-ferrant, comme s'il savait où il allait, même si le maréchal-ferrant jurait ses grands dieux qu'il n'avait jamais vu cette bête.

Nul ne savait d'où était venu le juif. Les messages adressés aux villages voisins de Joutseno, Lemi et Taipalsaari ne donnèrent rien. Les sacoches de l'homme ne contenaient aucun indice, rien que des habits de rechange, quelques restes de nourriture, et un livre écrit dans sa langue, que personne à Lappeenranta ne put déchiffrer. Il était probablement venu de Russie, dont la frontière mal balisée ne se trouvait qu'à quelques kilomètres. Il s'était alors perdu dans la forêt et avait succombé avant de trouver un abri.

Le juif était mort depuis longtemps déjà – trois ou quatre jours, selon les estimations du père de Pekkala. Ils furent obligés de dessangler la selle pour le descendre de son cheval. Ses mains étaient agrippées à la bride. Pekkala, qui avait douze ans à l'époque, tenta en vain d'ôter les lanières de cuir des doigts cassants du mort, avant que son père ne tranche finalement les rênes. Le cadavre, gelé, ne rentrait pas dans le cercueil, si bien qu'ils le recouvrirent de leur mieux pour le voyage du retour jusqu'à la maison de Pekkala.

Ce soir-là, ils le laissèrent à dégeler sur la table de préparation, pour que le père de Pekkala puisse commencer à s'occuper du corps avant les funérailles.

« J'ai besoin de ton aide, lui déclara son père. J'ai besoin que tu l'accompagnes…

« — L'accompagner ? s'étonna Pekkala. Il n'est déjà plus là. »

Son père secoua la tête.

« Les gens de son peuple croient que l'esprit s'attarde autour du corps jusqu'à ce qu'il soit enterré. L'esprit a peur. Dans leur tradition, quelqu'un doit rester assis près du corps pour lui tenir compagnie jusqu'à ce que, finalement, l'esprit s'en aille.

— Combien de temps cela durera-t-il ? »

Pekkala contemplait le cadavre, dont les jambes étaient restées arquées, comme sur le dos d'un cheval. L'eau s'écoulait au goutte à goutte des habits en train de dégeler, avec un son semblable au tic-tac d'une horloge.

« Jusqu'à demain matin, c'est tout », répondit son père.

La salle où son père préparait les corps se trouvait au sous-sol. C'est là que Pekkala passa la nuit, assis sur une chaise, adossé au mur. La flamme régulière d'une lampe à pétrole brûlait sur la table où son père rangeait ses ustensiles – gants en caoutchouc, couteaux, tubes, aiguilles, fil de lin ciré et une boîte contenant différentes teintes de fard pour redonner des couleurs à la peau.

Pekkala avait oublié de demander à son père s'il avait le droit de s'endormir, mais maintenant il était trop tard, car ses parents et son frère étaient couchés depuis des heures. Pour s'occuper, Pekkala feuilleta les pages du livre retrouvé dans la sacoche du juif. Les lettres calligraphiées ressemblaient à de minuscules volutes de fumée.

Il se leva et s'approcha du corps. En contemplant le visage tiré du mort, sa peau au teint cireux et sa barbe rougeâtre, Pekkala repensa à l'esprit du juif en train d'arpenter la pièce, sans savoir où il se trouvait ni où il était censé aller après. Il l'imagina planté devant la flamme cuivrée de la lampe, comme un papillon de nuit aimanté par la lumière. Puis il retourna s'asseoir. Il n'avait pas l'intention de dormir, mais l'instant d'après, c'était le matin. Il entendit le bruit de la porte de la cave qui s'ouvrait, et le pas de son père dans l'escalier. Celui-ci ne lui demanda pas s'il avait dormi.

Le corps du juif était dégelé. L'une des jambes pendait sur le côté de la table de préparation. Son père la souleva pour la reposer délicatement à côté de l'autre. Puis il dénoua les rênes de cuir prises autour des mains.

Plus tard dans la journée, ils l'enterrèrent dans une clairière à flanc de colline, qui surplombait un lac. Son père avait choisi l'endroit. Aucun chemin n'y menait, et ils avaient donc dû traîner le cercueil au beau milieu des bois, à l'aide de cordes, et pousser la caisse jusqu'à ce que les échardes mettent à nu la chair de leurs doigts.

« On ferait mieux de creuser profond, déclara son père en lui tendant une pelle. Sinon, les loups risquent de le déterrer. »

Ils entreprirent de racler les couches d'aiguilles de pin, puis la terre grise au-dessous. Quand le cercueil fut finalement enfoui et la fosse rebouchée, ils posèrent leurs pelles. Ne connaissant que les prières d'un autre dieu, ils se recueillirent simplement pendant quelques instants, avant de redescendre vers la maison.

« Qu'as-tu fait de son livre ? interrogea Pekkala.

— Sa tête repose dessus », répondit son père.

Depuis toutes ces années, Pekkala avait vu tant de corps sans vie qu'ils semblaient se mélanger dans son esprit. Mais il se souvenait parfaitement du visage de ce juif, et de cette écriture en volutes de fumée qui lui parlait en rêve.

« Je ne sais vraiment pas comment vous faites », répéta Kirov.

Pekkala ne répondit rien, car il ne savait pas lui-même.

Le feu craquait, projetant des étincelles dans le ciel bleu-noir.

Les deux hommes se blottirent l'un contre l'autre, comme des nageurs dans une mer infestée de requins.

Lorsque Kirov franchit au volant de l'Emka la porte Spassky du Kremlin, avec ses créneaux ornementaux et la tour noir et or qui la surplombait, Pekkala reboutonna son manteau en prévision de son entrevue avec Staline. Les pneus de l'Emka rebondirent sur les pavés de la place Ivanovsky, jusqu'à ce qu'ils débouchent sur une impasse, de l'autre côté de la place.

« Je rentrerai chez moi à pied, annonça-t-il à Kirov. Ça risque de durer un peu. »

Devant une porte anonyme, sans aucune inscription, un soldat se mit au garde-à-vous. Quand Pekkala se trouva près de lui, il fit claquer ses talons l'un contre l'autre avec un son qui se répercuta sur les hauts murs de brique et lui adressa le salut traditionnel : « Bonne santé à vous, camarade Pekkala. » Ce n'était pas simplement un salut, mais le signal que Pekkala avait été reconnu par le soldat et n'avait pas à présenter son laissez-passer.

Pekkala franchit la porte et monta au premier étage

du bâtiment. Là, il s'engagea dans un long et large couloir aux plafonds vertigineux. Le sol était recouvert d'une moquette rouge brunâtre, sur laquelle ses pas ne faisaient aucun bruit, sauf quand le plancher craquait en dessous. Les deux côtés du couloir étaient bordés de hautes portes. Parfois, certaines étaient ouvertes et Pekkala apercevait des gens en train de travailler dans de vastes bureaux. Mais, ce jour-là, toutes étaient fermées. Pekkala se dirigea vers une porte à deux battants, tout au bout du couloir.

Un autre soldat le salua et ouvrit la porte qui donnait sur la salle de réception de Staline. C'était une pièce immense, avec des murs coquille d'œuf, et un plancher de bois. Au centre de la pièce étaient disposés trois bureaux, tels des radeaux de survie flottant sur une mer d'huile. Derrière chacun était assis un homme, vêtu d'une tunique sans col vert olive, semblable à celles que portait Staline lui-même. Seul l'un d'entre eux se leva pour accueillir Pekkala. C'était Poskrebytchev, le secrétaire particulier de Staline : un homme de petite taille, flasque, avec des lunettes rondes quasiment plaquées sur ses yeux. Il semblait l'exact opposé des ouvriers torse nu, bardés de muscles, dont les statues ornaient toutes les places de Moscou. La seule chose exceptionnelle chez Poskrebytchev était l'absence totale d'émotion dont il faisait preuve en escortant Pekkala de l'autre côté de la pièce, vers la porte du bureau de Staline.

Poskrebytchev frappa une fois sans attendre la réponse, ouvrit la porte en grand, et fit signe à Pekkala d'entrer. Dès que celui-ci l'eut franchie, Poskrebytchev referma la porte derrière lui.

Pekkala se retrouva seul dans une grande pièce avec

des rideaux de velours rouge et une moquette rouge qui ne recouvrait qu'un tiers de la salle, le long des murs. Le centre était occupé par la même mosaïque de bois que celle de la salle d'attente. Les murs étaient recouverts d'un papier peint écarlate, des lattes de bois caramel séparant les panneaux. Des portraits de Marx, Engels et Lénine y étaient accrochés, tous du même format et visiblement peints par le même artiste.

Près de l'un des murs était installé le bureau de Staline, qui possédait huit pieds, deux à chaque coin. Plusieurs dossiers de papier kraft étaient posés dessus, parfaitement disposés l'un à côté de l'autre. Le fauteuil avait un large dossier, capitonné de cuir bordeaux fixé au cadre par des clous de cuivre.

Hormis le bureau de Staline et une table recouverte d'un tissu vert, l'aménagement des lieux était spartiate. Dans un coin se dressait une imposante et très ancienne horloge de grand-père, que l'on avait cessé de remonter et qui était désormais silencieuse, la pleine lune jaune de son pendule figée derrière sa vitre gondolée.

Le camarade Staline le faisait attendre, comme souvent.

Pekkala n'avait pas dormi, étant rentré à Moscou à peine une heure auparavant. Il avait atteint ce degré de fatigue où les sons vous parviennent comme au fond d'un long tube de carton. Le seul aliment qu'il avait ingéré au cours des quinze dernières heures était une tasse de kvass, boisson à base de grains de seigle fermentés qu'il avait achetée en chemin à un vendeur de rue.

L'homme avait tendu à Pekkala un gobelet métallique bosselé, rempli d'un breuvage brunâtre et mousseux, recueilli à la louche dans un chaudron posé sur des braises. Rapprochant la tasse de ses lèvres, Pekkala huma son odeur de pain grillé. Quand il eut terminé, il la retourna, comme de coutume, pour en vider les dernières gouttes avant de la rendre au vendeur. Ce faisant, il remarqua une inscription gravée au fond du gobelet. C'était l'aigle bicéphale, emblème des Romanov, signe que l'objet avait jadis appartenu à la famille royale. Le tsar lui-même buvait dans une tasse de ce genre, et Pekkala fut frappé par l'étrangeté de voir ce fragment de l'ancien empire venu s'échouer au pied du Kremlin comme les débris d'un navire naufragé.

Le tsar était assis à son bureau.

*Le bord des rideaux de velours sombre de la pièce,
ouverts en grand pour laisser entrer la lumière, luisait
d'un doux éclat, comme les plumes d'un étourneau.*

*Portant à ses lèvres sa lourde tasse, le tsar but une
longue gorgée, sa pomme d'Adam sursautant chaque
fois qu'il avalait. Puis il reposa le gobelet avec un
grognement satisfait, ramassa son stylo bleu et se mit
à tapoter en rythme sur une pile de documents à lire.*

*C'était l'automne 1916. Depuis qu'il avait pris le
commandement de l'armée, le tsar passait l'essentiel
de son temps derrière la haute palissade du quartier
général, à Moguilev. Malgré son intervention, l'armée
russe subissait des défaites de plus en plus écrasantes
sur les champs de bataille. Une situation dont la tsarine, tout autant que le tsar lui-même, était tenue pour
responsable. La rumeur courait même que la tsarine,
sans consulter le haut commandement russe, avait
entamé des négociations secrètes avec l'Allemagne,
par l'intermédiaire de sa famille allemande. Cette
rumeur ne cessait d'enfler, menaçant la crédibilité
du tsar à la tête de l'armée.*

Lors d'une de ses rares visites à Petrograd, le tsar avait convoqué Pekkala au palais et lui avait ordonné de mener une enquête afin de déterminer si la rumeur était fondée.

Pekkala comprit bientôt que quelque chose clochait. Alors que les détails de l'enquête devaient rester confidentiels, le tsar avait annoncé publiquement qu'il l'avait ordonnée. Certains résultats de son enquête avaient même été publiés dans les journaux, ce que le tsar n'autorisait presque jamais. Il ne fallut pas longtemps à Pekkala pour découvrir que la rumeur était, de fait, fondée. La tsarine avait, par le biais d'un intermédiaire suédois, pris contact avec son frère, le grand-duc de Hesse, officier haut placé de l'armée allemande. Le grand-duc lui avait même récemment rendu visite, vraisemblablement en février 1916.

Pekkala ne fut pas surpris par l'ingérence de la tsarine. Elle inondait en effet de lettres le tsar, depuis que son mari était parti pour Moguilev, insistant auprès de lui pour qu'il suive les conseils de Raspoutine en matière de stratégie militaire et congédie immédiatement tous ceux qui s'y opposeraient.

Ce qui étonna Pekkala, en revanche, ce fut d'apprendre que le tsar était parfaitement informé de la visite du grand-duc. Nicolas avait même rencontré le frère de la tsarine, sans doute dans cette même salle où Pekkala et lui avaient rendez-vous ce jour-là.

Une fois son enquête terminée, Pekkala fit son rapport. Il n'en omit aucun détail, y compris les éléments du dossier qui incriminaient le tsar en personne. Aussitôt après, il dénoua l'œil d'émeraude fixé sur le revers de son manteau et le déposa sur le bureau du tsar. Puis il sortit son revolver Webley et le posa à côté de son insigne.

« Que faites-vous ? s'étonna le tsar.

— Je vous présente ma démission.

— Oh, je vous en prie, Pekkala ! gronda le tsar, lançant son stylo dans les airs avant de le rattraper. Essayez de voir les choses de mon point de vue. Oui, je reconnais que nous avons envisagé l'éventualité d'une trêve. Et, oui, je reconnais que cela s'est fait dans le secret, à l'insu du haut commandement russe. Mais bon Dieu, Pekkala, il n'y a pas eu de trêve ! Les négociations ont échoué. Je savais que le peuple russe exigeait des réponses quant au bien-fondé de ces rumeurs. C'est la raison pour laquelle je vous ai chargé de cette enquête – pour apaiser le peuple. L'ennui, Pekkala, c'est que les réponses que les gens voulaient avoir n'étaient pas celles que vous alliez trouver, je le savais depuis le début...

— Et qu'attendez-vous que je fasse à présent, Majesté, des informations que j'ai découvertes ?

— Ce que j'attends de vous, répondit le tsar en tapotant avec la pointe de son stylo le revolver de Pekkala, c'est que vous vous remettiez au travail, en oubliant tout de cette enquête.

— Majesté, répliqua Pekkala en s'efforçant de garder son calme, vous ne m'employez pas pour prodiguer des illusions...

— C'est exact, Pekkala. Vous m'apportez la vérité, et je décide alors dans quelle mesure le peuple russe a besoin de la connaître. »

Pekkala commençait à se demander si Staline n'allait pas le faire attendre toute la journée. Pour passer le temps, il se balançait doucement sur la pointe des pieds, étudiant le mur situé derrière le bureau de Staline. Depuis ses visites précédentes, il savait qu'une porte secrète était dissimulée dans ces panneaux de bois, impossible à repérer jusqu'à ce qu'elle soit ouverte. Derrière se déployait un long et étroit corridor, éclairé par de minuscules ampoules électriques, guère plus grosses que le pouce. Le plancher de ce couloir était recouvert d'une épaisse moquette, de telle sorte qu'on pouvait s'y déplacer sans émettre le moindre son. Où menait ce passage, Pekkala l'ignorait, mais il avait entendu dire que tout l'immeuble était truffé de passages secrets.

Enfin, il entendit le clic familier du panneau que l'on déverrouillait. La plaque de bois s'ouvrit et Staline surgit du mur. D'abord, il ne dit rien à Pekkala, et ne le regarda même pas. Il avait pris l'habitude de scruter les moindres recoins de la pièce, guettant tout élément qui n'aurait pas été à sa place. Finalement, son regard se posa sur Pekkala.

« Nagorski est mort par accident ? lui demanda-t-il d'un ton sec. Vous pensez sérieusement que je vais croire ça ?

— Non, camarade Staline. »

Cette réponse parut le désarçonner.

« Vous ne le pensez pas ? Pourtant, c'est ce que je lis dans ce rapport !

— Ce n'est pas le mien, camarade Staline. »

Jurant entre ses dents, Staline s'assit derrière son bureau et tira aussitôt sa pipe de la poche de sa tunique.

Pekkala l'avait remarqué, Staline avait coutume de fumer des cigarettes quand il quittait son bureau, mais se contentait de la pipe lorsqu'il était au Kremlin. Sa pipe ressemblait au signe que l'on emploie pour cocher une case, sorte de V ouvert dont l'un des bras, celui du foyer, était plus court que l'autre et recourbé à son extrémité. Le foyer était déjà bourré d'éclats de tabac couleur miel. Staline semblait fumer chaque fois une pipe différente, et Pekkala le soupçonnait d'en changer fréquemment.

Staline tira une allumette d'une petite boîte en carton, faisant bouger toutes les autres au passage. Il avait une manière unique de craquer une allumette. Coinçant cette dernière entre pouce, index et majeur, il lui donnait un petit coup avec son annulaire pour la frotter sur la bande de papier abrasif. L'allumette s'embrasait chaque fois du premier coup. C'était une méthode si originale que Pekkala, qui ne fumait pas, avait un jour acheté une boîte d'allumettes et passé des heures à s'entraîner en vain à cette technique au-dessus de l'évier de sa cuisine, ne parvenant au bout du compte qu'à se brûler les doigts.

Dans le silence de cette pièce, il distingua le crissement de l'allumette, l'imperceptible craquement du tabac prenant feu et le petit bruit sec de la première bouffée. Staline secoua l'allumette, la jeta dans un cendrier de cuivre et se rassit au fond de son fauteuil.

« Ce n'est pas un accident, dites-vous ? »

Pekkala fit non de la tête. Tirant le mouchoir de sa poche, il avança vers le bureau, posa la pièce de tissu devant Staline et la déplia avec soin. Là, au milieu du mouchoir noir, se trouvait le minuscule éclat de plomb qu'il avait extrait du crâne de Nagorski.

Staline se pencha en avant, jusqu'à ce que son nez touche presque le bureau, et étudia attentivement le fragment.

« Qu'est-ce que j'ai sous les yeux, Pekkala ?

— Un fragment de balle.

— Ah ! » Staline laissa échapper un grognement satisfait et se recula sur son siège. « Où l'avez-vous trouvé ?

— Dans le cerveau du colonel Nagorski. »

Staline repoussa le fragment avec la tige de sa pipe. « Dans son cerveau », répéta-t-il.

Pekkala sortit alors de sa poche la douille vide que Kirov et lui avaient trouvée au fond du trou pendant la nuit. Il la déposa devant Staline comme s'il avait bougé un pion aux échecs.

« Nous avons également retrouvé ceci sur place. Elle provient de la même arme, j'en suis presque certain. »

Staline eut un hochement de tête approbateur.

« C'est pour cela que j'ai besoin de vous, Pekkala ! » Il ouvrit le dossier gris et attrapa l'unique feuille qu'il contenait. « L'enquêteur du NKVD qui a rédigé ce rapport déclare que le corps a été examiné en détail. C'est écrit ici. » Il tendit le document à bout de bras pour pouvoir le lire. « Aucune trace de blessure préalable à son écrasement par le tank. Comment auraient-ils pu ne pas voir une balle dans la tête ?

— Les dégâts infligés au corps étaient considérables, suggéra Pekkala.

— C'est une raison, pas une excuse.

— Il faut également que vous sachiez, camarade Staline, que cette balle n'a pas été tirée par une arme de fabrication russe. »

À peine ces mots avaient-ils quitté la bouche de Pekkala que Staline écrasa son poing sur le bureau. La petite cartouche sauta puis décrivit un cercle sur la table.

« J'avais raison ! hurla-t-il.

— À quel propos, camarade Staline ?

— Ce sont des étrangers qui ont commis ce meurtre.

— Peut-être, répliqua Pekkala, mais je doute qu'ils aient pu le faire sans avoir des complices dans le pays.

— Ils avaient des complices, rétorqua Staline. Et je crois qu'il s'agit de la Confrérie blanche. »

Pekkala plissa les yeux, troublé.

« Camarade Staline, nous en avons déjà discuté. La Confrérie blanche n'est qu'une façade. Elle est contrôlée par votre propre Bureau des opérations spéciales. Comment la Confrérie blanche pourrait-elle être responsable alors que c'est vous qui l'avez créée ? À moins que vous n'ayez vous-même ordonné l'exécution de Nagorski…

— Je sais très bien, rétorqua froidement Staline, qui a ordonné la création de la Confrérie blanche, et, non, je n'ai pas donné l'ordre de liquider Nagorski.

— Dans ce cas, la Confrérie n'est absolument pas une menace pour nous.

— Il y a du nouveau, marmonna Staline.

— De quoi s'agit-il ?

— La seule chose que vous devez savoir, c'est que nos ennemis ont décidé de détruire le projet Constantin. Ils savent que le T-34 est notre seule chance de survivre aux temps qui viennent…

— Je ne saisis pas, camarade Staline. Qu'entendez-vous par les "temps qui viennent" ?

— La guerre, Pekkala. La guerre avec l'Allemagne. Hitler a repris la Rhénanie. Il a signé un pacte avec le Japon et l'Italie. Mes sources m'ont informé qu'il se préparait à occuper une partie de la Tchécoslovaquie et de l'Autriche. Et il ne s'arrêtera pas là, en dépit de tout ce qu'il peut raconter. Des rapports de nos agents en Angleterre m'apprennent que les Britanniques ont connaissance de plans de l'Allemagne pour envahir leur île. Ils savent que la seule chance pour eux d'empêcher cela est que les Allemands entrent en guerre contre nous. L'Allemagne se retrouverait alors coincée entre deux fronts, l'un à l'est et l'autre à l'ouest, auquel cas les Allemands n'auraient sans doute pas les moyens d'envahir l'Angleterre. Les services secrets britanniques font courir la rumeur que nous sommes sur le point de lancer une attaque préventive contre l'Allemagne, en passant par le sud de la Pologne.

— Est-ce le cas ? »

Staline se leva de son bureau et se mit à arpenter la pièce, le poing toujours serré sur le dossier. Les semelles souples de ses bottes en cuir de veau crissaient sur les lattes du plancher.

« Nous n'avons aucun plan de ce genre, mais les Allemands prennent ces allégations britanniques très au sérieux. Ce qui signifie qu'ils sont à l'affût du premier

160

signe pouvant être interprété comme une provocation. Le moindre geste hostile de notre part pourrait déclencher une guerre de grande envergure, et Hitler n'a jamais caché à quel point il aimerait s'en prendre à l'Union soviétique. S'il en a l'occasion, notre culture sera anéantie, notre peuple réduit en esclavage et le pays tout entier deviendra une colonie allemande. Le T-34 n'est pas simplement une machine. C'est notre seul espoir de survie. Si nous perdons l'avantage que ce char nous confère, nous perdrons tout. À partir de maintenant, Pekkala, vous êtes en charge de cette enquête. Vous remplacerez ce... » Il plissa les yeux pour déchiffrer le nom inscrit sur le rapport. « ... major Lysenkova.

— J'aimerais vous poser une question, camarade Staline...

— Quoi ?

— Pourquoi lui avez-vous confié cette affaire ?

— Je ne l'ai pas fait, répliqua Staline. Le garde chargé de la sécurité au complexe de Nagorski l'a appelée directement.

— Dans ce cas, il doit s'agir du capitaine Samarin, remarqua Pekkala.

— Il était obligé d'appeler le NKVD, poursuivit Staline. Il ne pouvait s'adresser aux policiers ordinaires, car les installations secrètes ne relèvent pas de leur juridiction. L'affaire devait être confiée à la Sécurité interne.

— J'en ai conscience, insista Pekkala. Mais, si j'ai bien compris, Samarin a spécifiquement sollicité l'aide du major Lysenkova...

— C'est possible. Vous devriez lui poser la question.

— Le capitaine Samarin est mort, camarade Staline.

— Quoi ? Comment est-il mort ? »

Pekkala raconta ce qui s'était passé dans la forêt.

Staline resta assis sans rien dire pendant un long moment. Son dos semblait étrangement raide, comme s'il avait porté un corset de fer sous ses vêtements.

« Et le fugitif, celui que vous avez pris en chasse dans les bois, il n'a toujours pas été localisé ?

— À partir du moment où la mort a été déclarée accidentelle, camarade Staline, j'imagine qu'ils ont abandonné les recherches.

— Abandonné les recherches », marmonna Staline. Il empoigna le rapport de Lysenkova. « Alors il est peut-être déjà trop tard. J'espère, pour le major, que non. »

Il laissa retomber la chemise de papier sur le bureau.

« Je parlerai au major Lysenkova, reprit Pekkala. Peut-être pourra-t-elle nous apporter quelques réponses...

— Faites ce que vous voulez, Pekkala. Peu importe la manière dont vous procédez, je veux que vous retrouviez l'homme qui a abattu Nagorski avant qu'il ne tue encore quelqu'un dont je ne peux me passer. D'ici là, personne ne doit rien savoir. Je ne veux pas que nos ennemis pensent que nous avons baissé la garde. Ils guettent la moindre erreur de notre part, Pekkala. Ils sont à l'affût du premier signe de faiblesse... »

Pekkala était assis sur le bord de son lit. Son dîner était posé devant lui, sur une petite table pliante : trois tranches de pain de seigle, un petit bol de fromage *tvorok*, et un gobelet d'eau gazeuse.

Il avait laissé son manteau et son étui de revolver sur le montant du lit. Il portait un épais pantalon de velours côtelé, d'un marron aussi foncé que la robe d'un cheval alezan, et un pull de laine écrue, gris-beige, avec un col châle dont les deux pans se rejoignaient à la base du cou.

Il avait élu résidence dans une pension de la rue Tverskaïa, un quartier de la ville qui n'avait rien de spécialement charmant ni de sûr. Malgré tout, depuis quelques années, l'immeuble était surpeuplé. Les ouvriers avaient débarqué en masse des campagnes pour chercher du travail en ville. Il était désormais fréquent de trouver une douzaine de personnes entassées dans un espace qui, en temps normal, aurait été à peine suffisant pour la moitié d'entre elles.

Le studio qu'il occupait était chichement meublé, avec un lit de camp militaire qui se repliait dans un coin de la pièce et une table pliante sur laquelle il prenait ses repas et rédigeait ses rapports. Il y avait également un vaisselier barbouillé de plusieurs couches de peinture – sa présente incarnation était d'un blanc de craie. Pekkala ne possédait pas de vaisselle en porcelaine, mais uniquement des tasses et soucoupes émaillées, et seulement deux de chaque, car il avait rarement des invités. Le reste du vaisselier était rempli de plusieurs cartons de balles de calibre .455 destinées au Webley à crosse de cuivre qu'il portait pendant le service, et dont les munitions étaient difficiles à trouver dans le pays.

Pekkala avait survécu avec si peu pendant si longtemps qu'il ne pouvait s'habituer à faire autrement. Il vivait comme un homme qui s'attendait, à tout moment, à se voir notifier un préavis d'une heure avant de quitter les lieux.

Glissant un mouchoir sous son col, il se frotta les mains sur la poitrine et allait commencer son repas quand une latte de plancher craqua dans le couloir. L'instant d'après, lorsque Pekkala entendit frapper à sa porte, un souvenir ancien surgit de sa mémoire.

Il se tenait debout devant la porte du Boudoir mauve de la tsarine, le poing suspendu, sur le point de frapper. Aux yeux des bonnes du palais d'Alexandre, qui passaient dans le couloir en portant des piles de linge sale, des plateaux de petit déjeuner croulant sous la porcelaine ou des plumeaux brandis devant elles tels d'étranges bouquets de fleurs, il paraissait figé sur place.

Finalement, comme si la force requise pour pouvoir frapper à cette porte outrepassait les siennes, Pekkala laissa échapper un soupir et abaissa son poing.

Depuis que la tsarine l'avait envoyé chercher ce matin, un malaise s'était emparé de Pekkala. Elle qui s'arrangeait toujours pour l'éviter...

Il ignorait pourquoi elle éprouvait une telle aversion pour lui. Il savait seulement qu'elle ne l'aimait pas, et qu'elle ne s'en cachait même pas, avec pour seule consolation le fait qu'il n'était pas le seul, loin s'en fallait, à être tombé en disgrâce auprès de la souveraine.

La tsarine était une femme fière et têtue, qui se faisait très vite une opinion au sujet des gens et en

165

changeait rarement par la suite. Même parmi ceux qu'elle tolérait, ils étaient rares à pouvoir prétendre être ses amis. À part Raspoutine, son unique confidente était Anna Vyrubova, cette femme aux lèvres et au visage boursouflés. Pour ces deux-là, rester dans les bonnes grâces de la tsarine était devenu un emploi à plein temps.

Elle l'avait donc convoqué ce jour-là, et Pekkala n'avait pas la moindre idée de ce qu'elle lui voulait. Il aurait aimé pouvoir faire demi-tour et s'en aller, mais il n'avait d'autre choix que de lui obéir.

En levant de nouveau la main pour frapper à la porte, il aperçut une roue solaire gravée sur la partie supérieure du cadre. Cette croix déformée, dont les bras repliés vers la gauche formaient presque, mais pas complètement, un cercle, était le symbole que la tsarine s'était choisi. On le trouvait gravé sur le chambranle des portes de toutes les salles où elle avait passé un moment, aussi bref soit-il. Sa vie était remplie de superstitions, et celle-ci en faisait partie.

Comprenant qu'il n'avait rien à gagner à reculer encore l'heure de leur entrevue, Pekkala se résolut enfin à frapper.

« Entrez », répondit une voix assourdie.

Le Boudoir mauve sentait la cigarette et les jacinthes roses cultivées dans des pots sur les appuis de fenêtre. Les rideaux en dentelle, qui avaient la même teinte mauve que tout ce qu'abritait cette pièce, avaient été tirés, donnant à la lumière qui filtrait une couleur de sang dilué. La sinistre uniformité de son mobilier et le fait que la tsarine paraissait ne jamais ouvrir les fenêtres rendaient à Pekkala l'endroit insupportablement irrespirable.

La présence d'un cirque miniature au grand complet, composé d'éléments en verre, avec filigrane d'or et nacre, ajoutait à son malaise. Il y avait plus d'une centaine de pièces au total. Le cirque avait été tout spécialement commandé par le tsar aux ateliers de Karl Fabergé, et la rumeur affirmait que son prix équivalait aux salaires de plus d'une dizaine d'ouvriers d'usine russes pendant toute leur vie. Ces pièces fragiles – éléphants, tigres, clowns, cracheurs de feu et funambules – étaient posées en équilibre instable à l'extrême bord de toutes les surfaces planes disponibles. Pekkala avait l'impression qu'il lui aurait suffi de pousser le moindre soupir pour que tout s'écrase sur le plancher.

La tsarine était allongée sur un divan rembourré à l'excès, les jambes recouvertes d'une couverture, dans l'uniforme gris et blanc des infirmières de la Croix-Rouge russe. La guerre était dans sa deuxième année et, depuis que les blessés avaient commencé à affluer du front, le grand hall du palais de Catherine avait été réaménagé en hôpital, où la tsarine et ses filles jouaient le rôle d'infirmières.

Des soldats qui avaient grandi dans des isbas au toit de chaume et au sol de terre battue se réveillaient désormais chaque matin dans une salle aux piliers dorés, arpentaient un sol de marbre lisse et dormaient dans des draps de lin. Malgré tant de confort, les soldats que Pekkala avait eu l'occasion d'y croiser semblaient peu à leur aise. La plupart auraient préféré l'environnement plus familier d'un hôpital militaire à cette vitrine où ils étaient exposés telle une ménagerie de verre – la contribution de la tsarine à l'effort de guerre.

En dépit de l'hostilité que lui manifestait la souveraine, Pekkala avait parfois pitié d'elle, surtout depuis que la guerre avait éclaté. Malgré tous ses efforts, ses origines allemandes l'empêchaient désormais de faire le moindre geste exprimant sa loyauté à l'égard de la Russie sans qu'il se retourne contre elle. En s'efforçant d'atténuer les souffrances des autres, elle n'était parvenue qu'à renforcer les siennes.

Mais Pekkala avait fini par se rendre compte que cela n'était sans doute pas totalement fortuit. La tsarine était attirée par la souffrance. Une énergie particulièrement fébrile s'emparait d'elle dès que la conversation portait sur les malheurs du monde. Soigner les blessés de guerre avait donné un nouveau sens à sa vie.

Il se figea devant la tsarine, qui lui désigna un fauteuil en osier d'apparence fragile.

« Asseyez-vous. »

Il prit place dans le fauteuil avec prudence, craignant que les pieds ne cèdent sous son poids.

« Pekkala, déclara la tsarine, je crois que les choses ont mal débuté entre nous, mais ce n'est qu'une question de confiance. J'aimerais vous faire confiance, Pekkala.

— Oui, Majesté.

— Cela étant dit, poursuivit-elle en appuyant ses mains jointes sur son ventre comme si elle avait eu des crampes d'estomac, j'aimerais que nous puissions travailler ensemble sur un sujet de la plus haute importance. J'ai besoin que vous meniez une enquête...

— Certainement, répondit-il. Sur quoi voulez-vous que j'enquête ? »

La tsarine marqua une pause.

« Sur le tsar. »

Pekkala avala une brusque bouffée d'air.

« Je vous demande pardon, Majesté ? »

Le fauteuil en osier craqua sous lui.

« Je veux, poursuivit la tsarine, que vous détermi-
niez si mon mari a pris une maîtresse.

— Une maîtresse, répéta Pekkala.

— Oui. »

Elle le dévisagea, ses lèvres esquissant un sourire
gêné.

« Vous savez ce qu'est une maîtresse, n'est-ce pas ?

— Je le sais, Majesté », répondit-il.

Il savait également que le tsar avait, de fait, pris
une maîtresse. Ou, du moins, qu'une femme avait été
sa maîtresse. Elle s'appelait Mathilde Kschessinska,
danseuse étoile du Ballet impérial de Russie. Le tsar la
connaissait depuis des années, bien avant son mariage,
et lui avait même acheté un hôtel particulier à Petrograd. Officiellement, il avait rompu tout lien avec cette
femme. Même s'il ignorait la nature exacte de leurs
relations, Pekkala savait de source sûre que le tsar
continuait de lui rendre visite, et qu'il empruntait
même une porte dérobée, située à l'arrière de l'hôtel
particulier, pour y entrer sans être vu.

Pekkala avait toujours pensé que la tsarine savait
tout de cette autre femme, pour la simple raison qu'il
n'imaginait pas le tsar capable d'avoir aucun secret
pour elle. Il n'était pas assez fourbe pour cela, et la
tsarine bien trop suspicieuse pour qu'une telle liaison
puisse continuer longtemps sans qu'elle le remarque.

« Je regrette, déclara Pekkala en se levant. Mais
je ne peux pas enquêter sur le tsar. »

Manifestement, elle avait prévu cette objection.

« *Vous pouvez enquêter sur le tsar, rétorqua-t-elle, les yeux soudain brillants. Le tsar lui-même vous a octroyé le droit d'enquêter sur qui bon vous semble. Par décret impérial. En outre, je suis habilitée à vous en donner l'ordre...*

— *Je comprends bien, Majesté, que j'ai techniquement le droit...*

— *Pas le droit, Pekkala. L'obligation.*

— *Je comprends...* », poursuivit-il.

Elle l'interrompit de nouveau :

« *Alors, c'est entendu.*

— *Majesté, plaida Pekkala, ce que vous me demandez, je ne peux absolument pas le faire.*

— *Donc vous refusez ?* »

Pekkala sentit le piège se refermer sur lui. Refuser d'obéir à un ordre de la tsarine était un acte de trahison, passible de la peine de mort. Le tsar se trouvait au quartier général de l'armée, à Moguilev, à mi-chemin de la frontière polonaise. Si la tsarine le désirait, Pekkala pouvait très bien être exécuté avant même que le tsar n'apprenne ce qui se tramait.

« *Vous refusez ? demanda-t-elle une nouvelle fois.*

— *Non, Majesté.* »

Les mots tombèrent de sa bouche comme des pierres.

« *Bien. Je suis contente que vous voyiez enfin les choses...* » *Elle tendit ses deux mains en direction de la porte.* « *... du même œil d'émeraude que moi.* »

Les coups à la porte redoublèrent, mais ils avaient quelque chose d'inhabituel. Les jointures de la main frappaient à mi-hauteur.

Pekkala resta d'abord perplexe, puis soudain il sourit. Il marcha jusqu'à la porte et l'ouvrit au moment où la petite fille qui se trouvait de l'autre côté était sur le point de frapper une troisième fois.

« Bonsoir, Talia.

— Bonsoir, camarade Pekkala. »

C'était une fillette de sept ans, avec des joues potelées et une fossette au menton, qui portait une chemise et une jupe kaki et, autour du cou, le foulard rouge des Jeunes Pionniers. Selon une mode très répandue parmi les filles des Jeunesses communistes, ses cheveux courts étaient taillés en ligne droite au niveau du front. Tout sourire, elle le gratifia du salut des Pionniers : la tranche de sa main tendue obliquement devant son visage, comme pour parer une attaque.

Constatant à quel point il dominait la petite fille, Pekkala posa un genou à terre afin de se mettre à sa hauteur.

« Babayaga dit que vous vous sentez seul.

— Et comment le sait-elle ? »

L'enfant haussa les épaules.

« Elle le sait, c'est tout. »

Pekkala se retourna pour regarder son dîner, posé sur la table pliante : les trois morceaux de pain et ce bol de fromage sans consistance. Il soupira.

« Eh bien, Talia, il se trouve effectivement qu'un peu de compagnie ne me ferait pas de mal ce soir... »

Talia ressortit dans le couloir et lui tendit la main.

« Alors venez, dit-elle.

— Un instant. »

Pekkala enfila son manteau qui, même s'il avait été lavé, avait l'air dans un sale état après son périple à travers le terrain d'essai.

Rejoignant Talia dans le couloir, il sentit des odeurs de repas du soir – les relents des pommes de terre bouillie, des saucisses frites et du chou. Ils remontèrent main dans la main le corridor aux murs vert pâle et à la moquette miteuse, jusqu'à l'appartement où Talia vivait seule avec sa grand-mère.

Six mois auparavant, Talia habitait encore avec ses parents un vaste appartement dans un quartier qui s'appelait alors le mont des Moineaux, et avait depuis été rebaptisé mont Lénine. Puis, une nuit, les hommes du NKVD avaient frappé à leur porte, fouillé la maison et arrêté ses parents. Jusqu'à leur interpellation, tous deux avaient été des communistes modèles, mais ils étaient désormais classés sous la catégorie type 58, qui désignait une « menace à la sécurité nationale » et leur valut chacun une peine de quinze ans au bagne de Solovetski.

L'unique raison pour laquelle Talia et sa grand-mère savaient tout cela, c'était parce que Pekkala, qui était leur voisin depuis plusieurs années, avait fait des recherches. Quant à la nature exacte du crime commis par les parents, même les archives du NKVD furent incapables de la lui fournir. Staline avait confié un jour à Pekkala que même si seulement deux pour cent des arrestations s'étaient révélées justifiées, il soutiendrait encore que toutes les autres avaient valu la peine. Tant de gens avaient été arrêtés depuis un an, plus d'un million à en croire les chiffres officiels, qu'il était impossible de garder une trace de chacun. Ce que Pekkala savait, en revanche, sans avoir le cœur de l'annoncer à la grand-mère, c'était que plus de la moitié des personnes interpellées étaient exécutées avant même d'embarquer dans les trains pour la Sibérie.

Leur famille avait autrefois possédé une ferme dans la fertile région des terres noires, au cœur des montagnes de l'Altaï. En 1930, le parti communiste avait ordonné la fusion de toutes les fermes du village. Ils appelaient cela une « collectivisation ». La direction de cette ferme collective, ou kolkhoze, avait été confiée à un responsable du Parti qui, dénué de toute expérience agricole, avait mené cette exploitation collective à la faillite en moins de deux ans. Le kolkhoze fut démantelé et la famille de Talia, comme tant d'autres, s'était exilée à la ville.

Ils travaillèrent d'abord à la centrale de Mos-Prov, qui fournissait à Moscou l'essentiel de son électricité. Mari et femme avaient aussitôt rejoint le parti communiste et en avaient rapidement gravi les échelons. Avant leur arrestation, ils avaient reçu, en récompense de leurs efforts, des rations supplémentaires de sucre, de thé et de cigarettes, des entrées pour le théâtre du

Bolchoï et des séjours au camp de vacances d'Astafievo, en périphérie de la ville.

À en croire Babayaga, le père avait souvent vanté les mérités de la « *perekovka* » – la réhabilitation de l'âme humaine par le travail forcé dans les bagnes du Goulag. Pekkala aurait aimé savoir ce qu'il en pensait, maintenant qu'on l'y avait envoyé. Comme tant de bons communistes, cet homme croyait sans doute que sa femme et lui avaient été victimes d'une simple erreur bureaucratique, qui ne tarderait pas à être rectifiée, et qu'ils pourraient alors reprendre le cours de leurs vies ; toutes les souffrances qu'il endurait seraient récompensées un jour prochain, le jour du Jugement où toutes les erreurs seraient corrigées.

Même si les parents étaient sans doute innocents de tous les crimes dont on les avait accusés, cela ne voulait pas dire, toutefois, qu'ils avaient été arrêtés par erreur. Ils avaient certainement été dénoncés par un tiers qui voulait leur appartement, était jaloux de leur mariage, ou dont ils avaient pris le siège dans le bus qui les emmenait au travail. Les accusations de ce genre faisaient rarement l'objet d'une enquête, et les histoires les plus grotesques servaient de justification à des arrestations. Un homme avait ainsi été interpellé pour avoir fait des ronds de fumée qui, aux yeux de son accusateur, ressemblaient étrangement au visage de Staline…

Pekkala pensait même que les raisons de leur emprisonnement n'avaient rien à voir avec eux, mais n'étaient que le résultat des quotas imposés aux services du NKVD, qui les obligeaient à arrêter un nombre précis de personnes par mois, dans chaque district.

Après le départ de ses parents, Talia était venue habiter chez sa grand-mère. Le véritable nom de la vieille dame était Elizaveta, mais elle ne l'employait jamais et s'était rebaptisée elle-même du nom d'une sorcière, tiré d'un vieux conte de fées russe. La sorcière vivait dans la forêt, dans une maison qui tournait en rond sans cesse, juchée sur deux pattes de poulet géantes. Dans le conte, elle se montrait cruelle avec les enfants, mais Pekkala savait à quel point la petite fille avait de la chance qu'une femme aussi douce que Babayaga soit là pour veiller sur elle. Talia paraissait l'avoir compris, elle aussi, et ce nom était devenu une plaisanterie entre elles.

La première fois qu'il avait pénétré dans leur appartement, Pekkala avait aussitôt remarqué ce que Babagaya appelait son « coin patriotique ». De petits portraits de Staline, ainsi que des images de Lénine et de Marx, y étaient exposés. Ceux d'hommes tels que Zinoviev, Kamenev, Radek ou encore Piatakov avaient été enlevés quand ils avaient été accusés d'activités contre-révolutionnaires, et liquidés. Les portraits de Staline étaient toujours présents mais, dans un placard près de la salle de bains, la grand-mère conservait de petites peintures sur bois à l'effigie de saints. Chaque icône possédait de minuscules portes de bois qui, ouvertes, lui permettaient de tenir debout toute seule. Ces portes étaient incrustées d'éclats de nacre et de boucles de fil d'argent qui ressemblaient à des notes de musique sur le fond noir du bois.

Dès leur arrestation, les parents de Talia avaient été exclus du parti communiste, et la fillette elle-même des Jeunesses communistes. Elle continuait malgré tout de porter son uniforme, mais uniquement dans son immeuble.

« Le voilà, Babayaga », annonça la petite fille en ouvrant grand la porte de leur appartement.

Babayaga était assise devant une table de bois brut. Dans une main, elle tenait un vieil exemplaire de *Rabotnitsa*, la revue féminine du parti communiste. Dans l'autre, une minuscule paire de ciseaux avec lesquels, les yeux plissés de concentration, la vieille dame découpait des morceaux du journal. Des dizaines de coupures de presse étaient éparpillées devant elle, sur la table.

« Alors, Pekkala…, dit-elle.

— Que découpez-vous ? »

Babayaga désigna les coupures d'un hochement de tête.

« Voyez vous-même… »

Pekkala jeta un coup d'œil aux rectangles bien découpés. Sur tous, on pouvait lire le nom de Staline, tantôt en larges majuscules, tantôt en lettres si petites qu'elles en étaient presque illisibles. La vieille dame n'avait rien découpé d'autre – rien que ce nom.

« Vous fabriquez un collage ? interrogea Pekkala.

— Elle fabrique du papier-toilette ! » s'écria Talia.

La femme posa ses ciseaux. Elle plia le journal avec application. Puis elle rassembla les découpages de ses doigts repliés. Se levant de table, elle se dirigea vers un coffre en bois, dans un coin de la pièce. C'était le genre de coffre où l'on entreposait généralement les couvertures durant les mois d'été, mais quand Babayaga souleva le couvercle, Pekkala s'aperçut qu'il était entièrement rempli de coupures de journaux portant le nom de Staline.

« J'ai entendu une histoire, déclara Babayaga, en laissant tomber les coupures comme des confettis, du bout des doigts. Un homme a été arrêté parce que la police, en fouillant sa maison, a trouvé un journal dans les toilettes. Le nom de Staline figurait dessus, évidemment. Il est sur toutes les pages de tous les journaux, tous les jours. Mais à cause du fait que le nom de Staline figurait sur ce journal, et de… » Elle fit tourner sa main dans le vide, devant elle. « … l'usage auquel le journal était destiné, ils l'ont arrêté. Ils l'ont envoyé pour dix ans dans un bagne de la Kolyma… » Elle le gratifia d'un sourire, creusant des plis profonds dans la peau de ses joues. « Ils ne m'auront pas comme ça ! Mais au cas où… » Babayaga désigna une valise en carton posée près de la porte. « … j'ai préparé mes affaires. S'ils trouvent une raison de m'arrêter, au moins je serai prête à partir. »

Ce qui attristait le plus Pekkala dans cette affaire, ce n'était pas que Babagaya ait préparé sa valise, mais qu'elle puisse croire qu'elle survivrait assez longtemps en détention pour avoir l'usage de ce qu'elle contenait.

« Je comprends que vous puissiez avoir envie de découper le nom de Staline dans les journaux, répondit-il. Mais pourquoi gardez-vous toutes ces coupures ?

— Si je les jette, on pourra aussi m'arrêter pour ça », répliqua-t-elle.

Assise entre eux, Talia faisait de son mieux pour suivre la conversation, son regard oscillant de l'un à l'autre.

Une ou deux fois par semaine, la vieille dame l'envoyait chercher Pekkala, sachant qu'il vivait seul. Babayaga se sentait seule, elle aussi, mais les contacts humains lui manquaient moins que l'époque d'avant la révolution, quand le monde avait à ses yeux davantage de sens. Elle vivait désormais comme une image dédoublée vue à travers des jumelles brisées, à moitié dans le présent, à moitié dans le passé, ces deux réalités aussi floues l'une que l'autre.

« Bon…, reprit Babayaga en posa sa main sur le front de Talia. C'est l'heure d'aller au lit. »

Quand la fillette les eut laissés, Pekkala se rassit au fond de sa chaise.

« J'ai un cadeau pour vous, Babayaga. » Plongeant la main au fond de sa poche, il en sortit deux petits cierges, et les posa devant elle. Il les avait trouvés au magasin Elisseïev, en rentrant chez lui ce jour-là, car il savait que la vieille dame aimait en faire brûler à côté des icônes, pendant qu'elle faisait ses prières.

Babayaga prit l'un des cierges et le porta à ses narines en fermant les yeux.

« Cire d'abeille, dit-elle. Vous avez pris les bons… Et maintenant, à moi de vous offrir mon cadeau. »

Elle se rendit dans la cuisine, qui n'était séparée du séjour que par un rideau de perles de bois, et elle revint au bout de quelques instants en apportant un samovar en cuivre bosselé. De la vapeur s'échappait du couvercle, comme de la cheminée d'un train miniature. Elle retourna en cuisine pour aller chercher un verre entouré d'un support en cuivre ciselé, et une petite tasse ébréchée dont Pekkala reconnut aussitôt, aux oiseaux et aux fleurs entrelacés dont elle était ornée, qu'elle provenait de l'ancienne manufacture Gardner's. Cette entreprise avait été fondée en Russie par un Anglais, et Pekkala n'en avait plus entendu parler depuis que les bolcheviks avaient pris le pouvoir. Cette tasse était certainement, se dit Pekkala, le trésor le plus cher de Babayaga. Elle posa devant lui une soucoupe de sucre en morceaux, et une autre qui contenait les brins noirs entortillés d'un thé fumé. C'était un geste de politesse, qui permettait à l'invité d'en rajouter si l'infusion n'était pas à son goût. Mais, par politesse également, Pekkala n'y toucha pas. Il se pencha simplement pour humer le parfum légèrement goudronné de ce thé fumé au bois de pin, en se disant que Babayaga avait certainement dû faire des sacrifices pour pouvoir l'acheter.

Elle lui versa une tasse, recueillant le thé noir dans le pot situé en haut du samovar, puis le diluant avec l'eau chaude contenue dans sa partie inférieure. Enfin elle lui tendit son verre.

« Il appartenait à mon mari », déclara-t-elle.

Elle le lui rappelait chaque fois, et chaque fois Pekkala lui prenait le verre des mains avec tout le respect qu'il méritait.

Babayaga sortit un citron de la poche de son tablier et un petit couteau d'argent avec lequel elle coupa une tranche avant de la tendre à Pekkala, en la pressant du pouce contre la lame. Une fois qu'il eut pris la tranche de citron, Babayaga passa la lame dans la vapeur du samovar, afin que le jus de citron ne ternisse pas l'argent.

« Le tsar aimait beaucoup le thé fumé au bois de pin, lui confia Pekkala en pressant le citron au-dessus de son verre.

— Vous savez ce que les gens disent, inspecteur ? Ceux d'entre nous qui se rappellent encore comment c'était, avant ? Ils disent que l'esprit du tsar peut voir le monde à travers votre œil d'émeraude… »

Pekkala porta la main au col de son manteau. Lentement, il souleva le revers. L'œil se dévoila peu à peu, comme celui d'un dormeur émergeant du sommeil.

« Alors il doit vous regarder en ce moment…

— J'aurais dû mettre une plus jolie robe. »

Elle sourit et son visage s'empourpra.

« Il me manque. Ce qu'il représentait aux yeux de notre peuple me manque. » Puis son sourire s'évanouit. « Mais pas elle ! Pas la Nemka ! Elle a beaucoup de choses à se reprocher… »

Pekkala se rendit à l'hôtel particulier de Mathilde Kschessinska. Il ne se présenta pas à la porte d'entrée, ce qui aurait risqué d'attirer l'attention. Il préféra prendre la rue tranquille qui contournait par l'arrière l'édifice, et se glissa à l'intérieur par le portail qu'empruntait le tsar lui-même lorsqu'il rendait visite à Mme Kschessinska.

La porte intérieure, juste derrière le portail, était envahie par le lierre, qui la rendait presque invisible. Même la sonnette de cuivre avait été peinte en vert, pour la camoufler.

Pekkala jeta un dernier regard dans la rue, afin de s'assurer que personne ne l'avait vu entrer, mais les lieux étaient déserts. Une averse s'était abattue une heure plus tôt. À présent, un ciel bleu pâle se déployait au-dessus de la ville. Pekkala pressa la sonnette et attendit.

Il ne s'écoula qu'une poignée de secondes avant que Mme Kschessinska apparaisse. C'était une femme de petite taille, très mince, avec le visage un peu rond et des yeux vifs, inquisiteurs. Ses cheveux étaient drapés dans une serviette, à la manière d'un turban, et elle

181

portait une veste de smoking masculine aux revers de soie, qui appartenait sans doute au tsar.

« J'ai entendu le portail grincer », commença-t-elle. Mais alors elle inspira brusquement, en voyant que ce n'était pas le tsar. « J'ai cru que vous étiez quelqu'un d'autre...

— Madame Kschessinska, dit-il, je suis l'inspecteur Pekkala, l'enquêteur personnel du tsar. »

Il porta la main au revers de son manteau et le retourna, dévoilant son insigne.

« L'Œil d'Émeraude. Nicolas m'a souvent parlé de vous. » Soudain, elle eut l'air effrayée. « Oh, non. Quelque chose lui est arrivé ? Il va bien ?

— Il va parfaitement bien.

— Mais alors, qu'est-ce qui vous amène, inspecteur ?

— Puis-je entrer ? »

Elle hésita quelques instants, puis ouvrit grand la porte et s'écarta pour le laisser passer.

Pekkala la suivit dans cette maison lumineuse, dont les murs étaient décorés de nombreux programmes de spectacles et d'affiches encadrées du Ballet impérial. Dans le hall d'entrée, des plumes de paon jaillissaient d'un porte-parapluies en cuivre, tel un étrange bouquet de fleurs. Pekkala remarqua, perdue au milieu des plumes, l'une des cannes du tsar, dont la poignée dorée était ornée des armoiries impériales.

Ils s'installèrent dans la cuisine, qui donnait sur un petit jardin dont le saule enveloppait de ses branches un banc de bois.

Elle lui servit un café et des tartines grillées à la confiture d'abricots.

« Madame Kschessinska... », se lança Pekkala.

Mais les mots lui manquèrent et il posa sur elle un regard désespéré.

« Inspecteur, dit-elle, tendant le bras au-dessus de la table et effleurant du bout des doigts les jointures noueuses de ses doigts. Quelle que soit la raison de votre visite, il n'est pas dans mes habitudes de tuer les messagers porteurs de mauvaises nouvelles...

— Je suis content de vous l'entendre dire », répondit-il.

Alors, il lui expliqua pourquoi il était venu. Quand il eut terminé son récit, il sortit son mouchoir et épongea les gouttes de sueur sur son front.

« Je suis désolé, reprit-il. Je ne vous aurais jamais importunée avec cela si j'avais pu trouver le moyen de refuser.

— Je ne comprends pas, soupira-t-elle. Elle sait parfaitement qui je suis. Elle le sait depuis des années.

— Oui, je crois qu'elle le sait. C'est aussi un mystère pour moi. »

Pendant un long moment, Kschessinska sembla perdue dans ses pensées. Puis elle se passa la main sur les lèvres quand une idée lui vint.

« Comment vous entendez-vous avec la tsarine ?

— Nous ne nous entendons pas du tout.

— Alors je pense, inspecteur Pekkala, que cette enquête n'a en réalité rien à voir avec moi...

— Je vous demande pardon ?

— Elle vous concerne, vous, inspecteur Pekkala. » Elle se leva et marcha jusqu'à la fenêtre ouverte. Dehors, dans le jardin, la brise faisait frémir le feuillage du saule. « Que pensez-vous que le tsar fera

183

quand il apprendra que vous avez enquêté sur lui, et surtout dans un tel domaine ?

— Il sera furieux, répondit Pekkala. Mais la tsarine a ordonné cette enquête. Comme je n'ai pas le droit de lui désobéir, le tsar ne peut pas me reprocher d'être venu ici pour vous parler... »

Elle se tourna pour le dévisager.

« Mais il vous le reprochera, Pekkala, pour la simple raison qu'il ne peut accuser sa femme. Il lui pardonnera toujours tout, quoi qu'elle fasse, mais à vous, Pekkala ?

— À présent, je suis inquiet pour vous et pour moi.

— Vous n'avez aucune raison de l'être, répliqua-t-elle. Cette histoire ne me blessera pas, inspecteur. Si la tsarine avait voulu se débarrasser de moi, elle se serait arrangée pour le faire depuis longtemps déjà. C'est après vous qu'elle en a, j'en ai peur... »

Ses mots se déposèrent sur Pekkala comme une couche de poussière. Tout ce qu'elle disait était vrai.

Au fil de leur conversation, Pekkala voyait de plus en plus clairement que Mme Kschessinska était, sous tous les points de vue ou presque, l'exact opposé de la tsarine. Que le tsar ait pu tomber amoureux d'une femme telle que Kschessinska, cela paraissait non seulement plausible, mais inévitable.

« Merci, madame Kschessinska, lui dit-il tandis qu'elle le raccompagnait jusqu'à la porte.

— Ne vous inquiétez surtout pas, répliqua-t-elle. La tsarine essaie peut-être de vous jeter en pâture aux loups, mais d'après ce que je sais de vous, c'est sans doute vous qui finirez par dévorer les loups... »

Une semaine plus tard, Pekkala se présenta de nouveau au bureau de la tsarine.

Il la trouva dans la position exacte où il l'avait laissée, alanguie sur son divan. On aurait dit qu'elle n'avait pas bougé depuis qu'ils s'étaient séparés. Elle était en train de tricoter un pull, dans le cliquetis régulier de ses aiguilles.

« J'ai terminé mon enquête, lui annonça-t-il.

— Vraiment ? » Les yeux de la tsarine restaient fixés sur son tricot. « Et qu'avez-vous donc découvert, inspecteur ?

— Rien, Majesté. »

Le cliquetis des aiguilles cessa brusquement.

« Quoi ?

— Je n'ai rien découvert d'inhabituel.

— Je vois. »

Elle pinça ses lèvres, les vidant de leur sang.

« De mon point de vue, Majesté, poursuivit-il, tout est comme il doit être. »

Les yeux de la tsarine se remplirent de haine en saisissant le sens de ses paroles.

« Écoutez-moi bien, Pekkala, gronda-t-elle entre ses dents. Avant de mourir, mon ami Grigori a annoncé clairement que le temps du Jugement viendra bientôt. Tous les secrets seront révélés et ceux qui n'ont pas suivi le chemin de la vertu n'auront plus personne pour les protéger. Je me demande ce qu'il adviendra de vous ce jour-là... »

Pekkala repensa à Raspoutine, le jour où la police avait repêché son corps dans le fleuve. Il se demanda ce que la tsarine aurait pensé du grand Jugement à venir si elle avait pu voir son ami ce jour-là, gisant sur le quai avec une balle dans le crâne.

Elle se détourna. D'un geste brusque de la main, elle le congédia.

Par la suite, Pekkala avait parfois croisé Mme Kschessinska, sortie acheter des produits frais sous les halles du Gostiny Dvor, ou courant les boutiques de la galerie du Passazh. Ils ne s'étaient plus reparlé, mais n'oubliaient jamais d'échanger un sourire.

Comme souvent, le temps que Pekkala finisse son thé, Babayaga s'était endormie, le menton posé sur sa poitrine, respirant lourdement. Il quitta l'appartement, refermant doucement la porte derrière lui. Dans le couloir, il ôta ses chaussures et les prit à la main pour ne pas réveiller les autres locataires de l'étage.

Le lendemain matin, quand Pekkala poussa la porte de son bureau, Kirov se trouvait déjà là.

Ainsi que le major Lysenkova.

Kirov était debout à côté d'elle, son kumquat tendu à bout de bras devant lui, dans son pot en terre cuite, couleur de rouille.

« Vous devriez en goûter un ! l'exhortait-il.

— Non, vraiment, répondit Lysenkova. Je ne préfère pas. »

Aucun des deux n'avait vu entrer Pekkala.

« Vous n'en reverrez peut-être plus jamais », insista Kirov.

Filtrant à travers les vitres poussiéreuses, les rayons du soleil faisaient miroiter les feuilles d'un vert cireux.

« Je ne peux pas dire que ça m'embêterait... », répliqua Lysenkova.

Pekkala fit claquer la porte plus bruyamment qu'à l'accoutumée.

Kirov sursauta.

« Inspecteur ! Enfin, vous voilà ! »

Il serra la plante contre sa poitrine, comme s'il cherchait à se mettre à couvert.

« Que peut-on faire pour vous, major Lysenkova ? interrogea Pekkala en enlevant son manteau, qu'il accrocha ensuite à la patère, près de la porte.

— Je suis venue demander votre aide, expliqua Lysenkova. Comme vous le savez peut-être, l'enquête Nagorski a été rouverte, et je n'en suis plus chargée.

— J'ai appris ça, effectivement, répondit Pekkala.

— À vrai dire, on m'a annoncé que le major Kirov et vous dirigeriez l'enquête à partir de maintenant.

— Vraiment ? s'étonna Kirov, en reposant l'arbuste sur l'appui de fenêtre.

— J'allais justement vous l'apprendre, se justifia Pekkala.

— La vérité, reprit Lysenkova, c'est que je n'ai jamais voulu m'occuper de cette enquête…

— Pourquoi donc ? demanda Pekkala. Vous paraissiez pourtant bien sûre de vous, jusque-là…

— J'avais des certitudes sur un certain nombre de choses, concéda Lysenkova. Et au final j'avais tort sur toute la ligne. C'est pour cela que j'ai besoin de votre aide, à présent. »

Pekkala hocha la tête, quelque peu perplexe.

« J'ai besoin de poursuivre cette enquête », expliqua-t-elle.

Pekkala s'assit sur son fauteuil et posa les pieds sur son bureau.

« Vous venez pourtant de me dire que vous n'aviez jamais voulu vous en occuper… »

Lysenkova avala sa salive.

« Je peux tout vous expliquer », dit-elle.

Pekkala tendit sa main ouverte.

« Faites, je vous en prie.

— Jusqu'à hier, commença-t-elle, je n'avais jamais entendu parler du projet Constantin. Alors, quand le capitaine Samarin m'a appelée pour m'informer que le colonel Nagorski était mort, je lui ai répondu qu'il avait dû composer le mauvais numéro.

— Qu'est-ce qui vous faisait croire ça ?

— Je m'occupe, vous le savez, des enquêtes internes. Ma tâche consiste à poursuivre les crimes commis au sein du NKVD. J'étais en train de l'expliquer à Samarin quand il m'a confié qu'il avait des raisons de croire qu'un membre du NKVD était responsable de la mort de Nagorski… »

Pekkala redoubla d'attention.

« Vous a-t-il précisé lesquelles ?

— L'emplacement du complexe est un secret d'État, poursuivit Lysenkova. À en croire Samarin, les seules personnes qui avaient accès à cette information et qui étaient donc susceptibles de s'infiltrer dans la base étaient toutes du NKVD. Nous n'avons pas eu le temps d'en discuter plus en détail. Il m'a demandé de venir le plus vite possible. À ce moment-là, je me suis rendu compte que je n'avais plus le choix, même si cette affaire n'avait rien à voir avec celles que je traite habituellement. Je m'occupe de cas de corruption, d'extorsion, de malversations, de chantage… Mais pas de meurtres, inspecteur Pekkala. Pas de cadavres qui ont été broyés par les chenilles d'un tank ! C'est pour cela que je n'ai pas repéré le fragment de balle que vous avez retiré de son crâne…

— Je ne saisis pas, major. Vous dites que vous n'avez jamais demandé à vous occuper de cette affaire, et il me semble que votre souhait a finalement été exaucé… Et maintenant, vous voulez continuer à travailler dessus ?

— Je ne veux pas, inspecteur, je *dois* le faire. On m'accusera tôt ou tard d'activités contre-révolutionnaires pour avoir abouti à la mauvaise conclusion au sujet de la mort de Nagorski. Ce n'est qu'une question de temps. La seule chance qui me reste est de reprendre cette affaire jusqu'à ce qu'elle soit élucidée, et la seule personne qui puisse m'offrir cette chance, c'est vous. »

Pekkala garda le silence pendant un long moment.

« Je comprends, finit-il par déclarer. Mais je vais devoir m'entretenir avec le major Kirov, ici présent, avant de prendre une décision.

— Je reconnais que les choses ont mal commencé entre nous, mais je pourrais vous être utile. » Sa voix avait adopté le ton du plaidoyer. « Je connais sur le bout des doigts tous les rouages du NKVD. Une fois que vous allez commencer à enquêter sur eux, ils serreront le rang et vous n'en tirerez plus rien. Moi, je peux. Et je le ferai, si vous m'en donnez l'occasion.

— Très bien. » Pekkala ôta les pieds de sa table et se leva.

« Nous vous ferons connaître notre décision dans les meilleurs délais. Avant que vous ne partiez, major, j'aimerais vous poser une question.

— Bien sûr, inspecteur. Allez-y.

— Que savez-vous de la Confrérie blanche ? l'interrogea Pekkala, en la raccompagnant dans le couloir.

— Pas grand-chose, malheureusement. C'est un genre de département top secret au sein du Bureau des opérations spéciales.

— En avez-vous entendu parler, ces derniers temps ?

— Le Bureau des opérations spéciales est une tribu de fantômes, inspecteur. Vous êtes bien placé pour le savoir, puisque vous en faites partie. Là d'où je viens, les gens évitent même de prononcer leur nom...

— Je vous remercie, major, soupira Pekkala.

— Oh, j'allais oublier... » Lysenkova tira de sa poche un morceau de papier taché et déchiré. « Prenez cela comme un gage de réconciliation... »

Pekkala examina le document. D'abord, ce qu'il vit sur la page lui fit penser à de l'écriture arabe. Puis il se rendit compte qu'il s'agissait en réalité d'équations scientifiques, de dizaines d'équations, qui recouvraient entièrement la feuille.

« D'où sort-il, ce papier ?

— Je l'ai trouvé dans la poche de Nagorski.

— Avez-vous la moindre idée de ce qu'il signifie ?

— Aucune.

— Quelqu'un d'autre est-il au courant ? »

Elle fit non de la tête.

Il plia le document.

« J'apprécie votre geste, major.

— Alors j'aurai de vos nouvelles ?

— Oui. »

Elle marqua une pause, comme s'il y avait eu autre chose à ajouter, mais finalement elle fit demi-tour et s'engagea dans l'escalier.

Kirov vint rejoindre Pekkala dans le couloir. Ils écoutèrent le bruit de ses pas sur les marches, qui s'estompa peu à peu.

« Je n'aurais jamais cru qu'un jour j'aurais pitié de cette femme, déclara Kirov.

— Mais c'est le cas...

— Un peu.

— À en juger par la manière dont vous lui parliez tout à l'heure, j'ai l'impression que vous éprouvez pour elle un peu plus que de la pitié... »

De retour dans le bureau, Pekkala entreprit de redresser des piles entières de documents qui s'étaient écroulées en avalanches miniatures sur sa table de travail.

« Qu'est-ce qui vous tracasse, inspecteur ? interrogea Kirov. Vous ne rangez votre bureau que quand quelque chose vous tracasse...

— Je ne suis pas sûr que ce soit une bonne idée de la prendre, répondit Pekkala.

— Je ne crois pas que nous ayons le choix, rétorqua Kirov. Si le capitaine Samarin avait vu juste, et que le NKVD est impliqué là-dedans, nous ne connaîtrons jamais le fin mot de l'histoire si elle n'intervient pas.

— Votre empressement à travailler avec le major Lysenkova n'aurait pas quelque chose à voir avec...

— Avec les yeux qu'elle a ? le coupa Kirov. Avec les...

— Tout à fait.

— Je ne vois pas de quoi vous parlez, inspecteur.

— Évidemment, grommela Pekkala. Vous ne voyez pas.

— De plus, poursuivit Kirov, si nous ne donnons pas une chance au major Lysenkova de rectifier le tir auprès du camarade Staline, vous savez très bien ce qu'il adviendra d'elle… »

Pekkala le savait, car il lui était arrivé la même chose pendant la révolution, quand il avait été arrêté par des gardes bolcheviques en tentant de quitter le pays. Il repensa aux longs mois passés seul dans une cellule de confinement, aux interrogatoires sans fin, à son équilibre mental devenu si infime qu'il ne savait plus ce qu'il en restait. Puis était venue la nuit où on l'avait emmené, dans son pyjama beige de prisonnier, si fin et fragile, jusqu'à une voie de garage aux abords de Moscou. Là, il avait embarqué dans un train pour la Sibérie.

Ce qu'il ne pourrait jamais oublier, c'étaient tous ces gens qui étaient morts debout.

Comme le convoi de prisonniers ETAP-61 traçait sa route vers l'est en direction du camp de travail de Borodok, Pekkala abandonna tout espoir de rentrer un jour chez lui. Le train comptait plus de cinquante wagons. Chacun transportait quatre-vingts personnes, entassées dans un espace conçu pour en accueillir la moitié.

La voiture était trop bondée pour qu'aucune d'elles puisse s'asseoir. Les prisonniers se réfugiaient à tour de rôle au centre du wagon, pour profiter un peu de la chaleur corporelle qu'il offrait. Les autres se tenaient debout le long des parois. Vêtus de simples pyjamas beiges couverts de crasse, plusieurs d'entre eux mouraient de froid chaque nuit. Il n'y avait pas assez de place pour qu'ils puissent tomber, si bien que les cadavres restaient debout, tandis que leurs lèvres viraient au bleu et qu'un tissu de glace voilait peu à peu leurs yeux. Au petit matin, ils étaient recouverts de cristaux blancs.

Le visage appuyé contre une ouverture minuscule

barrée de fil de fer barbelé, Pekkala vit défiler les villes de Sverdlovsk, Petropavlovsk et Omsk. Jusqu'à ce qu'il aperçoive leur nom écrit sur les panneaux émaillés bleu et blanc qui dominaient le quai des gares, ces lieux ne lui avaient jamais semblé réels. Ils n'avaient existé que comme des endroits destinés à demeurer toujours par-delà l'horizon, auxquels on n'accédait qu'en rêve. Comme Zanzibar, ou Tombouctou.

Le train traversait ces villes à la nuit tombée, afin de dissimuler sa cargaison au regard de leurs habitants. À Novossibirsk, Pekkala aperçut deux hommes sur le trottoir, dans le halo de lumière projeté par la porte grande ouverte d'une taverne. Il crut même les entendre chanter. La neige tombait autour d'eux comme une cascade de diamants. En arrière-plan, se découpant sur le bleu-noir du ciel, s'élevaient les dômes en oignon des églises orthodoxes. Plus tard, quand le train poursuivit sa route dans une obscurité si totale qu'on aurait pu croire qu'ils avaient quitté la terre pour s'aventurer dans l'espace, le chant de ces deux hommes avait continué de le hanter.

Heure après heure, les roues cliquetaient paresseusement contre les rails d'acier, comme si l'on avait aiguisé des couteaux gigantesques.

La motrice ne s'arrêtait, parfois, qu'en rase campagne. Alors, les gardes sautaient à terre et frappaient les flancs des wagons avec la crosse de leurs fusils, afin de déloger ceux que le gel avait soudés aux parois intérieures. Le plus souvent, il fallait arracher de force les cadavres, qui laissaient derrière eux l'empreinte du visage, cils et mèches de barbe inclus, sur le placage de givre du wagon.

Des squelettes jonchaient le bord de la voie ferrée, traces des convois précédents. Les cages thoraciques jaillissaient des lambeaux de vêtements, et des dents en argent étincelaient au bas des crânes.

Pekkala se passa la main sur le visage, faisant crisser sous ses doigts les poils récalcitrants de son menton, oubliés par la lame du rasoir. Connaissant le sort qui attendait le major Lysenkova, il comprit qu'il ne pouvait pas rester sans rien faire et qu'il devait l'aider.

« D'accord, soupira-t-il.

— Bon ! » Kirov frappa dans ses mains et se frotta les paumes l'une contre l'autre. « Puis-je aller la chercher ? »

Pekkala fit oui de la tête.

« Mais avant de partir, dites-moi ce que vous avez découvert sur Maximov, le garde du corps de Nagorski.

— Absolument rien, inspecteur.

— Vous voulez dire que vous n'avez pas cherché ?

— Oh si, j'ai cherché, répliqua Kirov. J'ai épluché les archives de la police. J'ai même vérifié dans celles de la gendarmerie et de l'Okhrana, avant la révolution, celles qui existent encore… Il n'y a rien. Pour autant que je sache, la première trace officielle de l'existence de Maximov date du jour où Nagorski l'a embauché. Voulez-vous que je le fasse venir pour l'interroger ?

— Non. Il cache peut-être quelque chose, mais je

doute que ce soit lié à l'affaire qui nous intéresse. Je voulais juste savoir, par simple curiosité.

— Inspecteur, reprit Kirov, si vous voulez que je rattrape le major Lysenkova... »

Pekkala inspira brusquement.

« Oui. Allez-y. Quand vous l'aurez trouvée, dites-lui bien qu'à partir de maintenant, notre principal suspect est l'homme qui a fui dans les bois. Nous avons déjà écarté le personnel du complexe, et puisque d'après Samarin le NKVD a été impliqué d'une manière ou d'une autre, il paraît probable que ce fugitif travaillait pour eux. Tout ce que Lysenkova pourra trouver nous sera très utile, mais dites-lui qu'elle ne doit poursuivre ou arrêter aucun suspect sans nous en informer au préalable.

— Vous n'avez pas à douter de sa coopération, inspecteur. Vous venez de lui sauver la vie, après tout. »

Pendant que Kirov enfilait hâtivement son manteau, Pekkala étudia de nouveau le papier que Lysenkova lui avait remis. L'écriture était brouillée après avoir mariné dans l'eau boueuse, quand Nagorski se trouvait pris sous les chenilles du char. Elle demeurait lisible, mais uniquement pour un homme capable de déchiffrer un tel fouillis d'équations. Pekkala ne l'était pas.

Sachant que Kirov risquait de ne pas revenir avant un long moment, Pekkala se rendit au café Tilsit, de l'autre côté de la rue, où il prenait toujours son déjeuner quand il était en ville.

Le café Tilsit ne fermait jamais. Il n'y avait même pas de verrou sur la porte d'entrée. Le soir, il devenait le repaire de ceux qui, durant les heures d'obscurité, faisaient tourner le gigantesque moteur de la ville. Il y avait là des veilleurs de nuit, des gardiens de musée, des soldats en permission et des policiers qui venaient de terminer leur service. C'étaient ceux qui avaient un travail. Mais il y avait aussi les gens qui n'avaient nulle part où aller, ou qui avaient peur de rentrer chez eu, pour des raisons connues d'eux seuls. Il y avait les cœurs brisés, ceux qui se trouvaient au bord de la folie, et ceux dont l'équilibre mental avait fini par se replier sur lui-même comme un avion de papier.

De jour, la clientèle était principalement constituée de chauffeurs de taxi, de routiers et d'ouvriers du bâtiment, pâles comme des fantômes sous leurs couches de poussière de ciment.

Pekkala aimait l'effervescence des lieux, les vitres embuées et les longues tables de bois brut où les étrangers s'asseyaient coude à coude. Cette étrange combinaison de solitude et de compagnie lui convenait à merveille.

Il n'y avait pas de carte et les plats du jour étaient toujours simples, servis par un certain Bruno, qui inscrivait quotidiennement le menu sur un tableau noir à double face installé sur le trottoir devant l'entrée. En salle, Bruno passait d'une table à l'autre en traînant les pieds, dans ses bottes de feutre *valenki* qui avaient connu des jours plus fastes.

Ce jour-là, Bruno avait préparé des croquettes de poulet, des pois chiches et des carottes bouillies, servis comme à l'accoutumée dans des écuelles en bois.

Pekkala mangea son repas en parcourant les titres de la *Pravda*. Le chauffeur de taxi assis à côté de lui s'efforçait de lire le journal par-dessus son épaule, du coin de l'œil. Pour lui faciliter la tâche, Pekkala baissa le journal vers la table. C'est alors qu'il remarqua l'homme assis en face de lui, qui le regardait fixement.

L'étranger avait la mâchoire carrée, un large front dénué de rides et sa chevelure, jadis blonde, virait sérieusement au gris. Il portait la tenue habituelle des ouvriers de la ville – un képi de laine et un manteau à revers croisés dont les manches étaient doublées de pièces de cuir pour les rendre plus résistantes.

Croiser le regard de quelqu'un dans un endroit pareil impliquait de lui sourire et de le saluer, ou de détourner aussitôt les yeux, mais l'homme continua de le dévisager.

« Nous nous sommes déjà rencontrés ? s'étonna Pekkala.

— Oui. » L'homme sourit. « Il y a très longtemps.

— J'ai rencontré bien des gens il y a très longtemps, répliqua Pekkala. Et la plupart d'entre eux sont morts.

— Alors je suis heureux d'être une exception, déclara l'homme. Je suis Alexandre Kropotkine. »

Pekkala se recula sur son banc, manquant perdre l'équilibre.

« Kropotkine ! »

La dernière fois qu'ils s'étaient vus, c'était à mille lieues de là, dans la ville d'Ekaterinbourg, où Kropotkine était le chef de la police. Pekkala s'était rendu là-bas pour enquêter sur la découverte de corps soupçonnés d'être ceux du tsar et de sa famille. Kropotkine avait étroitement coopéré avec Pekkala tout au long de l'enquête, qui avait failli leur coûter la vie à tous les deux. Kropotkine avait pris la direction de la police d'Ekaterinbourg avant la révolution, et quand Pekkala l'avait rencontré pour la première fois, alors que les communistes avaient pris le pouvoir, il parvenait tant bien que mal à s'accrocher à son poste. Pekkala s'était alors demandé combien de temps cela durerait, car

200

Kropotkine, homme honnête mais impulsif, n'avait pas la patience nécessaire pour supporter ce labyrinthe qu'était la bureaucratie soviétique et les gens chargés d'en appliquer les ordres.

Kropotkine tendit le bras au-dessus de la table pour serrer la main de Pekkala.

« Qu'êtes-vous venu faire à Moscou ? interrogea Pekkala.

— Eh bien, comme vous pouvez le constater, je ne suis plus chef de police... »

Le chauffeur de taxi essayait toujours de lire le journal de Pekkala.

Pekkala sentait le souffle de l'homme sur sa joue. Il ramassa le journal, et le lui tendit. Le taxi grommela un merci, le lui prit des mains et continua de laper bruyamment sa soupe.

Pekkala se tourna de nouveau vers Kropotkine.

« Que s'est-il passé ? On vous a changé de poste ? Vous avez démissionné ?

— J'ai été renvoyé, répondit Kropotkine. Pour avoir frappé le commissaire de district.

— Ah. »

Pekkala hocha lentement la tête, pas vraiment surpris que Kropotkine ait pu faire une chose pareille. Il semblait plutôt homme à administrer la justice à coups de matraque qu'en passant par les tribunaux.

« Je suis mieux comme ça, reprit Kropotkine. Plus de petits fonctionnaires sur le dos ! Je suis venu ici, et j'ai suivi une formation d'opérateur de machinerie lourde à l'Institut technique de Moscou. Je peux conduire à peu près n'importe quoi, maintenant. Des poids lourds. Des tracteurs. Des bulldozers. Des grues...

— Quel secteur avez-vous choisi ?

— Je conduis un Hanomag d'un bout à l'autre de ce pays. »

Pekkala avait entendu parler des Hanomag, ces camions de fabrication allemande capables de transporter d'énormes cargaisons. Depuis quelques années, d'ambitieux projets de construction avaient permis d'ouvrir de nouvelles routes pour les camions, depuis la Baltique jusqu'à la mer Noire, et de la frontière polonaise jusqu'en Sibérie.

« La plupart des autoroutes de ce pays ne sont encore que des pistes de terre. Mais tant qu'il y a une route, je la prends. C'est ici que je viens chaque fois que je suis à Moscou, ajouta Kropotkine, scrutant avec méfiance le fond de son écuelle. Quel que soit ce que sert Bruno...

— C'était l'un des plats préférés de la tsarine, remarqua Pekkala.

— Ce truc ! » Kropotkine brandit sa fourchette, sur laquelle il avait embroché un morceau de viande dont l'origine semblait douteuse. « Eh bien, j'ai du mal à le croire.

— Il lui arrivait de manger des croquettes de poulet deux fois par jour pendant un mois. »

Kropotkine le fixa du regard pendant un long moment. Puis il éclata de rire.

« Avec tout le béluga du monde à sa disposition, vous êtes en train de me dire qu'elle mangeait des croquettes à longueur de journée ? »

Pekkala acquiesça du chef. Kropotkine secoua la tête, incrédule.

« Non, Pekkala. Ça ne peut pas être vrai. »

Comme tant d'autres, Kropotkine s'était créé sa

propre image des Romanov, qui n'existait que dans son esprit.

Pekkala se demanda ce que Kropotkine aurait pensé des salles tristement décorées du palais d'Alexandre, à Tsarskoïe Selo, où habitaient les Romanov. Ou des quatre filles du tsar, toujours habillées de manière identique – en marinière un jour, en robe bleu et blanc à pois le lendemain – ou encore du tsarévitch Alexeï, qui avait un jour donné l'ordre à une compagnie entière de soldats de marcher dans la mer. Qu'est-ce qui l'aurait offensé le plus : le comportement du petit prince ou celui des soldats, qui s'étaient avancés vers les vagues avec l'obéissance de jouets mécaniques ?

Aux yeux des nouvelles générations russes, Nicolas Romanov avait pris des allures de goule, ce monstre dévorant des *Mille et Une Nuits*. Mais pour les hommes tels que Kropotkine, restés fidèles aux temps d'avant la révolution, le tsar et sa famille relevaient d'un vrai conte de fées. La vérité, si toutefois une telle chose existait encore, se trouvait quelque part entre ces deux extrêmes.

« La dernière fois que nous nous sommes parlé, remarqua Kropotkine dans un sourire, vous m'aviez dit que vous alliez quitter le pays…

— Oui. C'était bien mon intention.

— Il y avait une femme, n'est-ce pas ? » l'interrogea Kropotkine.

Pekkala fit oui de la tête.

« Elle vit à Paris. Je suis à Moscou. Les années ont passé. »

Kropotkine repoussa son bol à moitié plein.

« On étouffe, ici. Vous m'accompagneriez dehors ? »

Pekkala, lui aussi, avait perdu tout appétit.

Quand ils se levèrent de table, le chauffeur de taxi tendit le bras, son pouce sale agrippa le rebord de l'écuelle de Kropotkine et il la tira vers lui.

Les deux hommes sortirent dans la rue. Une pluie fine s'était mise à tomber. Ils remontèrent le col de leur manteau.

« Vous travaillez toujours pour eux ? demanda Kropotkine.

— Eux ? »

Kropotkine fit un geste du menton en direction des coupoles du Kremlin, que l'on apercevait au loin, par-dessus les toits du quartier.

« Les Opérations spéciales.

— Je fais le même métier que j'ai toujours fait, répliqua Pekkala.

— Vous ne regrettez pas ? demanda Kropotkine, qui marchait les mains dans les poches.

— Regretter quoi ?

— D'être resté dans ce pays. De ne pas être parti quand l'occasion s'est présentée…

— Je suis chez moi, ici.

— J'aimerais vous poser une question, Pekkala. Restez-vous par choix ou par obligation ?

— Eh bien, si vous me demandez si je pourrais tout simplement prendre le prochain train pour l'étranger, j'admets que ce serait sans doute compliqué…

— Non mais, écoutez-vous ! s'amusa Kropotkine. Écoutez ce langage que vous utilisez… Vous ne pour-riez pas partir d'ici, même si vous le vouliez ! » Il se planta en face de Pekkala. « Vous et moi, nous sommes les ultimes représentants de la vieille garde… Ce monde n'en reverra plus jamais, des hommes comme nous. Nous nous devons de rester unis.

— Qu'essayez-vous de me dire, Kropotkine ?

— Et si je vous disais que je peux vous aider à vous enfuir ?

— Je ne comprends pas.

— Oh si, vous comprenez, Pekkala. Vous savez parfaitement où je veux en venir. Je conduis mon camion dans tous les coins de la Russie. Je connais les routes de ce pays comme le fond de ma poche. Je connais des itinéraires qui ne figurent même pas sur les cartes, des routes qui chevauchent les frontières parce qu'elles ont été tracées plusieurs siècles avant que ces frontières n'existent… Je sais où il y a des barrages, et où il n'y en a pas. » Sortant une main de la poche de son manteau, il saisit Pekkala par le bras. « Je peux vous faire sortir d'ici, mon vieil ami. Tôt ou tard, il vous faudra choisir entre les actes que votre métier exige de vous et ce que vous dicte votre conscience.

— Jusqu'à présent, rétorqua Pekkala, j'ai toujours la conscience tranquille.

— Mais quand ce choix s'imposera à vous, souvenez-vous de votre vieil ami Kropotkine. Je peux vous aider à recommencer une nouvelle vie, et à ne plus jamais regarder en arrière. »

À cet instant, Pekkala ne sentait plus la poigne de Kropotkine sur son bras. Il avait plutôt l'impression qu'une main s'était refermée sur sa gorge. Il s'était résigné à rester ici. Du moins, il l'avait cru. Mais à présent, les paroles de Kropotkine résonnant encore dans son oreille, il se rendait compte que l'idée de s'échapper était encore bien vivante en lui. Il savait que l'offre de Kropotkine était sincère, et que cet homme était capable de tenir sa promesse. Tout ce qu'il avait à faire, c'était de lui dire oui.

« Vous ne vous sentez pas bien, mon frère ? s'inquiéta Kropotkine. Vos mains tremblent…

— Qu'est-ce que je ferais ? demanda Pekkala, s'adressant tout autant à lui-même qu'à son compagnon. Je ne peux pas recommencer à zéro. »

Kropotkine lui sourit.

« Bien sûr que vous pourriez ! Un tas de gens le font. Quant à la question du métier, aucune force de police au monde ne laisserait passer la chance de vous voir travailler pour elle. Si vous voulez mon avis, Pekkala, les gens qui dirigent ce pays ne méritent pas la loyauté d'un homme tel que vous…

— Les individus sur lesquels j'enquête seraient des criminels, quels que soient les hommes au pouvoir. »

Kropotkine s'arrêta de nouveau devant lui, les yeux plissés pour se protéger du crachin.

« Et si les hommes qui dirigent le pays sont les pires criminels de tous ? »

Pekkala saisit de l'agressivité dans la voix de Kropotkine. De la part de n'importe qui d'autre, cela aurait pu le surprendre. Mais Kropotkine avait l'habitude de dire ce qu'il avait sur le cœur, sans se soucier de la manière dont ses opinions pouvaient être perçues, et Pekkala était soulagé qu'il n'y ait personne pour les entendre. De tels mots, dans un tel endroit, pouvaient vous valoir de gros ennuis.

« Posez-vous la question, Pekkala : comment un homme peut-il faire le bien s'il est entouré par ceux qui font le mal ?

— C'est justement dans ces moments-là qu'on a le plus besoin d'hommes justes… »

Une expression de tristesse traversa le visage de Kropotkine.

« Votre décision est donc prise ?

— Je vous remercie de votre offre, Kropotkine, mais je vais devoir refuser…

— Si vous changez d'avis, insista l'autre dans un sourire, vous me trouverez au café où nous avons déjeuné.

— C'est noté, et encore merci. »

Kropotkine glissa son pouce autour de la chaîne de montre fixée au bouton de son gilet. Il tira la montre de sa poche, y jeta un coup d'œil et la laissa retomber au fond de la poche.

« C'est l'heure de reprendre la route, annonça-t-il.

— J'espère que nous nous reverrons bientôt.

— J'en suis sûr. Et d'ici là, inspecteur, que Dieu nous protège, vous et moi. »

En entendant ces mots, Pekkala bascula dans le passé comme du haut d'une falaise.

« Que Dieu nous protège ! se lamentait la tsarine. Que Dieu nous protège. Que Dieu nous protège. »

C'était un matin de janvier 1917, à l'aube, et l'on inhumait le corps de Raspoutine dans la crypte de la chapelle Fyodorov, dans le palais des Romanov. Les seules personnes présentes étaient le tsar, la tsarine, leurs enfants, un prêtre et Pekkala, venu assurer la sécurité, car la cérémonie se déroulait dans le plus grand secret.

Après la découverte du cadavre de Raspoutine dans la Neva, la tsarine avait ordonné qu'il soit enterré dans son village natal de Pokrovskoïe, en Sibérie. Le ministre de l'Intérieur, Alexandre Protopopov, réussit à la persuader que l'hostilité qui entourait Raspoutine, même mort, empêcherait à coup sûr le corps d'arriver à destination. La tsarine décida donc qu'il serait discrètement inhumé au domaine impérial de Tsarskoïe Selo.

Le cercueil avait été ouvert une dernière fois pour la cérémonie, mais on avait recouvert le visage d'un linge blanc, afin de cacher l'impact de balle au milieu de

son front, que le plus habile des croque-morts aurait été incapable de masquer.

Cette balle provenait d'une autre arme que celle qui avait infligé les trois autres blessures retrouvées sur le corps. C'était l'inspecteur en chef Vassiliev qui avait alerté Pekkala sur ce point.

« Nous avons un gros problème, avait-il déclaré.

— Le fait que Raspoutine n'ait pas été abattu à l'aide d'un seul pistolet ? » demanda Pekkala.

Ils avaient déjà placé deux hommes en détention provisoire. Le prince Félix Youssoupov avait immédiatement avoué le crime, de même que Lazovert, le médecin militaire. Il y avait d'autres suspects, notamment le grand-duc Dimitri Pavlovitch, mais le tsar en personne avait clairement fait comprendre aux enquêteurs de l'Okhrana, y compris Pekkala, qu'aucun de ces hommes ne serait jamais jugé. Dans ces conditions, le nombre d'impacts de balles sur le cadavre de Raspoutine ne semblait plus si important.

« Ce n'est pas seulement le fait que deux armes aient été utilisées qui pose problème, précisa Vassiliev. C'est le type de pistolet qui a causé ceci... » Il posa un doigt au milieu de son front, à l'endroit où la balle avait transpercé le crâne de Raspoutine.

« Notre médecin légiste en chef a déterminé que la blessure à la tête avait été causée par une balle à parois souples. Or les modèles de pistolets qui tirent des balles de ce calibre utilisent tous des munitions avec une douille rigide, en cuivre. Tous, sauf un. » Alors, Vassiliev pointa son doigt sur la poitrine de Pekkala, à l'endroit où se trouvait l'étui de son revolver. « Sortez-le. »

Pekkala s'exécuta, perplexe. Vassiliev prit l'arme,

ouvrit la chambre et fit tomber sur la table les balles de calibre .455.

« Vous voulez dire que quelqu'un croit que j'ai joué un rôle dans cette histoire ? interrogea Pekkala.

— Non ! gronda Vassiliev. Regardez ces balles ! Elles sont à parois souples. La seule arme pour laquelle ce type de munitions, de ce calibre-là, est généralement disponible est le revolver Webley, de fabrication britannique, du même modèle que celui que le tsar vous a offert, et qu'il avait reçu des mains de son cousin George V, roi d'Angleterre.

— Les Anglais ont assassiné Raspoutine ? »

Vassiliev haussa les épaules.

« Ils y ont participé, Pekkala. Ça, c'est pratiquement sûr.

— Mais pourquoi ?

— Ils n'aimaient pas trop Raspoutine. C'est sur l'insistance de ce dingue que plusieurs conseillers britanniques ont été renvoyés chez eux...

— C'est pour cette raison que l'enquête a été suspendue ?

— Suspendue ? s'exclama Vassiliev en éclatant de rire. Mais elle n'a jamais commencé ! Ce que je viens de vous raconter ne figurera jamais dans les livres d'histoire. Dans le futur, Pekkala, on ne se chamaillera pas pour savoir qui a commandité l'assassinat de Raspoutine. Au contraire, on se demandera qui n'y a pas participé... »

Durant toute la cérémonie, Pekkala resta debout près de la porte entrebâillée de la chapelle, surveillant le domaine de Tsarskoïe Selo. L'odeur de l'encens au bois de santal passait en flottant devant lui et envahissait l'air glacial du dehors.

Il faisait froid dans la chapelle. On n'avait pas allumé de feu. Les Romanov se tenaient debout dans leurs manteaux de fourrure, pendant que le prêtre lisait son éloge funèbre. Tout au long du discours, la tsarine ne cessa de pleurer, un mouchoir en dentelle serré au creux du poing, qu'elle pressait sur sa bouche pour étouffer ses sanglots.

Jetant un regard à l'intérieur, par-dessus son épaule, Pekkala vit les filles du tsar déposer une icône peinte sur la poitrine de Raspoutine. Le tsar et Alexeï se tenaient à l'écart, l'air grave mais détaché.

« Où est la justice dans tout cela ? » hurla la tsarine, tandis que l'on refermait le cercueil.

Le prêtre recula, soudain inquiet.

Le tsar prit son épouse par le bras.

« C'est fini, lui dit-elle. Il n'y a plus rien à faire. »

Elle s'effondra entre ses bras et pleura de plus belle contre sa poitrine, puis reprit sa complainte : « Que Dieu nous protège. Que Dieu nous protège. »

Pekkala se demanda quel sens pouvaient avoir ces paroles pour l'homme couché dans le cercueil, lui dont le cerveau avait été broyé contre les parois de son crâne.

Quand les Romanov sortirent de la chapelle, Pekkala fit un pas de côté pour les laisser passer.

La tsarine franchit la porte, puis elle s'arrêta et fit volte-face.

« Je tenais à vous remercier, Pekkala, murmura-t-elle, de veiller sur nous ici-bas. À présent, j'ai deux gardiens qui me protègent. L'un ici, et l'autre là-haut. »

Contemplant les yeux injectés de sang de la tsarine, Pekkala repensa aux paroles de Raspoutine, la nuit où il avait surgi du froid. « Voyez-vous, Pekkala, avait-il déclaré, la raison pour laquelle je suis tant aimé de la tsarine, c'est que je suis exactement ce qu'elle a besoin que je sois. Tout comme elle a aujourd'hui besoin de moi à ses côtés, le moment viendra où elle aura besoin que je m'en aille. »

De nouveau, le tsar saisit son épouse par le bras.

« Notre ami est parti, maintenant, lui murmura-t-il à l'oreille. Nous devrions y aller, nous aussi. »

Il y avait sur le visage du tsar une expression que Pekkala n'avait jamais vue jusqu'alors – un mélange indistinct de peur et de résignation –, comme si le tsar avait soudain entraperçu, par quelque déchirure dans le tissu du temps, le spectre de sa propre fin, approchant à grands pas.

Pekkala suivit des yeux Kropotkine, tandis qu'il traversait la rue et disparaissait derrière le voile brumeux du crachin. Puis il regagna son bureau.

Une heure plus tard, Kirov n'étant toujours pas revenu, il commença à s'inquiéter. Il y avait eu tant d'arrestations depuis un an que personne ne pouvait se sentir à l'abri, quel que soit son rang ou son degré d'innocence. Dans l'esprit de Pekkala, le même idéalisme qui faisait de Kirov un si bon représentant de la loi le rendait vulnérable à la manière totalement aléatoire dont cette loi était appliquée. Lui-même avait connu cela – plus les convictions étaient fortes, plus la distance se creusait entre le monde tel que ces gens l'envisageaient et le monde tel qu'il était réellement. D'un autre côté, il savait que s'il partait à sa recherche, Kirov risquerait de l'interpréter comme un manque de confiance de sa part. Il continua donc de l'attendre au bureau, tandis que les premières ombres du soir se glissaient dans la salle. Il ne tarda pas à se retrouver dans l'obscurité la plus totale. Il était trop tard, désormais, pour rentrer dormir chez lui, si bien qu'il posa ses pieds sur le bureau, ses mains sur son ventre, et s'efforça de trouver le sommeil.

Mais il ne le trouva pas. Il se mit à faire les cent pas dans la pièce, examinant au passage les plantes en pot de Kirov. De temps à autre, il s'arrêtait pour cueillir une tomate cerise ou mâchonner une feuille de basilic.

Finalement, une heure avant le lever du soleil, Pekkala enfila son manteau et sortit de l'immeuble pour se rendre chez Kirov.

C'était une longue marche, près d'une heure à remonter les ruelles sinueuses de la ville. Il aurait pu faire le trajet en dix minutes en prenant le métro, mais il préférait toujours rester à la surface, même s'il n'existait aucun plan fiable de Moscou. Les seules cartes disponibles montraient soit la ville telle qu'elle se présentait avant la révolution, soit telle qu'elle était censée se présenter une fois que tous les nouveaux projets de construction seraient achevés. Or, pour la plupart, ces travaux n'avaient même pas commencé, et il existait sur les cartes des pâtés de maisons entiers qui n'avaient pas la moindre ressemblance avec ce que l'on pouvait observer sur place. Bon nombre de rues avaient été rebaptisées, tout comme des villes entières aux quatre coins du pays. Petrograd était devenu Leningrad, Tsaritsyne s'appelait désormais Stalingrad. Pour reprendre l'expression des habitants de Moscou : tout était différent, mais rien n'avait vraiment changé.

Pekkala longeait le parc Gorki lorsqu'une voiture vint se ranger à sa hauteur. Avant même que la berline noire, une GAZ-M1, ne soit à l'arrêt, la portière passager s'ouvrit et un homme bondit sur le trottoir.

Sans même réfléchir, Pekkala porta la main à son

214

holster. Le temps que ses pieds se posent sur le sol du trottoir, l'inconnu se retrouva nez à nez avec le canon bleuté du revolver de Pekkala.

L'homme portait des lunettes rondes, posées en équilibre sur un long nez fin. Sa barbe mal rasée obscurcissait d'un voile bleu la peau terreuse de ses joues. Aux yeux de Pekkala, il ressemblait à un gros rat rosé.

L'expression de détermination rageuse sur le visage de l'homme céda aussitôt la place à la stupeur. Lentement, il mit les mains en l'air.

« Vous allez le regretter, camarade », déclara-t-il d'un ton calme.

C'est alors seulement que Pekkala l'étudia de plus près. Derrière ses vêtements civils, Pekkala reconnut aussitôt l'homme du NKVD, à la manière dont il se tenait et à son regard dédaigneux. Il était si inquiet que Kirov ait pu être interpellé pour un motif totalement arbitraire que l'idée ne lui avait même pas traversé l'esprit : cela pouvait lui arriver, à lui aussi.

« Que me voulez-vous ? interrogea-t-il.

— Baissez votre arme ! rétorqua l'homme d'un ton autoritaire.

— Répondez-moi, insista froidement Pekkala, si vous tenez à garder votre cerveau à l'intérieur de votre crâne.

— Vous avez l'autorisation de porter cette antiquité ? »

Pekkala posa son pouce sur le chien du revolver et le tira en arrière jusqu'à ce qu'il s'enclenche.

« J'ai même l'autorisation d'en faire usage… »

Alors l'homme souleva son épaule droite, dévoilant l'étui de pistolet calé sous son aisselle.

« Vous n'êtes pas le seul à porter une arme…

— Essayez donc, répliqua Pekkala, et on verra ce qui va se passer.

— Pourquoi ne me montrez-vous pas gentiment vos papiers ! »

Sans baisser le Webley, Pekkala plongea la main sous son manteau, en sortit son laissez-passer et le lui tendit.

« Vous êtes du NKVD ? interrogea l'homme.

— Voyez vous-même. »

Doucement, l'homme-rat lui prit le carnet et l'ouvrit.

« Qu'est-ce qui prend tout ce temps ? » râla une voix à l'intérieur de la voiture. Puis le conducteur descendit. « *Svoloch !* » hurla-t-il en apercevant l'arme de Pekkala, et il se précipita pour dégainer la sienne.

« Non », le prévint Pekkala.

Mais il était trop tard. Le Tokarev du conducteur était déjà braqué sur lui. Pekkala garda son propre pistolet pointé sur l'homme-rat. Pendant un long moment, les trois hommes se figèrent.

« Pourquoi ne pas tous nous calmer et regarder ce que nous avons là ? » finit par reprendre l'homme-rat, en ouvrant le carnet d'identification de Pekkala.

Un long silence s'ensuivit.

« Qu'est-ce qui t'arrive ? s'emporta le conducteur, son revolver toujours braqué sur Pekkala. Putain, qu'est-ce qui se passe ? »

L'homme à la tête de rat s'éclaircit la voix.

« Il a un passe fantôme… »

Le conducteur eut soudain l'air perdu, comme un somnambule qui se serait réveillé dans un autre quartier que le sien.

« C'est Pekkala, ajouta l'homme à la tête de rat.

« — Quoi ?

— L'inspecteur Pekkala, abruti ! Des Opérations spéciales.

— C'était ton idée, qu'on s'arrête ! » se lamenta le conducteur.

Proférant un nouveau juron, il remit à la hâte le pistolet dans son étui, comme si l'arme s'était dégainée d'elle-même, contre sa volonté.

L'homme à la tête de rat referma le carnet d'identification de Pekkala.

« Toutes nos excuses, inspecteur », dit-il en le lui rendant.

Pekkala baissa enfin son arme.

« Je prends votre voiture, leur annonça-t-il.

— Notre voiture ? gémit le conducteur, soudain blême.

— Oui, confirma Pekkala. Je réquisitionne votre véhicule. »

Il fit le tour de la voiture.

« Vous ne pouvez pas faire ça ! s'indigna le conducteur. Cette voiture est à nous !

— Tais-toi, abruti ! hurla l'homme-rat. Tu ne m'as pas entendu ? Je t'ai dit qu'il avait un passe fantôme. On ne peut pas l'arrêter. On ne peut pas l'interroger. On ne peut même pas lui demander l'heure, putain ! Il a l'autorisation de te tuer sans que quiconque ait ensuite le droit de lui demander pourquoi. Il a aussi l'autorisation de réquisitionner tout ce qu'il veut – nos armes, notre voiture. Il pourrait te laisser tout nu au milieu de la rue, si ça lui chante…

— Elle tire un peu à gauche, plaida le conducteur. Et le carburateur a besoin d'être réglé…

— Ferme-la, et laisse-le passer ! » hurla de nouveau face-de-rat.

Comme s'il avait reçu une décharge électrique, le conducteur remit les clés à Pekkala.

Celui-ci s'installa au volant. La dernière fois qu'il jeta un coup d'œil aux deux hommes, ils étaient toujours plantés sur le trottoir, à se disputer. Il roula jusqu'à l'immeuble de Kirov, rue Prechistenka. Puis il resta assis dans la voiture pendant un moment, les mains posées sur le volant, s'efforçant de retrouver son calme et de respirer moins vite.

« Une fois que les armes sont sorties, répétait toujours l'inspecteur en chef Vassiliev, vous ne devez jamais trahir votre peur. Un homme qui braque son pistolet sur vous risque davantage d'appuyer sur la gâchette s'il voit que vous avez peur. »

À la fin de chaque journée de sa formation auprès de l'Okhrana, la police secrète du tsar, Pekkala venait faire son rapport à Vassiliev. Les procédures qu'il avait apprises des autres agents avaient fait de lui un bon enquêteur, mais ce qu'il avait appris de Vassiliev lui avait maintes fois sauvé la vie.

« Pourtant, argumenta Pekkala, en montrant que j'ai peur, je représenterais moins une menace pour celui qui tient le pistolet...

— Je ne suis pas en train de vous parler de ce qui devrait se passer en théorie, répliqua Vassiliev. Je vous parle de ce qui, dans les faits, se passera... »

Même si l'inspecteur en chef semblait toujours s'exprimer par énigmes, Pekkala attendait avec impatience ses entrevues du soir avec Vassiliev. Son bureau était petit et confortable, décoré de lithographies représentant des scènes de chasse et des armes anciennes. Vas-

siliev y passait le plus clair de son temps, plongé dans des rapports, ou recevant des visiteurs. Plus jeune, il s'était fait une réputation à force d'arpenter la ville à pied, le plus souvent déguisé. On racontait que personne ne pouvait échapper à Vassiliev, à Petrograd, car il en connaissait le moindre recoin. Cette époque connut une fin brutale un jour qu'il descendait l'escalier du siège de la police pour aller accueillir le chef de l'Okhrana à Moscou, lequel venait d'arriver en voiture. Vassiliev avait presque atteint le véhicule lorsqu'une bombe, lancée à l'intérieur à travers la vitre de la portière opposée, explosa. Le chef de l'Okhrana fut tué sur le coup, et Vassiliev reçut des blessures qui le condamnèrent à rester assis derrière un bureau jusqu'à la fin de sa carrière.

« Celui qui vit sans peur, poursuivit Vassiliev, ne vivra pas longtemps. La peur aiguise les sens. La peur peut vous sauver la vie. Mais apprenez à la cacher, Pekkala. Enfouissez-la au plus profond de vous, afin que vos ennemis ne puissent la lire dans vos yeux... »

Quand son souffle fut enfin redevenu régulier, Pekkala laissa les clés dans la boîte à gants, descendit de la voiture et traversa la rue vers l'immeuble de Kirov.

La façade avait été repeinte d'un orange joyeux. De larges fenêtres au blanc impeccable dominaient l'avenue bordée d'arbres.

Pekkala frappa à la porte de l'appartement de Kirov, puis recula de deux pas et attendit.

Au bout d'une minute, la porte s'ouvrit et Kirov jeta un regard dans le couloir. Ses yeux étaient gonflés et ses cheveux en bataille. Derrière lui, sur les murs, étaient accrochés des dizaines de récompenses et de certificats remis par diverses organisations des Jeunesses communistes. Il collectionnait ces diplômes honorifiques depuis l'âge de cinq ans, lorsqu'il avait gagné un prix après une semaine de travaux d'intérêt général pour le compte des Jeunes Pionniers. Il s'était ensuite vu décerner des récompenses pour le meilleur sens de l'orientation, la meilleure expérience scientifique, le meilleur montage de tente. Chaque certificat était orné de la faucille et du marteau, entre deux gerbes de blé. Certains étaient calligraphiés en lettres élégantes, d'autres, de simples gribouillis, mais tous étaient encadrés et recouvraient le moindre plan vertical de son appartement.

« Que faites-vous ici ? s'étonna Kirov.

— Bonjour. Habillez-vous. Nous partons.

— Où ? »

Pekkala tendit sous son nez le document que Lysenkova lui avait remis.

« Parler aux chercheurs du complexe. Peut-être pourront-ils déchiffrer tout ça. Il y a peut-être un lien entre ces équations et l'homme qui s'est enfui, mais nous ne le saurons pas tant que nous n'aurons pas compris ce qui est écrit sur ce papier...

— Qui est-ce ? demanda une voix de femme à l'intérieur. C'est l'inspecteur Pekkala ? »

Kirov soupira lourdement.

« Oui.

— C'est donc pour ça que vous n'êtes pas revenu ! s'emporta Pekkala. Bon sang, Kirov, j'ai cru qu'on vous avait arrêté !

— Arrêté pour quoi ?

— Peu importe, maintenant !

— Tu ne veux pas le laisser entrer ? » insista la femme.

Pekkala jeta un coup d'œil dans la pièce.

« Major Lysenkova ?

— Bonjour, inspecteur. »

Elle était assise sur la table de la cuisine, drapée dans une couverture.

Pekkala cingla Kirov du regard.

Lysenkova se leva de la table et vint les rejoindre, ses pieds nus frôlant le plancher. Quand elle fut tout près de lui, Pekkala s'aperçut qu'elle ne portait rien sous la couverture.

« Le major Kirov m'a annoncé la bonne nouvelle, dit-elle.

— La bonne nouvelle ?

— Que vous m'autorisez à poursuivre l'enquête, répondit-elle. Je me suis déjà remise au travail. »

Pekkala marmonna des paroles incompréhensibles.

« J'ai appris des choses sur la Confrérie blanche, précisa Lysenkova.

— Vraiment ? Qu'avez-vous appris ?

— Qu'elle a disparu.

— Disparu ? s'étonna Pekkala.

— C'est terminé. Elle a été dissoute il y a quelques semaines. Tous les agents concernés ont été réaffectés.

— Pensez-vous pouvoir découvrir où ils se trouvent, désormais ?

— Je peux essayer, répondit-elle. Je m'y mettrai dès mon arrivée au siège du NKVD. »

Dix minutes plus tard, l'Emka vint se ranger au bord du trottoir. Kirov était au volant. Ses cheveux étaient mouillés, et impeccablement peignés.

Pekkala monta et claqua la portière.

« Au Kremlin, ordonna-t-il.

— Je croyais que nous allions interroger les chercheurs, là-bas, au complexe…

— J'ai quelque chose d'urgent à faire d'abord », répliqua Pekkala.

Kirov s'engagea de nouveau sur l'avenue.

« J'ai préparé un déjeuner, annonça-t-il. Au cas où nous serions partis toute la journée. »

Pekkala regardait dehors, par la fenêtre. Les rayons du soleil faisaient clignoter son visage.

« Dois-je comprendre que vous désapprouvez, inspecteur ?

— Que je désapprouve quoi ?

— Moi. Et le major Lysenkova.

— Tant que ça ne nuit pas à l'enquête, Kirov, cela ne me concerne pas. Après tout, mes propres aventures en ce domaine n'ont jamais rien eu de très rationnel...

— Mais vous désapprouvez. Je le vois bien.

— Le seul conseil que je peux vous donner est de ne rien faire qui heurte votre conscience. Plus on dépasse ce point, plus il est difficile de revenir en arrière.

— Et vous, inspecteur, jusqu'où êtes-vous allé ?

— Si j'en reviens un jour, répliqua Pekkala, alors je vous le dirai. »

« Je ne peux pas vous parler maintenant, Pekkala, grogna Staline en se levant de son bureau. J'étais sur le point de partir pour ma réunion quotidienne avec l'état-major. Les Allemands sont entrés en Tchécoslovaquie, comme je vous l'avais annoncé. Les choses sérieuses ont commencé, et nous n'avons toujours pas notre T-34...

— Camarade Staline, la question que j'ai à vous poser est également cruciale... »

Staline posa la main sur un panneau mural, et la porte secrète s'ouvrit en cliquetant.

« Eh bien, parlez !

— Là-dedans ? s'inquiéta Pekkala, la terreur de l'enfermement lui secouant soudain les tripes.

— Oui ! Là-dedans. Dépêchez-vous ! »

Il suivit Staline dans le passage secret et se courba dans la pénombre, l'estomac noué. Quand ils furent tous les deux à l'intérieur, Staline actionna un levier métallique fixé dans la paroi, et la porte se referma sans bruit.

Un alignement d'ampoules électriques faiblardes éclairait le passage, disparaissant au loin dans les ténèbres.

Dès que la porte fut refermée, Staline s'engagea dans le tunnel. Pekkala avait de la peine à le suivre, plié en deux pour ne pas se cogner la tête sur les entretoises en bois du plafond. Des portes surgissaient de l'obscurité à intervalles réguliers, chacune dotée de son propre levier d'ouverture et de fermeture. Les pièces sur lesquelles elles donnaient étaient identifiées en lettres jaunes sur chaque porte. Une odeur de poussière flottait dans l'air. De temps à autre, Pekkala distinguait des voix assourdies de l'autre côté de la paroi.

Il avait de plus en plus de mal à lutter contre la panique. Le plafond bas semblait sur le point de s'effondrer sur lui. Il devait se forcer à respirer. Chaque fois qu'ils atteignaient une porte, il devait se retenir de l'ouvrir et de s'échapper enfin de ce tunnel à rats.

Ils arrivèrent à une intersection.

Pekkala scruta les autres passages, le collier de perles des ampoules illuminant des tunnels lugubres qui s'enfonçaient dans les entrailles du Kremlin. Staline prit sur sa droite et grimpa aussitôt les marches d'un escalier. Il s'interrompit à mi-montée pour reprendre son souffle. Emporté dans sa course, Pekkala faillit le percuter.

« Alors, Pekkala ? demanda Staline d'une voix rauque. Vous allez me la poser, cette question, ou vous êtes juste là pour me tenir compagnie ?

— La Confrérie blanche n'existe plus, déclara Pekkala.

— Ça ne ressemble pas à une question…

— Est-ce que c'est vrai ? A-t-on vraiment dissous la Confrérie ? »

Le dominant du haut des marches, Staline se pencha au-dessus de Pekkala.

« Nous avons mis un terme à l'opération.

— Et tous ses agents ont été affectés ailleurs ?

— Officiellement, oui.

— Officiellement ? Que voulez-vous dire ? »

Cette fois, Staline ne répondit rien. Il fit volte-face et poursuivit son ascension. Arrivé en haut de l'escalier, il s'engagea dans un autre passage. Le sol était couvert d'une moquette vert sombre, dont le centre était usé jusqu'à la corde.

« Où sont passés les agents ? insista Pekkala.

— Ils sont morts.

— Quoi ? Tous ? »

Un bruit d'eau gargouillant dans des tuyaux frôla l'oreille de Pekkala.

« Le mois dernier, en une seule nuit, les six agents ont été débusqués chez eux, dans différents quartiers de la ville. Du travail de professionnel. Chacun d'entre eux a été exécuté d'une balle dans la nuque.

— Avez-vous des suspects ? »

Staline secoua la tête.

« Dans son dernier rapport, l'un de ces agents déclare avoir été contacté par des gens désireux de rejoindre la Confrérie. Une semaine plus tard, nos agents sont retrouvés morts. Les noms que ces gens utilisaient étaient faux.

— Qui que soient ces hommes, remarqua Pekkala,

ils ont dû s'apercevoir que les Opérations spéciales contrôlaient la Confrérie blanche… Ils ont découvert l'identité de ceux qui parmi eux étaient les agents des Opérations spéciales et les ont liquidés.

— Exactement.

— Ce que je ne comprends pas, camarade Staline, c'est pourquoi vous croyez que la Confrérie est impliquée dans le meurtre de Nagorski, alors que vous venez de me dire que vous l'aviez dissoute avant…

— J'ai effectivement dissous la Confrérie, confirma Staline. Mais j'ai bien peur qu'elle ne soit revenue à la vie. La Confrérie était au départ un piège destiné à attirer les agents de l'ennemi, mais ces hommes, quels qu'ils soient, l'ont désormais retournée contre nous. Je crois que vous finirez par découvrir que ce sont eux qui ont tué Nagorski.

— Pourquoi ne m'en avez-vous rien dit, camarade Staline ? »

Staline actionna un levier inséré dans le mur. Une porte s'ouvrit devant lui.

Elle donnait sur une pièce dont le mur du fond était recouvert d'une immense carte de l'Union soviétique. Les épais rideaux de velours rouge avaient été tirés. Des hommes portant les uniformes des différents corps de l'armée étaient assis autour d'une table, au bout de laquelle se trouvait un siège vide. Les conversations à mi-voix qui résonnaient dans la salle s'étaient tues dès que la porte s'était ouverte. À présent, tous les officiers avaient le regard braqué sur l'espace sombre d'où Staline était sur le point d'émerger.

Avant de franchir la porte, Staline se tourna vers Pekkala.

« Je ne vous l'ai pas dit, répondit-il d'un ton paisible, parce que j'espérais m'être trompé. Cela ne semble pas être le cas, et c'est la raison pour laquelle je vous en parle maintenant. »

Il entra dans la salle et la porte se referma aussitôt, sans bruit, derrière lui.

Pekkala se retrouva seul dans le passage, sans la moindre idée de l'endroit où il se trouvait. Il rebroussa chemin jusqu'à l'escalier, puis descendit vers l'intersection. Il ne l'avait pas encore atteinte que toutes les lampes s'éteignirent d'un seul coup. Il comprit qu'elles devaient être reliées à un minuteur, mais où se trouvait l'interrupteur de ce dernier, Pekkala l'ignorait. D'abord, il faisait si noir dans le tunnel qu'il eut l'impression d'être aveugle. Mais peu à peu, au fur et à mesure que ses yeux s'habituaient à l'obscurité, il commença à repérer de fines bandes de lumière grisâtre qui s'infiltraient sous les portes dérobées placées de part et d'autre du passage.

Ne pouvant lire les lettres jaunes écrites au dos de chaque porte, il se glissa le long du tunnel, le dos collé à la paroi, et opta pour la première porte qu'il rencontra. Explorant le mur à tâtons, il finit par trouver le levier et tira.

La porte cliqueta et s'ouvrit.

Pekkala reconnut le bruit de talons sur un sol de marbre, et comprit aussitôt qu'il avait débouché sur l'un des couloirs principaux du palais des Congrès, qui jouxtait celui du Kremlin, où se trouvait le bureau de Staline. Il franchit la porte et faillit heurter une femme vêtue de la jupe gris souris et de la tunique noire des secrétaires du Kremlin. Elle portait une pile de documents ; quand elle vit Pekkala surgir du mur tel un fantôme, elle poussa un cri et tous ses papiers s'envolèrent.

« Bon, il faut que je me sauve », bafouilla Pekkala, tandis que les documents retombaient en voletant autour d'eux. Il sourit et la salua d'un hochement de tête, avant de s'éloigner d'un pas vif le long du couloir.

« Vous avez encore oublié votre arme, n'est-ce pas ? » marmonna Pekkala.

Ils étaient en route vers le complexe de Nagorski.

« Non, répliqua Kirov. Je n'ai pas oublié. Je l'ai laissée volontairement. Nous allons juste discuter avec ces chercheurs. Ils ne nous causeront pas de problème…

— Vous devez toujours emporter votre pistolet ! s'emporta Pekkala. Arrêtez-vous là ! »

Obéissant, Kirov immobilisa la voiture. Puis il se tourna sur son siège pour faire face à Pekkala.

« Qu'y a-t-il, inspecteur ?

— Où est ce déjeuner que vous nous avez préparé ?

— Dans le coffre. Pourquoi ?

— Suivez-moi », ordonna Pekkala, en ouvrant sa portière.

Pekkala sortit du coffre les musettes de toile qui contenaient deux sandwichs et quelques pommes. Puis il se dirigea vers un champ au bord de la route, s'arrêtant en chemin pour arracher d'un arbre une branche morte de la taille d'une canne.

« Où allez-vous comme ça, avec notre pique-nique ?

— Restez là », lui cria Pekkala.

Ayant parcouru quelques mètres dans le champ, il s'arrêta, planta la branche dans le sol, puis sortit une pomme de sa musette et l'embrocha sur l'extrémité du bâton.

« Nous étions censés la manger ! » s'indigna Kirov.

Pekkala l'ignora. Il vint le rejoindre, dégaina son Webley et le lui tendit, la crosse en avant. Puis il se retourna et pointa son doigt vers la pomme.

« Ce que nous allons faire… », commença-t-il, puis il tressaillit quand le coup partit. « Bon Dieu, Kirov ! Il faut faire attention. Prenez le temps de bien viser. Il y a plusieurs étapes. La respiration. La position. La manière dont on empoigne la crosse. Cela va prendre un peu de temps.

— Oui, inspecteur, reconnut Kirov, humblement.

— Bon, reprit Pekkala, se tournant de nouveau vers la pomme. Quoi ? Où est-elle passée ? Oh, mince ! Elle s'est décrochée. »

Il se dirigea à grandes enjambées vers le bâton, mais quelques pas plus loin, il aperçut des éclats de pomme éparpillés sur le sol. La pomme avait visiblement explosé, et il fallut encore quelques secondes à Pekkala pour comprendre que Kirov avait descendu la pomme du premier coup. Il pivota sur ses talons et dévisagea son adjoint.

« Désolé, déclara Kirov. Ce n'est pas ce que vous aviez en tête ?

— Eh bien, grommela Pekkala, ce n'était pas mal pour un début. Mais ne vous faites pas trop d'illusions. Ce que nous voulons, c'est être capable de toucher la cible non pas une seule fois, mais à chaque tir. Ou presque. »

Il prit une seconde pomme dans le sac et la planta sur le bâton.

« Et nous allons manger quoi ? protesta Kirov.

— Bon. Ne laissez pas partir le coup avant que je vous aie rejoint, ordonna Pekkala, en se ruant vers lui.

Il est essentiel d'établir un support bien stable avec vos pieds, et de tenir l'arme avec fermeté, mais pas trop. Là... Le Webley est une arme bien équilibrée, mais se caractérise par son fort recul, bien plus puissant que celui du Tokarev. »

Kirov leva le Webley d'un geste nonchalant, et tira.

« Bon sang, Kirov ! s'énerva Pekkala. Vous devez d'abord vous préparer !

— J'étais prêt », répliqua Kirov.

Pekkala jeta un coup d'œil à la cible. De la deuxième pomme, il ne restait qu'un nuage de jus blanc, qui se diffusait dans les airs. La bouche de Pekkala se tordit en un rictus.

« Ne bougez pas ! » s'écria-t-il, et il retourna dans le champ. Cette fois, il déterra la branche, s'éloigna de quelques pas supplémentaires, et l'enfonça dans le sol. Puis il empoigna un sandwich enveloppé de papier gras marron, qu'il embrocha sur le bâton.

« Je refuse de tirer sur mon sandwich ! » s'indigna Kirov.

Pekkala fit volte-face.

« Vous ne voulez pas ? Ou bien vous ne *pouvez* pas ?

— Si je réussis ce tir, répondit Kirov, vous me laisserez tranquille ?

— C'est promis.

— Et vous reconnaîtrez que je suis fin tireur ?

— Ne soyez pas trop sûr de vous, camarade Kirov... »

Trois minutes plus tard, l'Emka avait repris sa route.

Pekkala était affalé sur la banquette arrière, les bras croisés, et il sentait encore la chaleur du cylindre de son pistolet qui se diffusait à travers le cuir de l'étui.

« Vous savez, expliqua Kirov d'un ton enjoué, j'ai un diplôme honorifique du Komsomol, en tir sur cible... Il est accroché au mur, chez moi.

— Il a dû m'échapper, celui-là, grommela Pekkala.

— Il est dans la salle de séjour, juste à côté de mon diplôme de musicien.

— Vous avez été récompensé comme musicien ?

— Oui, pour mon interprétation de l'*Adieu de Slavianka »*, confirma Kirov. Il inspira longuement, bomba le torse et se mit à chanter, observant son public dans le rétroviseur. « Adieu, la patrie de nos pères... »

Un froncement de sourcils de Pekkala suffit à le faire taire.

Le fracas d'une mitrailleuse se répercutait autour des bâtiments de la base de Nagorski.

Dans l'espace clos de la Maison d'Acier, la détonation de chaque cartouche fusionnait en un grondement continu, assourdissant. Aux oreilles de Pekkala, debout près de l'entrée, c'était comme si l'air lui-même était en train d'être déchiré. Près de lui se tenait Kirov, et les deux hommes patientaient pendant que le serpent métallique des balles se déroulait hors de sa caisse verte, recrachant une pluie de douilles en cuivre par la fenêtre d'éjection de la mitrailleuse. Juste au moment où l'on aurait pu croire que ce fracas ne cesserait jamais, les munitions furent épuisées et la fusillade prit fin brusquement. Les dernières cartouches vides cliquetèrent musicalement en retombant sur le plancher de béton.

Gorenko et Ouchinsky repoussèrent le canon de l'arme, se levèrent et ôtèrent les grosses oreillettes de leurs casques anti-bruit. Une volute de fumée flottait au-dessus de leur tête.

La mitrailleuse était pointée sur une pyramide de bidons de cent litres. Le gasoil qu'ils contenaient avait été remplacé par du sable pour absorber l'impact des balles. À présent, leurs flancs métalliques étaient criblés de trous béants, et du sable s'en écoulait, formant de petits cônes sur le plancher comme au fond d'une clepsydre.

Ouchinsky brandit son chronomètre.

« Trente-trois secondes.

— C'est mieux, apprécia Gorenko.

— Mais ce n'est pas encore assez bon, répliqua Ouchinsky. Nagorski aurait été sur notre dos…

— Messieurs… », intervint Pekkala.

Sa voix résonna sous les poutrelles qui soutenaient le toit de tôle du hangar.

Surpris, les deux chercheurs se retournèrent brusquement pour voir d'où provenait la voix.

« Inspecteur ! s'exclama Ouchinsky. Vous voilà de retour dans la maison des fous…

— Sur quoi travaillez-vous, maintenant ? demanda Kirov.

— Nous testons le rythme de tir des mitrailleuses du T-34, répondit Ouchinsky. Ce n'est pas encore parfait.

— Il ne manque presque rien, remarqua Gorenko.

— Si le colonel était encore vivant, insista Ouchinsky, il ne vous aurait jamais laissé dire une chose pareille… »

Pekkala alla rejoindre les scientifiques. Il sortit le papier de sa poche, le déplia et le tendit aux deux hommes.

« L'un d'entre vous peut-il me dire ce que ça signifie ? »

Ils examinèrent le document.

« C'est l'écriture du colonel », déclara Ouchinsky.

Gorenko acquiesça du chef.

« C'est une formule.

— La formule de quoi ? » interrogea Pekkala.

Ouchinsky secoua la tête.

« Nous ne sommes pas chimistes, inspecteur.

— Nous ne sommes pas spécialistes de ce genre de chose, confirma Gorenko.

— Y a-t-il quelqu'un, ici, qui saurait nous le dire ? » insista Kirov.

Les chercheurs firent non de la tête.

Pekkala laissa échapper un soupir agacé, à la pensée qu'ils avaient parcouru tout ce chemin pour rien.

« Rentrons », dit-il, en s'adressant à Kirov.

Au moment où ils faisaient demi-tour, les deux chercheurs entamèrent une messe basse.

Pekkala s'immobilisa.

« Qu'y a-t-il, messieurs ?

— Eh bien…, commença Ouchinsky.

— Fermez-la ! lui ordonna Gorenko. Le colonel Nagorski est peut-être mort, mais ça reste son projet, et nous devons respecter les règles qu'il avait établies !

— Ça n'a plus d'importance, maintenant ! » s'écria Ouchinsky. Il donna un coup de pied dans une douille vide, qui ricocha sur le béton, tournoyant au milieu des carcasses inertes de tanks à moitié assemblés. « Tout cela importe peu, désormais ! Ne le comprenez-vous pas ?

— Nagorski disait…

— Nagorski n'est plus là ! martela Ouchinsky. Tout ce que nous avons fait n'aura servi à rien.

— Je croyais que le projet Constantin était presque achevé... remarqua Pekkala.

— Presque ! répliqua Ouchinsky. Presque, ça ne suffit pas. » D'un large mouvement du bras, il désigna l'usine d'assemblage. « Nous ferions aussi bien de jeter ces monstres à la décharge !

— Un de ces jours, le mit en garde Gorenko, vous allez prononcer des mots que vous regretterez... »

Ignorant son collègue, Ouchinsky se tourna vers les enquêteurs.

« Il faut que vous parliez à un homme qui s'appelle Lev Zalka. »

Gorenko contempla le sol en secouant la tête.

« Si le colonel vous entendait prononcer ce nom...

— Zalka faisait partie du noyau de base, poursuivit Ouchinsky. Il a conçu le V2 diesel, le moteur qui équipe nos chars. Mais il est parti il y a plusieurs mois. Nagorski l'a viré. Ils se sont disputés...

— Disputés ? marmonna Gorenko. Vous appelez ça une dispute ? Nagorski l'a attaqué avec une clé anglaise de 40 millimètres ! Le colonel aurait tué Zalka si ce dernier n'avait pas esquivé le coup... Après ça, Nagorski a juré que le premier qui mentionnerait ne serait-ce que le nom de Zalka serait renvoyé sur-le-champ !

— Quel était l'objet de cette bagarre ? » interrogea Pekkala.

Les deux chercheurs haussèrent les épaules, mal à l'aise.

« Zalka voulait installer des trappes plus grandes sur la tourelle, et des trappes supplémentaires sous le tank.

— Pourquoi ? demanda Kirov. Cela n'aurait-il pas rendu le char plus vulnérable ?

— Tout à fait, confirma Gorenko.

— Certes, le coupa Ouchinsky, mais des trappes plus larges, cela voulait aussi dire que l'équipage du char avait de meilleures chances de pouvoir s'échapper si le moteur prenait feu ou si le blindage venait à être endommagé...

— Le colonel Nagorski n'a rien voulu entendre. Pour lui, l'aspect mécanique primait.

— Et c'est pour cela que vos pilotes d'essai ont surnommé cette machine le Cercueil rouge », conclut Pekkala.

Gorenko gratifia Ouchinsky d'un regard assassin.

« Je constate que certains se sont montrés bavards...

— Quelle importance, à présent ? grommela Ouchinsky.

— Êtes-vous bien certains que c'est à ce sujet que Nagorski et Zalka se sont bagarrés, ce jour-là ? insista Pekkala, soucieux d'éviter que la dispute ne dégénère entre les deux chercheurs.

— Tout ce que je peux vous dire, répondit Gorenko, c'est que Zalka a quitté le complexe le jour même, et qu'il n'est jamais revenu.

— Avez-vous une idée de l'endroit où nous pourrions le trouver ? demanda Kirov.

— Je sais qu'il avait un appartement dans la rue Prechistenka, répondit Ouchinsky. Mais ça date de l'époque où il travaillait ici. Il a peut-être déménagé. La seule personne susceptible de pouvoir déchiffrer cette formule, c'est lui... »

Quand Pekkala et Kirov sortirent du hangar, Gorenko les accompagna dehors.

« Je suis désolé, messieurs les inspecteurs… Il faut excuser mon collègue. Il perd facilement son sang-froid. Il dit des choses qu'il ne pense pas…

— Moi, rétorqua Kirov, j'ai l'impression qu'il sait parfaitement ce qu'il dit.

— C'est juste que nous avons reçu de mauvaises nouvelles, aujourd'hui…

— Quelles nouvelles ? demanda Pekkala.

— Venez. Je vais vous montrer. »

Il les conduisit à l'arrière de l'usine d'assemblage, vers un endroit où un T-34 était stationné, à la lisière de la forêt. L'engin portait un immense 4, peint sur le flanc de la tourelle. Le regard de Pekkala fut aussitôt attiré par la longue et fine éraflure qui déchirait le métal nu. Cette trace argentée traversait horizontalement le flanc de la tourelle, coupant le numéro en deux parties égales.

« Ils l'ont ramené ce matin…

— Qui ça, ils ? interrogea Pekkala.

— Les militaires, répondit Gorenko. Ils étaient partis avec pour mener une sorte de test secret, sur le terrain. Nous n'avons pas eu le droit de savoir quoi que ce soit là-dessus. Et maintenant, il est détruit.

— Détruit ? s'étonna Kirov. Il a pourtant l'air comme tous les autres… »

Gorenko se hissa sur la partie plane à l'arrière du char et ouvrit la calandre. Il enfonça la main dans le moteur, et quand il la retira, le bout de ses doigts était maculé d'une substance noire qui ressemblait à de la graisse

« Vous savez ce que c'est ? »

Pekkala fit non de la tête.

« C'est du carburant, expliqua Gorenko. Du diesel

237

ordinaire. Du moins, en théorie. Mais il a été contaminé.

— Avec quoi ?

— De la javel. Ça a détruit les rouages internes du moteur. Il va falloir tout réinstaller, vidanger le système d'alimentation en carburant et d'injection, changer toutes les durites, et tous les tuyaux… Il va falloir tout reconstruire. Le numéro 4 était le projet personnel d'Ouchinsky. Chacun d'entre nous avait son petit favori. Nous les avons en quelque sorte adoptés. Et Ouchinsky a du mal à encaisser…

— C'était peut-être un accident », suggéra Kirov.

Gorenko secoua la tête.

« Celui qui a fait ça savait parfaitement comment détruire un moteur. Pas simplement l'endommager, vous comprenez, mais le *détruire*. Je n'ai aucun doute là-dessus, inspecteurs. C'était un acte délibéré. » Il sauta à terre, tira un mouchoir de sa poche et essuya le diesel sur ses doigts. « Si vous saviez combien il a travaillé dur sur cet engin, vous comprendriez sa frustration…

— Il a raison ? demanda Pekkala. Le projet tout entier est fichu ?

— Non ! rétorqua Gorenko. D'ici quelques mois, si on nous laisse travailler dessus, le T-34 devrait être terminé. Malgré la mort de Nagorski, le T-34 restera une excellente machine, mais il y a une différence entre l'excellence et la perfection. Le problème, avec Ouchinsky, c'est qu'il veut toujours que tout soit parfait… Pour lui, maintenant que le colonel n'est plus, tout espoir de perfection est désormais hors de portée. Et je vais vous dire ce que je ne cesse de répéter à Ouchinsky depuis le début de ce projet : ce tank n'aurait de toute façon jamais été parfait. Il restera toujours un défaut, comme la cadence de tir de ces mitrailleuses, qui devra se contenter d'être bonne…

— Je comprends, déclara Pekkala. Dites-lui que nous ne lui en tiendrons pas rigueur.

— J'aimerais mieux que vous le lui disiez vous-même, plaida Gorenko. Si vous pouviez lui parler, lui dire de mieux choisir ses mots, je crois que ça lui serait utile…

— Nous n'avons pas le temps, maintenant, répliqua Kirov.

— Appelez-nous plus tard au bureau, suggéra Pekkala. Pour l'instant, nous devons retrouver Zalka.

— Peut-être Ouchinsky a-t-il eu raison, après tout, reconnut Gorenko. Maintenant que le colonel est mort, toute l'aide que nous pourrons trouver sera la bienvenue… »

Une heure plus tard, Kirov déposa Pekkala au bureau.

« Je vais appeler Lysenkova, déclara ce dernier. Il faut que je lui dise qu'elle peut cesser de chercher ces agents de la Confrérie blanche. Jusqu'à nouvel ordre, nous devons concentrer tous nos efforts pour localiser ce Zalka. Passez aux archives, pour voir si vous pouvez trouver où il habite. Mais surtout, ne tentez pas de l'interpeller seul. Nous devrions sans doute partir de l'hypothèse que Zalka est l'homme qui a fui dans les bois. Il avait apparemment un mobile pour tuer Nagorski, et sa parfaite connaissance des lieux expliquerait pourquoi Samarin pensait que l'auteur du meurtre était un membre de l'équipe… »

Pendant que Kirov poursuivait sa route vers le siège

des archives, Pekkala regagna le bureau et appela Lysenkova. Craignant que le NKVD n'intercepte l'appel, il lui demanda de venir le rejoindre.

Dès qu'elle arriva au bureau, Pekkala lui raconta ce qui était arrivé aux agents de la Confrérie blanche.

« Avez-vous réussi à déchiffrer la formule, inspecteur ? lui demanda Lysenkova.

— C'est l'autre raison pour laquelle il nous faut retrouver Zalka, répondit Pekkala. S'il est toujours en vie, il est sans doute le seul à pouvoir nous aider. »

Lysenkova se leva.

« Je vais m'y mettre immédiatement. Et je vous remercie de me faire confiance, inspecteur. D'autres ne le font pas, et ils sont nombreux… J'imagine que vous avez entendu les rumeurs.

— Des rumeurs, il y en a toujours…

— Eh bien, il faut que vous sachiez que certaines sont fondées… »

Pekkala redressa la tête et la fixa droit dans les yeux.

« J'ai entendu dire que vous aviez dénoncé vos propres parents. »

Lysenkova acquiesça du chef.

« Oui, c'est vrai.

— Pourquoi ?

— Parce que mon père m'a ordonné de le faire. C'était ma seule chance de m'en sortir.

— De vous sortir de quoi ?

— D'un endroit que vous connaissez bien, inspecteur. La Sibérie. »

Pekkala la dévisagea intensément.

« Mais je croyais justement qu'on les avait envoyés en Sibérie parce que vous les aviez dénoncés… Vous voulez dire que vous étiez déjà là-bas ?

— C'est exact. Ma mère avait été condamnée à vingt ans de travaux forcés, comme criminelle de classe 59.

— Votre mère ? Qu'avait-elle donc fait ?

— Ma mère, expliqua Lysenkova, était l'unique femme contremaître au sein des équipes de production de la fameuse usine de Leningrad, équipée de turbines à vapeur, qui était censée devenir l'un des grands triomphes industriels des années 1920, un endroit où l'on pourrait faire venir les dignitaires étrangers pour leur montrer l'efficacité du système soviétique... Staline lui-même avait prévu de se rendre sur place le jour de l'inauguration. Le problème, c'est que les travaux avaient pris du retard, mais Staline a refusé de reporter la date de sa visite. Alors que l'usine était censée être opérationnelle, elle n'avait pas encore produit le moindre tracteur... À vrai dire, le principal atelier de construction n'avait même pas encore de toit ! Bref, toit ou pas toit, c'est là que les cérémonies devaient avoir lieu. Le jour où Staline a débarqué, il pleuvait. Ma mère avait donné l'ordre d'aménager une estrade, afin que Staline puisse dominer la foule et voir par-dessus les têtes des ouvriers. On avait également prévu une bâche, pour le protéger de l'averse. La veille de la visite, des conseillers politiques s'étaient présentés à l'usine. Au-dessus de l'estrade, ils avaient accroché une banderole... » Lysenkova tendit les bras au-dessus de sa tête, comme pour encadrer de ses mains l'inscription de cette banderole. « "Vive Staline, le meilleur ami des ouvriers soviétiques." Mais il n'y avait aucun moyen d'abriter les ouvriers de la pluie, alors ils sont restés plantés là, trempés jusqu'aux os. Ils ont attendu une heure et demie, debout, avant même l'arrivée de

Staline. Les lettres de la banderole commençaient déjà à couler, et des gouttes d'encre rouge formaient des flaques sur le sol en béton. Quand Staline est monté sur l'estrade, tout le monde a applaudi, comme les conseillers politiques en avaient donné l'instruction. Le problème, c'est que personne ne savait à quel moment il fallait s'arrêter. Les gens pensaient que Staline ferait un geste, prendrait la parole ou quelque chose de ce genre, n'importe quoi, pour indiquer qu'il fallait cesser d'applaudir... Mais quand les applaudissements ont commencé, Staline est resté figé, sans rien faire. Bien sûr, il devait être furieux que l'usine ne soit qu'à moitié achevée, mais il n'en laissait rien paraître. Il se contentait de sourire, en voyant tous ces gens debout sous la pluie, en train de se faire tremper. Des gouttelettes écarlates tombaient toujours de la banderole. Les applaudissements continuaient. Les ouvriers avaient trop peur pour cesser de battre des mains. Ça a duré vingt bonnes minutes. Ma mère était en charge de cet atelier. C'était son métier. Autour d'elle, personne n'osait intervenir. Elle a commencé à se dire qu'il était sans doute de sa responsabilité de faire en sorte que le meeting puisse commencer. Et plus les applaudissements s'éternisaient, plus elle était convaincue que, puisque personne ne semblait disposer à agir, elle devait prendre les choses en main... » Lysenkova joignit ses deux mains lentement, puis les écarta de nouveau et s'immobilisa dans cette position. « Alors, elle a arrêté d'applaudir. C'était le moment que Staline attendait, mais pas pour commencer son discours... Il a regardé ma mère. C'est tout. Il l'a simplement regardée. Puis il est descendu de l'estrade, et il est reparti avec ceux de sa suite. Pas un mot n'avait été

242

prononcé. La pluie continuait de tomber. Les lettres de la banderole étaient complètement effacées. Une semaine plus tard, ma mère, mon père et moi avons été déportés à la colonie spéciale de Dalstroï-Sept.

— La colonie... », murmura Pekkala.

Puis ses yeux se voilèrent comme ceux d'un aveugle, éblouis par l'explosion soudaine d'une image de ces lieux.

Dalstroï-Sept se composait d'une demi-douzaine de baraques en rondins rudimentaires, construites à la hâte et massées aux abords d'un torrent, dans la vallée de Krasnagolyana.

Le site se trouvait à moins de dix kilomètres du camp de Pekkala. Il était arrivé dans la vallée cinq ans plus tôt, au début de l'été, ce qui lui avait laissé tout le temps nécessaire pour réparer sa cabane avant l'arrivée des premières neiges automnales. Elle avait été bâtie solidement, dans le style des zemlyankas, dont l'espace de vie était à moitié enfoncé dans le sol, et les interstices entre les rondins comblés avec un mélange de boue et d'herbe.

Mais les habitants de Dalstroï-Sept avaient débarqué juste avant les premières gelées, et n'avaient pas eu le temps de consolider leurs abris avant le début de l'hiver.

Les colonies spéciales étaient une sous-section du système de camps du Goulag, dans lequel maris et femmes pouvaient très bien être déportés dans des lieux différents, et leurs enfants envoyés dans des orphelinats quand ils étaient trop jeunes pour tra-

244

vailler. Les prisonniers des colonies spéciales, eux, étaient déportés en famille, puis abandonnés dans la forêt ou en pleine toundra, où ils devaient ensuite se débrouiller seuls jusqu'au moment où leur main-d'œuvre serait requise dans les camps de travail du Goulag. Ces colonies temporaires n'étaient guère autre chose que des prisons sans murs. Parfois, elles duraient dans le temps. Mais le plus souvent, quand des gardes arrivaient pour emmener les prisonniers, ils ne trouvaient que des villages fantômes, sans la moindre trace des gens qui avaient vécu là.

La colonie de Dalstroï-Sept relevait de la juridiction d'un célèbre camp baptisé Mamlin-Trois, situé à l'autre bout de la vallée. La vingtaine d'habitants de Dalstroï-Sept étaient tous des gens de la ville, à en juger d'après les erreurs qu'ils avaient commises – comme bâtir les cabanes trop près de la rivière, ignorant qu'elle serait en crue au printemps, ou construire des cheminées trop courtes, de telle sorte que la fumée refluait à l'intérieur de la cabine. L'hiver s'abattant déjà sur la vallée tel un tsunami blanc, les prisonniers de Dalstroï étaient voués à une mort certaine.

Pekkala se revit tel qu'il était à l'époque, une présence à peine humaine enveloppée dans les haillons des habits avec lesquels il était parti dans la forêt, un jour qu'il observait ces malheureux depuis sa cachette : un affleurement rocheux dominant la vallée au fond de laquelle on les avait abandonnés sans autre instruction que de survivre jusqu'au printemps.

Il disparut de nouveau dans les ténèbres de la forêt, sachant qu'il ne pouvait rien faire pour eux. Il n'avait pas osé se montrer, car il se trouvait bien au-delà des limites du camp de Borodok, où il était officiellement emprisonné. Chargé de marquer les arbres destinés à être abattus, il était autorisé à errer sur le territoire de Borodok, sans jamais en outrepasser les frontières. Si les autorités de Borodok venaient à apprendre qu'on l'avait aperçu dans une zone qui relevait de Mamlin-Trois, de l'autre côté de la vallée, elles enverraient des soldats avec mission de l'exécuter pour intrusion illégale dans un autre district.

Contrairement au camp de Mamlin-Trois, Borodok était une entreprise forestière de grande envergure, couvrant toutes les étapes du processus, depuis l'abattage des arbres jusqu'à leur expédition vers l'ouest sous forme de planches découpées et séchées.

Ce qui se passait à Mamlin-Trois était gardé secret, mais Pekkala avait entendu dire, à son arrivée à Borodok, qu'un emprisonnement à Mamlin était encore pire que la mort. C'était la raison pour laquelle on ne précisait jamais leur destination aux détenus envoyés dans ce camp – ils ne l'apprenaient qu'en arrivant sur place.

Le seul compagnon de Pekkala dans cette zone interdite avait été un homme qui s'était échappé du camp de Mamlin. Il s'appelait Tatischev, et il avait été sergent dans le régiment des Cosaques, à l'époque du tsar. Après son évasion, des équipes de recherche avaient passé la forêt au peigne fin sans jamais le retrouver, pour la simple raison que Tatischev s'était caché là où ils risquaient le moins de le chercher – aux abords immédiats du camp de Mamlin-Trois. Il n'en avait plus bougé, luttant pour sa survie et menant une existence plus spartiate encore que celle de Pekkala.

Pekkala et Tatischev se retrouvaient deux fois par an dans une clairière située à cheval sur les territoires de Borodok et de Mamlin. Tatischev était un homme prudent, et il jugeait trop dangereux de se rencontrer plus souvent.

C'est de la bouche de Tatischev que Pekkala avait appris ce qui se passait à Mamlin. Il découvrit que ce camp avait été choisi pour servir de centre de recherche sur des sujets humains. Des expérimentations à basse pression y étaient menées, pour étudier les effets de l'exposition à la haute altitude sur les tissus humains. Des hommes étaient immergés dans de l'eau glacée, réanimés puis immergés de nouveau, pour déterminer combien de temps un pilote abattu pouvait survivre après s'être écrasé dans les mers arctiques, au nord de Mourmansk. On injectait de l'antigel dans le cœur de certains détenus. D'autres se réveillaient sur une table d'opération, et découvraient qu'on les avait amputés de leurs membres. C'était un lieu d'horreur, lui confia Tatischev, où la race humaine avait vraiment touché le fond de l'abîme.

La troisième année de leurs rencontres, Pekkala rejoignit le lieu de rendez-vous et y trouva les os de Tatischev incisés et vidés de leur moelle, éparpillés aux quatre coins de la clairière. Il retrouva aussi les œillets métalliques de ses chaussures parmi les crottes des loups qui l'avaient dévoré.

Pekkala retourna jeter un coup d'œil à Dalstroï-Sept à la fin de l'hiver. La neige commençait à fondre. Deux nuits auparavant, Pekkala avait été réveillé en sursaut par ce qu'il prit d'abord pour le fracas de la débâcle sur la rivière toute proche, mais quand les craquements secs se répercutèrent dans la forêt, il comprit qu'il s'agissait d'une fusillade, et qu'elle provenait de la colonie de Dalstroï-Sept.

Le lendemain, Pekkala se rendit sur place. N'apercevant aucune fumée au sommet des cheminées, il descendit jusqu'au campement. Il ouvrit les portes des cabanes, l'une après l'autre, et s'avança dans la pénombre.

À l'intérieur, des corps jonchaient le sol, éparpillés comme des poupées jetées par un enfant en colère. Une gaze de gel recouvrait les cadavres. Ils avaient tous été abattus. Sur le front de chacun des morts, le cratère d'un impact de balle contemplait Pekkala, tel un troisième œil.

Les mains drapées de chiffons pour se protéger du froid, il ramassa quelques-unes des douilles vides. Toutes correspondaient à des munitions de l'armée, vieilles de moins d'un an – même année de fabrication, même modèle. Pekkala comprit alors que ce massacre avait forcément été perpétré par les gardes du camp de Mamlin-Trois. Aucune des bandes errantes de la région n'aurait pu avoir accès à des stocks de munitions aussi récents. Il se demanda ce qui avait bien pu pousser les gardes à venir jusqu'ici pour liquider la colonie, alors que l'hiver s'en serait chargé de toute façon.

Il toucha la joue émaciée et dure comme de la pierre d'une jeune femme qui était morte assise, près du poêle. Apparemment, elle était trop faible pour se lever de sa chaise lorsque les tueurs avaient fait irruption dans la cabane. Sous les tourbillons tièdes du souffle de Pekkala, les cristaux blancs qui voilaient sa chevelure fondirent, dévoilant des mèches rousses, semblables à des fils de cuivre. C'était comme si, un bref instant, la vie avait repris possession du cadavre.

Deux semaines plus tard, quand les crues de printemps inondèrent la vallée, les bâtiments et tout ce qu'ils avaient contenu furent emportés.

« Comment avez-vous réussi à vous échapper ? demanda Pekkala.

— Nous venions d'achever la construction de nos abris, répondit Lysenkova, quand mon père m'a fait asseoir et m'a dit de rédiger une déclaration selon laquelle il avait tué deux gardes au cours de notre transfert vers la colonie. La vérité, c'était que deux gardes étaient effectivement portés disparus, mais qu'ils s'étaient enfuis. Personne, dans notre groupe, ne les avait tués. Nous n'avions ni papier ni crayon. Nous avons utilisé un morceau d'écorce de bouleau et l'extrémité calcinée d'un bâton. J'avais dix ans, et j'étais assez grande pour savoir que rien de ce que j'écrivais n'était vrai. Je lui ai demandé s'il n'allait pas avoir des ennuis au cas où quelqu'un croirait ce que j'étais en train d'écrire, et il m'a répondu que cela n'avait pas d'importance. "Que peuvent-ils me faire ? a-t-il dit. M'envoyer en Sibérie ?"

— Vous vous souvenez bien de votre père ? »

Lysenkova haussa les épaules.

« Certains détails plus clairement que d'autres… Il avait des dents en or. Celles de devant, en haut et en bas. Ça, je m'en souviens. Il avait été frappé par le sabot d'un cheval quand il était petit. Chaque fois qu'il souriait, on aurait dit qu'il avait mordu le soleil.

— Que vous est-il arrivé après avoir écrit la lettre ?

— Mon père m'a emmenée à travers la forêt, jusqu'aux portes du camp de Borodok. Nous avons à peine échangé quelques mots pendant le voyage, alors qu'il fallait plusieurs heures de marche pour atteindre le camp. Quand nous sommes arrivés, il a fourré un mouchoir noué au fond de ma poche, puis il a frappé au portail. Le temps que les gardes viennent ouvrir, il avait disparu dans les bois. J'ai aussitôt compris qu'il ne reviendrait pas. Quand les gardes m'ont demandé d'où je venais, je leur ai montré la lettre. Alors ils m'ont laissée entrer.

« Pendant ma première nuit là-bas, j'ai sorti de ma poche le mouchoir qu'il m'avait donné. En défaisant le nœud, j'ai aperçu ce que j'ai d'abord pris pour des grains de maïs. Mais alors, je me suis rendu compte qu'il s'agissait de dents. Ses dents en or. Il les avait arrachées… Les marques de la pince étaient imprimées dans l'or. C'étaient les seules choses de valeur qu'il possédait. Je m'en suis servie pour acheter de la nourriture au camp, pendant les premiers mois. Sans elles, je serais morte de faim…

« J'ai fini par trouver un boulot, je livrais des paniers de vivres aux ouvriers qui préparaient les troncs d'arbres destinés à la scierie du camp. Ce travail me donnait droit à des rations, et c'est comme ça que j'ai survécu. Au bout de cinq ans, ils m'ont renvoyée à Moscou, dans un orphelinat. J'ignore ce que sont devenus mes parents, mais je sais à présent ce que mon père avait compris tout de suite : ils n'avaient aucune chance de s'en tirer vivants. »

En entendant ces mots, Pekkala comprit enfin pourquoi les habitants de Dalstroï-Sept avaient été exécutés. Le père de Lysenkova avait offert à sa fille le moyen de s'enfuir, mais au prix de sa propre vie. Ce qu'il n'avait pas prévu, c'est que les autorités du camp avaient finalement décidé non seulement de le punir, lui, mais d'anéantir la colonie tout entière. Le temps que les gardes en fuite soient repris, l'expédition punitive avait déjà eu lieu.

« Alors vous voyez, inspecteur, reprit Lysenkova, j'ai eu l'occasion d'apprendre ce qu'il fallait faire pour survivre. Et notamment, ne pas se soucier des rumeurs. Mais je tenais à ce que vous sachiez la vérité. »

En la raccompagnant jusqu'à la porte, Pekkala comprit qu'il ne servait à rien de confier au major ce qu'il avait vu là-bas. Elle en savait déjà assez. Mais Pekkala était content qu'ils aient décidé de l'aider.

Une cloche sonna.

Pekkala se redressa sur son lit, clignant des yeux pour chasser le sommeil. Il resta assis quelques instants, hébété, et juste au moment où il s'était convaincu d'avoir rêvé ce bruit de cloche, le tintement résonna de nouveau, fracassant, métallique. Il y avait quelqu'un en bas, dans la rue. Chaque appartement était équipé d'une sonnette. Toutes les fois précédentes, la personne qui avait sonné chez Pekkala soit s'était trompée de bouton, soit l'avait fait au hasard, dans l'espoir qu'on lui ouvre la porte, après s'être enfermée dehors.

Pekkala laissa échapper un grognement et se

recoucha, en se disant que l'importun sonnerait chez quelqu'un d'autre s'il ne répondait pas.

Mais la sonnerie retentit de plus belle, et ne cessa plus, le pouce de l'intrus écrasant le bouton. La bouche de Pekkala s'assécha soudain : ce n'était donc pas une erreur… Le tintement persistant d'une sonnette au beau milieu de la nuit ne pouvait signifier qu'une chose : ils venaient finalement l'arrêter. Même un passe fantôme serait bien impuissant à le sauver, à présent.

Pekkala s'habilla et dévala les escaliers. Il repensa à la valise prête que Babayaga gardait dans un coin du séjour, et il regretta de ne pas avoir fait la sienne. Il traversa le hall lugubre, qu'une ampoule nue éclairait, et déverrouilla la porte d'entrée. Tandis qu'il saisissait la poignée de cuivre branlante, le calcul vague qui s'était déployé peu à peu dans son esprit acquit soudain la clarté de l'évidence.

Sans doute ne saurait-il jamais quelle limite il avait enfreinte, pour mériter cela. Peut-être avait-il posé la question de trop, le jour où il avait suivi Staline dans le passage secret. Peut-être Staline regrettait-il de lui avoir révélé ce qu'il était advenu des agents de la Confrérie blanche, et cherchait-il maintenant à effacer toute trace de son erreur.

La raison pour laquelle Pekkala n'en saurait jamais rien, il en avait la certitude, c'est qu'il ne vivrait pas assez longtemps pour le découvrir. Ils l'avaient déjà déporté une fois en Sibérie. Ils ne le feraient pas deux fois. Il n'y avait pas le moindre doute, dans l'esprit de Pekkala, qu'il allait finir fusillé contre le mur de la prison de la Loubianka, probablement même avant le lever du soleil. Soudain, il comprit qu'il s'était fait à cette idée, et depuis fort longtemps déjà.

Il ouvrit la porte sans une hésitation. Ils l'auraient enfoncée, de toute manière.

Mais dehors, aucun escadron du NKVD ne l'attendait. Il n'y avait que Kirov.

« Bonsoir, inspecteur, dit-il d'un ton joyeux. Ou devrais-je dire : bonjour ? Je me suis dit que c'était mon tour de venir vous tirer du lit… »

Sans même laisser le temps au visage de Kirov de changer d'expression, le poing de Pekkala jaillit et le frappa.

Comme s'il exécutait une danse compliquée, le major fit un pas de côté, puis un pas en avant, et finalement il s'étala sur le trottoir.

Quelques instants plus tard, Kirov se redressa en se frottant la tempe.

« Qu'est-ce que j'ai fait ? » Un mince filet de sang s'écoulait de sa narine.

Pekkala était tout aussi surpris que Kirov par sa propre réaction.

« Que faites-vous donc ici au beau milieu de la nuit ? l'interrogea-t-il dans un murmure rauque.

— Eh bien, je suis désolé d'avoir interrompu votre sommeil, répondit Kirov en se remettant sur ses pieds. Mais vous m'aviez dit…

— Je me fiche de mon sommeil ! rétorqua sèchement Pekkala. Vous savez pertinemment ce que ça signifie, quand on sonne à une porte en pleine nuit !

— Vous voulez dire, vous avez cru que… ?

— Évidemment, que j'ai cru ça !

— Mais, inspecteur, personne ne va vous arrêter !

— Ça, Kirov, vous n'en savez rien, répliqua Pekkala. J'ai essayé de vous avertir des dangers de notre métier, et il est temps que vous appreniez que nous

avons autant à craindre des gens pour qui nous travaillons que de ceux contre lesquels nous luttons. Bon,
ne restez pas planté là. Venez ! »

S'épongeant la narine avec son mouchoir, Kirov le
suivit dans l'immeuble.

«Vous savez que c'est la première fois que je vois
votre appartement ? Je n'ai jamais vraiment compris
pourquoi vous aviez choisi de vivre dans ce quartier.

— Chut ! murmura Pekkala. Les gens dorment. »

Une fois rentré chez lui, Pekkala fit bouillir de l'eau
pour le thé sur un petit réchaud à gaz Primus. La
flamme bleue vacillait sous la casserole d'aluminium
cabossée. Il alla s'asseoir à l'extrémité de son lit, et
désigna la seule chaise de la pièce, invitant Kirov à
la prendre.

« Eh bien, qu'êtes-vous venu m'annoncer ?

— Ce que je suis venu vous dire, répondit Kirov,
en parcourant la chambre d'un regard ouvertement
curieux, c'est que j'ai retrouvé Zalka. Enfin, je crois…

— Vous l'avez retrouvé, ou pas ?

— Je me suis rendu à l'adresse que vous m'aviez
donnée. Il ne s'y trouvait pas. Il a déménagé depuis
des mois. Le concierge m'a dit que Zalka travaillait
désormais dans une piscine, près de la place Bolotnia.

— J'ignorais qu'il y avait une piscine, là-bas…

— Eh bien justement, inspecteur. Il n'y en a pas.
Il y en avait une, avant. Elle faisait partie d'un grand
établissement de bains public, qui a été fermé il y a
des années. L'édifice abrite désormais l'Institut des
sciences cliniques et expérimentales.

— Le concierge s'était donc trompé…

— J'ai appelé l'Institut pour en avoir le cœur net.
J'ai demandé s'ils avaient un employé du nom de

Zalka. La femme au bout du fil m'a répondu que l'identité des employés de l'Institut était confidentielle, et m'a raccroché au nez. J'ai essayé de les rappeler, mais personne n'a répondu. De toute manière, que pourrait-il bien faire dans un institut médical ? Il est ingénieur, pas docteur...

— Nous irons vérifier sur place dès demain matin », répliqua Pekkala.

Kirov se leva et se mit à faire les cent pas.

« Très bien, inspecteur, je donne ma langue au chat : pourquoi vivez-vous dans un taudis pareil ?

— Vous est-il venu à l'idée que, peut-être, je préférais dépenser mon argent autrement ?

— Bien sûr que j'y ai pensé, mais je sais que vous ne le dépensez ni en habits, ni en nourriture, ni aucune chose de ce genre... Mais alors, où va cet argent ? »

Un long moment s'écoula avant que Pekkala ne réponde.

Dans ce silence, on distinguait le bruissement de l'eau bouillante dans la casserole.

« L'argent va à Paris, déclara-t-il enfin.

— Paris ? »

Les yeux de Kirov se plissèrent.

« Vous voulez dire que vous envoyez votre salaire à Ilya ? »

Pekkala se leva pour préparer le thé.

« Comment avez-vous fait pour savoir où elle habitait ? s'étonna Kirov.

— C'est mon métier, répliqua Pekkala. Je retrouve les gens.

— Mais Ilya vous croit mort ! Pour elle, vous êtes mort depuis des années...

— Je le sais bien, marmonna Pekkala.

— Mais alors, de qui croit-elle que l'argent vient ?

— Les fonds sont transférés *via* une banque à Helsinki. Elle pense qu'ils lui sont versés à l'initiative de la directrice de l'école où elle enseignait autrefois...

— Et la directrice, qu'en pense-t-elle ?

— Rien, rétorqua Pekkala, en versant une pincée de thé noir dans la casserole. Elle a été fusillée par les gardes rouges la veille de mon départ de Tsarskoïe Selo...

— Mais pourquoi, inspecteur ? Ilya est une femme mariée ! Elle a même un enfant ! »

Pekkala écrasa la casserole sur le réchaud, et des gouttes de thé brûlant lui éclaboussèrent la chemise.

« Vous croyez peut-être que je ne le sais pas, Kirov ? Ne comprenez-vous pas que j'y pense tout le temps ? Mais je ne l'aime pas par espoir. Je ne l'aime pas parce qu'il y aurait encore une possibilité...

— Dans ce cas, qu'est-ce qui vous pousse à faire cette folie ?

— Je n'appelle pas ça une folie, rétorqua Pekkala, murmurant presque.

— Eh bien moi, si ! Vous feriez tout aussi bien de jeter votre argent au feu !

— C'est mon argent que je jette, répondit Pekkala. Et peu m'importe ce qu'elle en fait. »

Il entreprit de préparer une autre casserole de thé.

Les deux hommes s'arrêtèrent devant l'Institut des sciences cliniques et expérimentales. Les fenêtres des anciens bains publics avaient été occultées par des briques, et ces briques peintes du même jaune pâle que le reste du bâtiment.

« Avez-vous pris votre arme, cette fois ? » demanda Pekkala.

Kirov souleva l'un des pans de son manteau, dévoilant un pistolet sanglé dans son étui d'épaule.

« C'est bien, apprécia Pekkala, parce que vous serez peut-être amené à vous en servir, aujourd'hui. »

Ils étaient arrivés à l'Institut peu après huit heures du matin, pour découvrir qu'il n'ouvrait qu'à neuf heures. Bien que le bâtiment fût fermé, ils distinguèrent des bruits de voix à l'intérieur. Kirov frappa du poing sur la lourde porte de bois, mais personne ne répondit. Finalement, ils abandonnèrent et décidèrent d'attendre.

Pour passer le temps, ils prirent le petit déjeuner dans un café en face de l'Institut. L'établissement venait à peine d'ouvrir, la plupart des chaises étaient encore retournées sur les tables.

La serveuse leur apporta des œufs durs, du pain noir et des pavés de jambon dont la tranche était encore étincelante de sel. Ils burent du thé noir, sans lait, dans de grandes tasses blanches dépourvues d'anse.

« Vous attendez l'ouverture de la Galerie des Monstres ? » leur demanda la femme.

Elle était grande et large d'épaules, les cheveux noués en chignon, et ses sourcils légèrement arqués donnaient l'impression qu'elle jaugeait l'interlocuteur.

« La quoi ? » s'étonna Kirov.

La femme désigna l'Institut d'un geste de la tête.

« D'où lui vient ce surnom ? interrogea Pekkala.

— Vous verrez par vous-mêmes quand vous serez dedans, répondit-elle en se dirigeant vers les cuisines.

— La Galerie des Monstres, grommela Kirov. Quel genre d'endroit peut mériter un surnom pareil ?

— J'aimerais autant ne pas aller vérifier avec l'estomac vide, l'interrompit Pekkala en empoignant couteau et fourchette. Mangez. »

Quelques minutes plus tard, Kirov reposa bruyamment ses couverts de part et d'autre de son assiette.

« Et voilà, vous recommencez…, dit-il.

— Mmm ? »

Pekkala releva la tête, la bouche pleine.

« Vous ne faites… qu'ingérer votre nourriture ! »

Pekkala avala.

« Que suis-je censé faire avec ?

— J'ai essayé de vous éduquer… » Kirov poussa un long soupir. « Mais vous n'en tenez aucun compte. J'ai vu la manière dont vous engloutissiez les plats que je vous cuisine. J'ai essayé de me montrer subtil… »

Pekkala baissa les yeux sur son assiette. Il l'avait presque terminée. Il était satisfait de son travail.

« Quel est le problème, Kirov ?

— Le problème, inspecteur, c'est que vous ne savourez pas vos plats. Vous n'appréciez pas le miracle de la nourriture, ajouta-t-il en prenant un œuf dur qu'il brandit devant lui.

— Ce n'est pas un œuf de Fabergé, protesta Pekkala. Ce n'est qu'un banal œuf. Et puis, si quelqu'un vous entendait parler ainsi ? Vous êtes un major du NKVD. Vous avez une réputation à défendre, qui n'inclut pas l'adoration publique, et à voix haute, de votre petit déjeuner ! »

Kirov regarda autour de lui.

« Que voulez-vous dire par "si quelqu'un m'entendait" ? Et alors, s'il m'entend ? Que va-t-il se dire – que je ne sais pas tirer ?

— D'accord, répondit Pekkala. Je reconnais que je vous dois des excuses sur ce point, mais…

— Pardonnez-moi de vous dire ça, inspecteur, mais avec votre histoire de réputation à défendre… Ce n'est pas étonnant que vous ne séduisiez pas les femmes !

— Quel est donc le rapport ?

— Le simple fait que vous me posiez cette question… » Il marqua une pause. « … est la réponse à votre question. »

Pekkala agita sa fourchette sous le nez de Kirov.

« Maintenant, je vais finir mon petit déjeuner, et vous pouvez continuer à vous comporter de manière étrange, si ça vous chante. Le miracle de la nourriture !… »

Leur repas terminé, ils quittèrent le café et traversèrent la rue pour se rendre à l'Institut.

Kirov tenta d'ouvrir la porte, mais elle était encore verrouillée. De nouveau, il la martela de son poing.

Enfin, la porte s'entrouvrit juste assez pour laisser passer la tête d'une vieille dame. Elle avait un gros visage carré, et le nez mal taillé. Une odeur forte, âcre, comme celle de la sueur ou de l'ammoniaque, s'échappa de l'immeuble.

« Ceci est un institut gouvernemental ! s'indigna la dame. Nous ne sommes pas ouverts au public. »

Kirov lui montra son laissez-passer du NKVD.

« Nous ne sommes pas le public.

— Nous sommes exemptés d'inspection, protesta la dame.

— Ce n'est pas une simple inspection de routine », expliqua Pekkala.

La porte s'ouvrit un peu plus, mais la femme bloquait toujours le passage.

« De quoi s'agit-il ?

— Nous enquêtons sur un meurtre », répondit Pekkala.

Le visage de la dame perdit soudain toute couleur, ou du moins le peu qu'il avait.

« Nos cadavres sont fournis par l'Hôpital central ! Une enquête est menée sur chacun d'entre eux avant que…

— Des cadavres ? » l'interrompit Pekkala.

Kirov grimaça.

« C'est donc ça, cette odeur ?

— Nous recherchons un homme du nom de Zalka, poursuivit Pekkala.

— Lev Zalka ? » Le ton de sa voix se fit plus ferme en prononçant ce nom. « Eh bien, pourquoi ne pas l'avoir dit plus tôt ? »

Elle les laissa enfin entrer, et ils pénétrèrent dans ce qui avait été jadis le hall d'entrée des bains publics. Le sol était recouvert de carrelage, le plafond soutenu par d'immenses piliers. Aux yeux de Pekkala, l'endroit évoquait davantage un temple antique qu'un lieu où les gens viennent nager.

« Je suis la camarade Dr Dobriakova », se présenta la dame, saluant chacun des deux hommes d'un hochement de tête.

Elle portait une veste blanche amidonnée, comme celle des médecins dans les hôpitaux publics, et d'épais bas couleur chair qui donnaient à ses jambes l'apparence de l'argile humide. Sans même leur demander leurs noms, elle les entraîna aussitôt le long du couloir principal. Dans les salles qui se déployaient de part et d'autre, les deux inspecteurs aperçurent des animaux en cage – singes, chats et chiens. Il en émanait la même odeur qu'ils avaient sentie de la rue – les relents acides d'animaux en captivité.

« Que fait-on à ces bêtes ? s'inquiéta Kirov.

— Nous les utilisons pour nos recherches, répondit le Dr Dobriakova, sans même se retourner.

— Et après ? l'interrogea Pekkala.

— Il n'y a pas d'après », répliqua le docteur.

Tandis qu'elle prononçait ces mots, Pekkala aperçut les mains livides d'un chimpanzé agrippées aux barreaux de sa prison.

Au bout du corridor, ils parvinrent à une porte couleur bleuet, sur laquelle on lisait encore le mot « Bains », peint en lettres jaunes. Là, le Dr Dobriakova fit volte-face.

« Je ne suis pas surprise, déclara-t-elle à mi-voix, d'apprendre que le camarade Zalka est impliqué dans des activités illégales. Je l'ai toujours soupçonné d'être un élément subversif... Il est soûl la plupart du temps. » Elle inspira, prête à en dire davantage, mais s'interrompit net en voyant les deux hommes dégainer leurs pistolets. « Vous croyez vraiment que c'est nécessaire ? demanda-t-elle, le regard fixé sur leurs armes.

— Nous espérons que non », répondit Pekkala.

La femme s'éclaircit la voix.

« Vous devriez vous préparer à ce qui vous attend là-derrière... » Sans leur laisser le temps de l'interroger davantage, le Dr Dobriakova poussa la porte. « Suivez-moi ! » ordonna-t-elle.

Ils accédèrent à une salle aux plafonds vertigineux, au centre de laquelle se trouvait une piscine. Au-dessus, soutenu par des piliers semblables à ceux du hall d'entrée, se dressait un balcon. Une odeur de moisi flottait dans l'air chaud et humide, évoquant celle des feuilles mortes en automne. L'eau de la piscine était presque noire, et non pas translucide ou d'un vert vitreux, comme Pekkala s'y attendait. Au milieu du bassin flottait la tête d'un homme, comme détachée de son corps.

La tête parla.

« Je me demandais si vous alliez finir par arriver. »

Puis l'homme souleva une bouteille et, de son autre main, en fit sauter le bouchon. L'étiquette en papier de la bouteille, qui portait le triangle orange brillant du monopole d'État sur la vodka, se décolla du verre et glissa dans la piscine. L'homme but une longue gorgée et fit claquer ses lèvres de satisfaction.

« Quelle honte ! s'emporta le Dr Dobriakova. Il n'est même pas encore midi et vous en êtes déjà à la moitié d'une bouteille !

— Fichez-moi la paix, aberration de la nature, rétorqua l'homme.

— Vous devez être le professeur Zalka… », intervint Pekkala.

Zalka brandit la bouteille à sa santé.

« Et vous, vous devez être la police.

— Que faites-vous là-dedans ? » demanda Kirov.

À cet instant, la porte bleue s'ouvrit et une femme en uniforme d'infirmière entra. Elle se figea, surprise de trouver deux étrangers dans la salle des bains.

« Ces hommes sont envoyés par le gouvernement, expliqua le Dr Dobriakova. Ils enquêtent sur une affaire de meurtre, dans laquelle cet imbécile… » Elle pointa le doigt sur Zalka. « … est impliqué !

— Nous voulons simplement discuter avec le professeur Zalka, rectifia Kirov.

— Vous n'avez pas l'air d'être venus discuter »,
répliqua Zalka en désignant leurs armes.

Pekkala se tourna vers Kirov.

« Je crois que nous pouvons les ranger... »

Les deux hommes rengainèrent leurs armes.

« C'est l'heure, Lev, déclara l'infirmière.

— Moi qui commençais tout juste à me sentir bien,
grommela Zalka en se dirigeant vers le bord de la
piscine.

— Pourquoi l'eau de cette piscine est-elle si noire ?
demanda Kirov.

— Nous y maintenons la teneur en tanins adéquate
pour les sujets de nos recherches... »

Kirov cligna des yeux devant elle.

« Quels sujets ? »

Zalka avait atteint le bord de la piscine, où l'eau
ne lui arrivait qu'aux genoux. Au premier regard, son
corps nu et pâle semblait couvert de dizaines de plaies
béantes. De ces plaies s'écoulaient de minces filets de
sang. Il fallut un moment à Pekkala pour comprendre
que ces blessures étaient en réalité des sangsues, qui
s'étaient accrochées au corps de Zalka et pendaient
de ses membres tels des glands boursouflés. Se laissant flotter dans l'eau peu profonde, Zalka entreprit
d'arracher les sangsues de sa peau et de les rejeter
au milieu de la piscine, où elles atterrissaient dans
un *plouf* sonore, avant de disparaître dans le liquide
opaque.

« Attention ! s'inquiéta l'infirmière. Ce sont des
créatures fragiles.

— Vous êtes une créature fragile, rétorqua Zalka.
Quant à elles... » Il arracha une autre sangsue de sa
poitrine et la lança dans la piscine. « ... elles ont

été inventées par le même dieu pervers qui a créé le Dr Dobriakova...

— Comme je vous l'ai dit plusieurs fois déjà, camarade Zalka, intervint le Dr Dobriakova en piquant un fard, les sangsues jouent un rôle crucial dans les sciences médicales.

— Et vous aussi, quand on vous couchera sur une table d'autopsie...

— Je devrais vous renvoyer ! » hurla le docteur en se dressant sur la pointe des pieds. Sa voix se répercuta contre les piliers. « Et si je pouvais trouver quelqu'un d'autre qui accepte de faire ce travail, je le ferais sans hésiter !

— Mais vous ne me renverrez pas, rétorqua Zalka avec un sourire de dédain, car vous ne trouverez personne d'autre. »

La bouche du Dr Dobriakova était ouverte, prête à poursuivre la joute, quand Pekkala les interrompit.

« Professeur Zalka, dit-il, nous aimerions nous entretenir avec vous d'un sujet important...

— Mais certainement ! » répondit-il.

En se retournant, Pekkala aperçut l'infirmière qui tendait devant elle un enchevêtrement d'arceaux métalliques et de sangles de cuir qui, comprit-il aussitôt, était une orthèse de jambe.

« C'est la vôtre ? demanda Kirov.

— Oui, malheureusement, acquiesça Zalka. Le seul moment où je l'oublie, c'est quand je flotte dans cette piscine.

— Depuis quand portez-vous cet appareil ? s'enquit Pekkala.

— Depuis le 10 juillet 1914, répondit Zalka. Si

longtemps que je ne me souviens même plus de ce que c'est que de marcher sans cette aide… »

Pekkala et Kirov échangèrent un regard, comprenant soudain que l'inconnu qu'ils avaient pris en chasse dans la forêt le jour de la mort de Nagorski ne pouvait être Lev Zalka.

« Comment pouvez-vous vous souvenir si précisément de la date ? demanda Pekkala.

— Parce que la première fois que j'ai sanglé ce machin sur ma jambe, c'était un mois jour pour jour après le Grand Prix de France, où un pilote a perdu le contrôle de sa voiture. Le bolide est sorti de la piste et a foncé droit dans ma jambe…

— Le Grand Prix 1914, poursuivit Pekkala. Nagorski a gagné cette course.

— Bien sûr qu'il l'a gagnée, confirma Zalka. J'étais son chef mécanicien. Je me tenais debout à l'entrée de notre stand quand la voiture m'a renversé… »

Pekkala se rappela alors que Nagorski avait mentionné devant lui l'accident dans lequel son chef mécanicien avait été gravement blessé.

« Si ça ne vous dérange pas de m'aider… », reprit Zalka, les bras toujours tendus vers eux.

Pendant que Pekkala et Kirov le soutenaient, l'infirmière tendit une serviette à Zalka, que l'infirme noua autour de sa taille. Puis, les bras de Zalka posés sur leurs épaules, ils l'emmenèrent jusqu'à une chaise. Une fois qu'il fut assis, l'infirmière lui apporta l'orthèse, et il entreprit de la sangler autour de sa jambe gauche. Aux endroits où passaient les sangles de cuir, les poils avaient peu à peu disparu, laissant des bandes pâles dans la chair. Les muscles atrophiés de sa cuisse et de son mollet faisaient à peine la moitié de la taille de ceux de la jambe droite.

Restée à l'écart, Dobriakova observait l'opération, les bras croisés. Son visage était figé dans une grimace renfrognée qui semblait sculptée de manière permanente dans les commissures de ses lèvres et de ses yeux. Là où les sangsues s'étaient accrochées aux bras et au torse de Zalka, sa peau portait des marques rouges en forme de cible, grosses comme des raisins. Au centre de chacune, un minuscule point rouge localisait l'endroit où l'animal s'était fixé. Les empreintes laissées par les autres sangsues dessinaient comme des taches de rousseur sur tout le reste de son corps.

« Êtes-vous prêt pour votre repas ? » demanda l'infirmière.

Zalka leva les yeux vers elle et lui sourit.

« Épousez-moi », implora-t-il.

Elle le gratifia d'une tape sur la tête et sortit par la porte bleue.

« Messieurs les inspecteurs, déclara Dobriakova en jetant un regard noir à Zalka, je vous laisse interroger ce criminel ! »

Dès qu'elle fut partie, Zalka poussa un soupir de soulagement.

« Je préfère encore vos flingues aux humeurs de cette femme…

— Zalka, demanda Kirov d'un ton où se mêlaient l'admiration et le dégoût, comment pouvez-vous faire ça ?

— Faire quoi, inspecteur ? »

Kirov pointa du doigt l'eau souillée.

« Entrer là-dedans ! Avec tous ces machins !

— Les sangsues saines ont besoin d'un hôte vivant,

expliqua Zalka. Mais de préférence un qui ne soit pas ivre. Ce qui est souvent mon cas, ces temps-ci…

— Ce n'est pas elles que je plains, mais vous !

— Je n'ai pas tellement d'offres d'emploi, inspecteur, mais pour une heure par jour dans la piscine, je gagne autant qu'en neuf heures à l'usine. Et encore faudrait-il qu'on m'embauche dans une usine. Ce que je gagne ici me laisse suffisamment de temps pour continuer mes propres recherches, une activité pour laquelle je suis, pour le moment, tragiquement peu récompensé…

— N'avez-vous donc pas peur d'attraper une maladie ?

— À la différence des hommes, répondit Zalka, les sangsues ne transmettent pas de maladies. »

Il porta la main à sa nuque, où il dénicha une autre sangsue, enfouie sous ses cheveux. Quand il glissa l'ongle de son pouce sous le point où la sangsue s'était attachée à sa peau, l'animal s'enroula autour de son doigt. Il la souleva devant eux, le regard plein d'admiration.

« Ce sont des créatures extrêmement déterminées. Elles boivent du sang et elles copulent. Elles savent ce qu'elles veulent, on ne peut pas leur enlever ça… » Soudain, les traits de son visage se tendirent. « Mais vous n'êtes pas venus pour parler de sangsues. Vous êtes venus pour parler de Nagorski.

— C'est exact, répondit Pekkala, et il y a de cela deux minutes, vous étiez encore notre suspect numéro un pour le meurtre de cet homme…

— J'ai appris ce qui s'était passé. Je mentirais si je vous disais que j'ai été peiné d'apprendre sa disparition… Après tout, c'est à cause de lui si je dois gagner ma vie en me faisant saigner, au lieu de concevoir des moteurs. Mais je suis mieux ici... La manière dont Nagorski me traitait était bien pire que tout ce que ces sangsues pourront jamais me faire...

— Pourquoi avez-vous été viré du projet Constantin ? l'interrogea Pekkala. Que s'est-il passé entre Nagorski et vous ?

— Nous étions amis, autrefois, commença-t-il. À l'époque de nos courses automobiles, nous étions inséparables. Mais ensuite, j'ai eu cette blessure, et la guerre a éclaté. Après l'armistice, Nagorski a retrouvé ma trace à Paris. Il m'a parlé de son idée, qui allait ensuite donner naissance au projet Constantin. Il m'a dit qu'il avait besoin d'aide pour concevoir le moteur. Longtemps, nous avons formé une équipe. La conception du moteur V2 est le meilleur travail que j'aie jamais réalisé...

— Qu'est-ce qui s'est passé ?

— Ce qui s'est passé, expliqua Zalka, c'est que la base de Nagorski est devenue comme une île. Il y avait des baraquements où nous pouvions dormir, une cantine, un atelier mécanique si bien équipé qu'il y avait là-dedans des outils qu'aucun d'entre nous n'aurait même pu identifier... L'idée, c'était que nous puissions nous consacrer entièrement à ce projet, sans être dérangés par des inspections gouvernementales, sans que les bureaucrates viennent y fourrer leur nez, sans aucune des préoccupations quotidiennes susceptibles de nous voler un temps précieux... Nagorski s'occupait du monde extérieur, et nous, on nous laissait bosser tranquille. Ce que nous n'avions pas compris, c'est que dehors, aux yeux du monde, Nagorski s'attribuait tout le mérite non seulement de son travail, mais du nôtre également.

— Il a toujours été comme ça ? » demanda Pekkala.

Zalka secoua la tête.

« Nagorski était un homme bon avant que le projet Constantin ne devienne toute sa vie. Il était généreux. Il aimait sa famille. Il ne s'entourait pas de tant de mystère. Mais dès que le projet a été lancé, il est devenu un autre. J'avais de la peine à le reconnaître et, pour son épouse et son fils, c'était pareil.

— Donc, ce qui s'est passé entre vous, c'était bien une dispute au sujet du moteur ? »

Pekkala tentait d'y voir clair.

« Non, répliqua Zalka. Ce qui s'est passé, c'est qu'en suivant les plans de Nagorski, on était pratiquement certains que l'équipage du tank finirait brûlé vif si le moindre incendie venait à se déclarer dans le compartiment principal ou celui du moteur...

— J'en ai entendu parler.

— Je voulais changer ça, quitte à affaiblir d'un rien le blindage. Mais Nagorski n'a rien voulu entendre. » Outré, Zalka leva ses mains en l'air puis les laissa retomber. « Typiquement russe, n'est-ce pas ? Nous construisons une machine pour nous défendre, et elle devient aussi dangereuse pour nous que pour nos ennemis !

— Est-ce pour cela que Nagorski vous a écarté du projet ? demanda Pekkala.

— Je n'ai pas été viré. J'ai démissionné. Il y avait d'autres raisons, d'ailleurs.

— Lesquelles ? intervint Kirov.

— J'ai découvert que Nagorski avait l'intention de voler les plans du système de suspension du T-34.

— Les voler ?

— Oui. Aux Américains. Ce mécanisme est connu sous le nom de suspension Christie. Les roues sont fixées à des bras de suspension, avec des doubles ressorts hélicoïdaux, concentriques, sur l'essieu directionnel… »

Pekkala leva le bras pour l'interrompre.

« Je vous crois sur parole, professeur Zalka.

— Nous avions planché sur notre propre système, poursuivit Zalka. Mais les interventions incessantes de Nagorski nous avaient tellement fait perdre de temps sur le planning que nous n'allions jamais pouvoir respecter l'échéance fixée pour la mise en production… Nagorski a paniqué. Il a décidé que nous utiliserions la suspension Christie. Il a décidé, en outre, qu'il ne fallait pas en parler à Staline, en se disant qu'une fois le projet validé, personne ne s'en soucierait, du moment que l'engin fonctionnait…

— Comment avez-vous réagi ?

— Je suis allé le trouver. Je lui ai rappelé combien il était dangereux de cacher des informations à Staline. Il m'a dit de la fermer. C'est là que j'ai décidé de démissionner, et qu'en retour il s'est arrangé pour que je ne retrouve plus aucun autre endroit où exercer mon métier. Personne ne veut faire équipe avec moi. Personne ne veut même m'approcher ! Sauf elles, ajouta-t-il en désignant la piscine et ses sangsues d'un geste du menton.

— Pourtant, vous disiez poursuivre vos recherches, remarqua Pekkala.

— C'est exact.

— Et que deviennent les résultats de votre travail ? demanda Pekkala.

— Ils s'empilent sur mon bureau, répondit Zalka d'un ton amer, page après page, parce que je ne peux rien en faire d'autre.

— Ça me fait penser…, réagit Pekkala en sortant l'équation de la poche de son manteau. Nous nous demandions si vous pourriez nous expliquer de quoi il s'agit. Il pourrait y avoir un lien avec la mort de Nagorski. »

Délicatement, Zalka prit le fragile papier des mains de Pekkala. Il l'étudia avec attention, laissant la signification se déployer dans son esprit. Soudain, il laissa éclater un rire bref. « Nagorski… », grommela-t-il, avant de poursuivre sa lecture. Quelques instants plus tard, Zalka releva la tête.

« C'est une recette, leur annonça-t-il.

— La recette de quoi ?

— D'une huile.

— C'est tout ? s'étonna Kirov. Une huile toute bête…

— Oh non, répliqua Zalka, pas une huile toute bête. De l'huile de moteur. Et pas n'importe laquelle, d'ailleurs. Il s'agit d'une huile spéciale, à très faible viscosité, destinée au moteur V2.

— Êtes-vous sûr que l'écriture est celle de Nagorski ? »

Zalka acquiesça.

« Même si ce n'était pas le cas, je saurais quand même que ça vient de Nagorski.

— Pourquoi ?

— À cause de ce qui manque, là… Vous voyez ? » Il désigna un groupe de chiffres. Les nombres paraissaient s'agglutiner autour de son doigt comme de la limaille de fer autour d'un aimant. « La séquence polymère s'interrompt brusquement. Il l'a fait exprès. Si vous tentiez de recréer cette formule en laboratoire, tout ce que vous obtiendriez, ce serait du cambouis...

— Où est le reste de la formule ? »

Zalka se tapota la tempe du bout de l'index.

« Il l'a gardé dans sa tête. Je vous l'ai dit : il ne faisait confiance à personne.

— Seriez-vous capable de compléter ces équations ? demanda Pekkala.

— Évidemment, répondit Zalka. Si vous me donnez un crayon et dix minutes pour déterminer ce qui manque...

— Quel est l'intérêt d'une huile de moteur à faible viscosité ? » demanda Kirov.

Zalka sourit.

« À moins trente degrés, une huile normale commence à se densifier. À moins cinquante, elle est inutilisable. Ce qui signifie, messieurs les inspecteurs, qu'au milieu d'un hiver russe, on peut se retrouver avec toute une armée de machines qui, soudain, tombent en panne... » Il brandit la feuille de papier. « Mais avec cette huile-là, cela n'arriverait pas. Je suis obligé de lui reconnaître cela, à Nagorski : il prenait toujours en compte les pires conditions imaginables.

— Cette formule a-t-elle suffisamment de valeur pour pousser quelqu'un à tuer Nagorski ? » interrogea Pekkala.

Zalka plissa les yeux.

« Je ne pense pas, répondit-il. Il s'agit simplement d'une décision d'ordre technique dans la conception du char. La formule elle-même était déjà connue...

— Mais alors, pourquoi la garder secrète ?

— Ce n'est pas la formule qu'il voulait garder

secrète, mais sa décision de la mettre en application. Écoutez, soupira Zalka, j'ignore pourquoi Nagorski a été assassiné, et qui l'a fait, mais ce que je peux vous affirmer, c'est qu'il connaissait forcément la personne qui l'a tué.

— Qu'est-ce qui vous fait dire ça ?

— Nagorski ne se rendait jamais nulle part sans un pistolet dans sa poche. Ce qui veut dire que non seulement il connaissait la personne qui l'a assassiné, mais il devait avoir suffisamment confiance en elle pour la laisser s'approcher autant...

— En qui Nagorski avait-il confiance ?

— À ma connaissance, une seule personne correspond à cette description : son chauffeur, Maximov. Personne ne pouvait approcher Nagorski sans franchir d'abord l'obstacle Maximov. Et, croyez-moi, Maximov était infranchissable...

— Nous avons parlé à Maximov, déclara Pekkala.

— Alors vous aurez compris que Nagorski ne l'avait pas embauché pour son art de la conversation... Il a embauché Maximov parce que cet homme était autrefois un tueur.

— Un quoi ?

— C'était un agent du tsar, précisa Zalka. C'est Nagorski lui-même qui me l'a confié.

— Ça expliquerait pourquoi il n'a répondu à aucune de mes questions », conclut Pekkala.

Il se rappela soudain ce que lui avait dit Raspoutine par cette nuit d'hiver où il avait frappé à sa porte : « Il existe encore bien d'autres gens comme nous, qui ont chacun leur propre tâche – enquêteurs, amants, assassins – et ne se connaissent pas entre eux. Seul le tsar nous connaît tous. » Sur le moment, Pekkala avait pris cela pour les divagations d'un ivrogne, mais il comprenait à présent que Raspoutine avait dit la vérité.

« Cela explique également pourquoi je n'ai rien trouvé sur lui dans les anciennes archives de la police… », ajouta Kirov.

La porte s'ouvrit et l'infirmière entra, apportant un plateau sur lequel était posée une assiette recouverte d'une cloche en métal.

« Ah, parfait ! »

Zalka tendit les bras vers l'infirmière et elle lui remit le plateau.

« Exactement comme vous l'aimez », commenta-t-elle.

Zalka posa doucement le plateau sur ses cuisses, et souleva la cloche. Une bouffée de vapeur lui frôla le visage, qu'il huma comme s'il s'agissait d'un parfum. Dans l'assiette, il y avait un pavé de viande rôtie, autour duquel étaient éparpillées, comme rajoutées au dernier moment, quelques tranches de pommes de terre et de carottes cuites à l'eau. Zalka prit le couteau et la fourchette posés sur le plateau et découpa un morceau de viande. Sous la surface, elle était presque crue.

« Je suis bien nourri ici, confia-t-il aux deux hommes. Viande rouge tous les jours. Il faut bien renouveler mon sang… »

Les enquêteurs firent volte-face, prêts à prendre congé.

« Le T-34 ne nous sauvera pas, vous savez », déclara Zalka.

Les deux hommes se retournèrent.

« Car c'est bien de cela qu'il s'agit, n'est-ce pas ? poursuivit Zalka, sans cesser de mâcher. Nagorski vous a tous persuadés que le T-34 était l'arme miracle.

Qu'elle gagnerait la guerre pratiquement à elle seule. Mais ce n'est pas vrai, messieurs. Ce que Nagorski ou n'importe lequel de ces savants fous qui travaillent pour lui ne reconnaîtront jamais, c'est qu'il ne s'agit que d'une machine. Ses points faibles seront découverts. De meilleurs engins seront construits. Et les hommes qui s'en servaient pour tuer seront, au bout du compte, tués à leur tour. Mais surtout, ne vous en faites pas, messieurs les inspecteurs... »

Et il entreprit de découper un autre morceau de viande.

« Devant un tel pronostic, grommela Kirov, quelle raison aurions-nous de ne pas nous en faire ?

— Les seuls capables de détruire le peuple russe... » Zalka s'interrompit pour enfourner la seconde bouchée. « ... sont les Russes eux-mêmes.

— On ne peut pas vous donner tort, reconnut Pekkala. Nous sommes malheureusement experts en ce domaine. »

Pekkala avala une grande bouffée d'air en ressortant du bâtiment, vidant de ses poumons les relents âcres des anciens bains.

« J'ai bien cru que nous le tenions », déclara Kirov.

Pekkala opina du chef.

« Moi aussi, jusqu'à ce que je voie son appareil orthopédique...

— Bras de suspension, grommela Kirov, doubles ressorts hélicoïdaux concentriques, essieu directionnel... Tout ça, pour moi, c'est du charabia...

— Pour Zalka, c'est de la poésie, répliqua Pekkala. Tout comme les blinis de caviar sont de la poésie pour vous. »

Kirov se figea brusquement.

« Vous me faites penser à quelque chose...

— La nourriture ?

— Eh bien, oui, en fait. Le jour où je suis entré dans ce restaurant pour convoquer Nagorski et l'interroger, il mangeait des blinis de caviar...

— Voilà qui est très éclairant, Kirov... Sans doute a-t-il été abattu par un blini.

— Ce dont je me souviens à présent, reprit Kirov, c'est d'un revolver. »

Pekkala se figea à son tour.

« Un revolver ?

— Nagorski en avait un sur lui. Il l'a confié à Maximov avant de quitter le restaurant. » Kirov haussa les épaules. « Cela n'a sans doute aucune importance...

— À moins que Nagorski n'ait été tué par sa propre arme, auquel cas cela aurait une importance considérable... » Pekkala donna une tape sur le bras de Kirov. « Allons rendre visite à Maximov. »

Maximov vivait dans le village de Mytishchi, au nord-est de Moscou.

Ils le trouvèrent dans un garage, en face de la pension où il s'était installé seul, dans une chambre au dernier étage. Le concierge de l'immeuble, un homme à l'air furieux, d'une maigreur de squelette sous son bleu de travail, pointa son index tranchant en direction du garage, de l'autre côté de la rue. « *Na tchaï.* » Parti prendre un thé.

Pekkala fit tomber une pièce dans sa paume. Le concierge l'enfouit au creux de son poing et sourit. Les hommes de son espèce avaient la réputation d'être les informateurs les plus zélés qui soient. La blague courait que davantage de gens avaient été envoyés en Sibérie pour avoir oublié de donner un pourboire à leur concierge le jour de son anniversaire que pour des crimes d'État.

« Maximov est ici », confirma le gérant du garage, un homme au visage large, avec d'épais cheveux noirs et une moustache qui virait au gris-jaune. « Du moins, à moitié, ajouta-t-il.

— Que voulez-vous dire ? s'inquiéta Kirov.

— On ne voit jamais que ses jambes. Le reste de son corps est toujours caché sous le capot de sa voiture. Dès qu'il ne bosse pas, on sait où le trouver : il passe son temps à bricoler cet engin… »

Les deux enquêteurs traversèrent le garage, dont le sol avait pris au fil des années la teinte noire crasseuse des flaques d'huile imbibant le ciment, et débouchèrent sur un cimetière de pièces usagées, de carcasses de voitures dépouillées, de pneumatiques élimés jusqu'à la corde et déchiquetés, d'arbres de transmission aux silhouettes de cobras, arrachés à leur moteur.

À l'autre bout du terrain vague, comme l'avait prédit le gérant, ils aperçurent la moitié de Maximov.

Torse nu, il était penché sur le moteur de la voiture de Nagorski. Le capot se dressait au-dessus de lui telle la mâchoire d'un gigantesque prédateur, et Pekkala pensa aussitôt à ces histoires de crocodiles qui ouvrent grand la gueule pour laisser de petits oiseaux leur curer les dents.

« Maximov », l'interpella Pekkala.

En entendant son nom, Maximov se retourna brusquement. Ébloui par l'éclat du soleil, il lui fallut quelques instants pour reconnaître Pekkala.

« Inspecteur, dit-il. Qu'est-ce qui vous amène ?

— J'ai repensé à ce que vous m'avez dit, l'autre jour.

— J'ai l'impression de vous avoir dit plusieurs choses, répliqua Maximov, épongeant avec un chiffon plein de graisse les durites d'essence reliées à l'acier gris de la culasse, courbées comme les ailes d'une mouette.

— Il y a un détail, en particulier, qui me préoccupe, poursuivit Pekkala. Vous dites que vous n'avez pas pu défendre Nagorski le jour où il a été assassiné, mais je me pose la question : n'aurait-il pas pu se défendre lui-même ? N'est-il pas vrai que Nagorski ne sortait jamais sans son arme ?

— Et qui vous a dit ça, Pekkala ? »

Maximov passait le chiffon sous ses ongles, pour en extirper la crasse.

« Le professeur Zalka.

— Zalka ! Ce fouteur de merde ? Où l'avez-vous déniché, ce salopard ?

— Nagorski portait-il une arme, oui ou non ? insista Pekkala, d'un ton soudain glacial.

— Oui, il possédait une arme. Un truc allemand, un PKK…

— De quel calibre est ce pistolet ?

— C'est un 7.62 », répondit Maximov.

Kirov se pencha à l'oreille de Pekkala :

« La cartouche que nous avons retrouvée dans le trou était de ce calibre…

— Où voulez-vous en venir ? interrogea Maximov.

— Le jour où j'ai arrêté Nagorski pour l'interroger, répondit Kirov, il vous a confié un pistolet avant de sortir du restaurant. S'agissait-il du PKK que vous venez de mentionner ?

— C'est exact. Il me l'a remis pour que je le lui garde. Il craignait qu'il ne soit confisqué au cas où vous l'auriez placé en détention.

— Et où est-il, ce pistolet ? » demanda Kirov.

Maximov éclata de rire et se tourna vers son interlocuteur.

« Laissez-moi vous poser une question. Ce jour-là, au restaurant, avez-vous remarqué ce qu'il était en train de manger ?

— Oui, répondit Kirov. Mais qu'est-ce que ça vient faire là-dedans ?

— Et vous avez vu ce que moi, je mangeais ?

— Une salade, je crois. Une petite salade.

— Exactement ! s'écria Maximov, élevant soudain la voix. Deux fois par semaine, Nagorski allait déjeuner chez Chicherin, et je devais m'asseoir à côté de lui, parce que personne d'autre ne l'aurait fait, pas même sa femme, et qu'il n'aimait pas manger seul. Mais il n'aurait jamais eu l'idée de m'inviter. Il fallait que je paie mon repas et, évidemment, je n'ai pas les moyens de manger chez Chicherin. Cette malheureuse salade coûte plus cher que ce que je dépense en nourriture pour une journée entière, en temps normal… Et une fois sur deux, Nagorski ne payait même pas son propre repas. Alors vous croyez vraiment qu'un homme comme lui confierait quelque chose d'aussi cher qu'un pistolet importé d'Allemagne, pour ne pas le récupérer dès qu'il en aurait l'occasion ?

— Répondez à la question, rétorqua Pekkala. Avez-vous rendu son pistolet à Nagorski, oui ou non ?

— Quand vous avez fini d'interroger Nagorski, il m'a appelé et m'a donné l'ordre de venir le retrouver devant la prison de la Loubianka. Et les premiers mots qu'il a prononcés en montant dans la voiture, c'était : "Rendez-moi mon flingue." C'est ce que j'ai fait. » Furieux, Maximov jeta le chiffon sale au milieu du moteur. « Je sais très bien ce que vous cherchez, inspecteur. Je sais où vous voulez en venir. C'est peut-être ma faute si Nagorski est mort, parce que je n'étais pas là pour l'aider quand il aurait eu besoin de moi. Si vous voulez m'arrêter pour ça, allez-y. Mais il y a une chose que vous ne semblez pas comprendre, tous les deux : je n'étais pas seulement responsable du colonel Nagorski, mais également de son épouse et de Constantin. J'ai essayé d'être un père pour ce garçon, dont le propre père était toujours absent, et même si le colonel me traitait comme un chien, jamais je n'aurais pu lui faire de mal, à cause des conséquences pour le reste de sa famille...

— Très bien, Maximov, reprit Pekkala. Partons du principe que vous lui avez rendu l'arme. Zalka disait-il vrai, lorsqu'il affirmait que Nagorski n'allait jamais nulle part sans son pistolet ?

— Pour autant que je sache, oui, c'est la vérité, répondit Maximov. Pourquoi me demandez-vous cela ?

— Le pistolet n'était pas sur le corps de Nagorski quand nous l'avons retrouvé, répondit Pekkala.

— Il est sans doute tombé de sa poche. Il a dû rester dans la boue.

— La fosse a été fouillée, répondit Kirov. On n'a retrouvé aucune arme.

— Mais vous ne comprenez pas ? » Maximov leva les bras et ses doigts agrippèrent l'extrémité du capot, qu'il referma violemment. « Zalka ne fait que ça ! Il passe son temps à semer le trouble. Même maintenant que le colonel est mort, Zalka est resté jaloux de lui.

— Il nous a dit autre chose, Maximov. Il a dit que vous aviez été tueur, au service du tsar.

— Qu'il aille au diable, ce Zalka ! s'emporta Maximov.

— Est-ce vrai ?

— Et quand bien même ça le serait ? répliqua-t-il sèchement. Nous avons tous fait des choses que nous aimerions oublier.

— Nagorski le savait-il quand il vous a engagé comme garde du corps ?

— Bien sûr qu'il le savait. C'est pour ça qu'il m'a embauché. Si vous voulez empêcher un homme de vous tuer, la meilleure chose à faire est de trouver votre propre tueur…

— Et vous n'avez aucune idée de l'endroit où l'arme de Nagorski pourrait se trouver ? » insista Pekkala.

Maximov empoigna sa chemise, posée sur un baril d'essence vide. Il l'enfila par la tête. Ses grosses mains luttèrent avec les petits boutons de nacre.

« Je n'en sais rien, inspecteur. Mais à moins qu'elle ne soit dans la poche de l'assassin, vous la retrouverez sans doute chez le colonel.

— Très bien, répondit Pekkala. J'irai fouiller la maison de Nagorski dès aujourd'hui. Tant qu'on n'a pas retrouvé cette arme, Maximov, vous êtes la dernière personne à l'avoir eue en votre possession. Vous comprenez ce que ça implique ?

— Je comprends, répondit le garde du corps. Ça veut dire que si vous ne mettez pas la main sur ce pistolet, je vais sans doute me retrouver condamné pour un meurtre que je n'ai pas commis. » Il se tourna vers Kirov. « Ça doit vous faire plaisir, major.

Depuis que Nagorski a été assassiné, vous cherchez une excuse pour m'arrêter… Alors, pourquoi ne pas le faire maintenant ? » Il tendit les mains, paumes vers le ciel, prêt à être menotté. « Quoi qu'il se soit passé, ou pas passé, vous finirez toujours par déformer la réalité afin qu'elle corresponde à votre version des faits… »

Kirov fit un pas vers lui, rouge de colère.

« Vous savez que je pourrais vous arrêter pour ce que vous venez de dire ?

— Ça prouve bien que j'ai raison ! hurla Maximov.

— Arrêtez ! rugit Pekkala. Tous les deux ! Je vous demanderai simplement, Maximov, de rester à notre disposition. »

Pekkala se rendit seul à la maison de Nagorski. Le même garde le laissa franchir le portail du complexe.

Avant de bifurquer sur la piste qui menait à la datcha du colonel, Pekkala se gara devant le bâtiment principal de la base. À l'intérieur, il trouva Gorenko assis sur un bidon d'essence criblé de balles, en train de feuilleter une revue. Le chercheur avait enlevé ses chaussures, et ses pieds reposaient sur le sable qui s'était écoulé du baril.

En apercevant Pekkala, Gorenko redressa la tête et sourit.

« Bonjour, inspecteur.

— On ne travaille pas, aujourd'hui ?

— Le travail est terminé ! répliqua Gorenko. Il y a à peine deux heures, un homme est venu chercher le prototype de notre T-34 pour le transporter jusqu'à l'usine de Stalingrad.

— Je n'avais pas compris que le prototype était prêt.

— Il l'est quasiment, répondit Gorenko. Comme je vous l'ai dit, inspecteur, il existe une différence entre excellence et perfection. On peut toujours améliorer les choses, mais visiblement, Moscou a estimé qu'il était temps de passer à la production de masse…

— Comment Ouchinsky a-t-il pris la nouvelle ?

— Il n'est pas encore arrivé. Perfectionniste comme il est, je doute que cela lui fasse plaisir. S'il repart dans ses délires, je vous l'enverrai aussitôt, inspecteur, histoire de lui remettre les idées en place.

— Je ferai de mon mieux, déclara Pekkala. En attendant, professeur, la raison de ma présence, c'est que j'essaie de mettre la main sur une arme ayant appartenu au colonel Nagorski. C'était un petit pistolet de fabrication allemande. Apparemment, il l'avait sur lui tout le temps.

— Je sais. Il n'avait pas d'étui pour ce machin, alors il mettait le pistolet dans la poche de sa tunique, avec ses pièces de monnaie. Ça faisait un de ces boucans…

— Vous savez d'où venait cette arme ? où il l'avait eue ?

— Oui. C'était un cadeau d'un général allemand, un certain Guderian, qui avait été officier tankiste pendant la guerre. Il a écrit un ouvrage sur la stratégie des chars d'assaut. C'était le livre de chevet de Nagorski. Ils s'étaient rencontrés lors d'une démonstration de blindés organisée par l'armée allemande, en 1936. Des dignitaires du monde entier avaient été conviés. Nagorski a été très impressionné par ce qu'il a vu. On lui a présenté Guderian. Visiblement, ces deux-là avaient beaucoup de choses en commun. Quand Nagorski est reparti, Guderian lui a offert ce pistolet. Nagorski le répétait toujours : il espérait que nous n'aurions pas à les combattre.

— Je vous remercie, professeur. » Pekkala se dirigea vers la porte du hangar puis, se ravisant, il se retourna vers Gorenko. « Qu'allez-vous faire, maintenant ? »

Gorenko eut un sourire triste. « Je ne sais pas, répondit-il. C'est un peu comme quand on a des enfants, j'imagine, qu'ils deviennent grands et quittent la maison. Il faut juste s'habituer au calme. »

Quelques minutes plus tard, Pekkala atteignit la maison de Nagorski.

Mme Nagorski était assise sous le porche. Elle portait une veste courte, en velours côtelé marron, avec le même col officier que celui des tuniques militaires russes, et un pantalon de toile bleue élimé, semblable à ceux des ouvriers d'usine. Ses cheveux étaient recouverts d'un foulard blanc orné sur le bord de fleurs rouges et bleues.

Elle semblait attendre quelqu'un d'autre.

Pekkala descendit de voiture et la salua d'un hochement de tête.

« Je suis désolé de vous importuner, madame Nagorski.

— J'ai cru que c'étaient les gardes qui venaient m'expulser de chez moi…

— Pourquoi feraient-ils une chose pareille ?

— La question, inspecteur, est plutôt de savoir pourquoi ils ne le feraient pas, maintenant que mon mari n'est plus…

— Eh bien, je ne suis pas venu vous expulser, répondit-il d'un ton qui se voulait rassurant.

« — Qu'est-ce qui vous amène, alors ? M'apportez-vous donc des réponses ?

— Non. Je n'ai que des questions, pour l'instant…

— Ah, dit-elle en se levant. Alors vous feriez mieux de rentrer et de me les poser, non ? »

À l'intérieur de la datcha, elle lui offrit l'une des deux chaises posées devant la cheminée. Un fagot de brindilles enveloppé de papier journal était coincé sous la grille de fonte de l'âtre, et une pyramide de bûches impeccable avait été dressée sur ses barreaux noircis.

« Je vous laisse l'allumer, dit Mme Nagorski en lui tendant une boîte d'allumettes. Je vais nous chercher à manger. »

Pekkala frotta une allumette, l'approcha du papier journal, regarda l'éclat bleuté se répandre et les mots imprimés se désagréger et disparaître dans les ténèbres.

Mme Nagorski disposa sur le rebord de la cheminée une assiette, sur laquelle des tranches de pain étaient déployées comme un jeu de cartes. À côté, elle posa une petite écuelle de fer-blanc remplie de flocons de sel marin, comme les écailles d'un minuscule poisson. Puis elle s'assit sur l'autre chaise.

« Alors, inspecteur, avez-vous appris quoi que ce soit depuis notre dernière conversation ? »

Pekkala ne fut pas surpris par son franc-parler et, étant donné les circonstances, il lui en était même reconnaissant. Il se pencha pour prendre une tranche de pain, en enfonça l'un des coins dans les flocons de sel et croqua dedans.

« Je crois que votre époux a été tué avec son propre pistolet.

— Ce truc qu'il avait toujours dans la poche ?

— Oui, répondit-il, la bouche pleine. Et je me demandais si vous saviez où il se trouve. »

Elle fit non de la tête.

« Il le posait toujours sur la table de chevet, le soir. C'était son objet le plus cher. Il n'y est plus. Il devait l'avoir avec lui quand il est mort.

— Il n'y a pas d'autre endroit où il pourrait se trouver ?

— Mon mari était assez maniaque dans ses habitudes, inspecteur. Le pistolet était toujours soit dans sa poche, soit sur cette table de chevet. Il ne supportait pas de ne pas savoir où se trouvaient les choses.

— Votre époux avait-il des rendez-vous prévus le jour de sa mort ?

— Je ne sais pas. De toute manière, il ne m'en aurait pas parlé, sauf si cela l'avait amené à rentrer plus tard le soir, et il ne m'a rien dit de tel…

— Donc il ne parlait jamais de son travail avec vous. »

Elle balaya d'un geste de la main les croquis du T-34 placardés sur les murs.

« C'était à la fois lui qui ne voulait pas parler et moi qui ne voulais pas entendre…

— Était-il seul quand il est parti, ce jour-là ?

— Oui.

— Maximov ne l'a pas conduit jusqu'au complexe ?

— Mon mari s'y rendait généralement à pied. C'était une matinée ensoleillée, alors il est parti en marchant. Cela lui prenait une vingtaine de minutes, pas plus, et c'était le seul exercice qu'il avait l'occasion de faire.

— Avez-vous remarqué quoi que ce soit d'inhabituel, ce jour-là ?

287

— Non. Nous nous étions disputés, mais cela n'avait vraiment rien d'inhabituel.

— Quel était le sujet de votre dispute ?

— C'était l'anniversaire de Constantin. La dispute a éclaté quand j'ai dit à mon mari qu'il aurait dû passer du temps avec son fils pour son anniversaire, au lieu de consacrer toute sa journée au travail. Dès que nous avons commencé à nous hurler dessus, Constantin s'est levé et il a quitté la maison.

— Où votre fils est-il parti ?

— Pêcher. C'est généralement ce qu'il fait quand il veut s'éloigner de nous. Il est assez grand, maintenant, pour ne pas avoir à nous dire où il va. Je n'étais pas inquiète, et plus tard, je l'ai aperçu dans sa barque, au milieu du lac. C'est là qu'il se trouvait quand vous êtes arrivés avec Maximov.

— J'imagine qu'il ne peut pas aller dans les bois, à cause des pièges ?

— Il n'y a pas de pièges ici, seulement aux abords du complexe. Autour de la maison, il n'y a aucun danger pour lui.

— Constantin accompagnait-il parfois son père au complexe ?

— Non, répondit-elle. C'était l'un des rares points sur lesquels mon mari et moi étions tombés d'accord. Nous ne voulions pas qu'il aille jouer dans un endroit où l'on fabriquait des armes, ou l'on tirait des coups de feu, et tout le reste…

— Cette dispute au sujet de son anniversaire, comment l'avez-vous résolue ?

— Résolue ? reprit-elle en éclatant de rire. Vous êtes bien optimiste, inspecteur… Nos disputes ne se résolvaient jamais. Elles s'arrêtaient, c'est tout, lorsque l'un de nous deux n'en pouvait plus et quittait la pièce. Dans ce cas précis, c'est mon mari qui est sorti, quand je l'ai accusé d'avoir tout bonnement oublié l'anniversaire de Constantin...

— S'en est-il défendu ?

— Non. Comment aurait-il pu ? Même Maximov avait envoyé une carte d'anniversaire à Constantin. Vous imaginez un peu, inspecteur, un garde du corps qui s'occupe davantage d'un jeune garçon que ne le fait son propre père ?

— Était-ce votre seul sujet de discorde ?

— En présence de Constantin, oui...

— Vous voulez dire qu'il y en avait d'autres ?

— En vérité, soupira-t-elle, mon mari et moi étions en train de nous séparer. » Elle posa les yeux sur lui, puis se détourna de nouveau. « J'avais un amant, voyez-vous.

— Ah, répondit-il d'une voix douce. Et votre mari l'a découvert. »

Elle acquiesça.

« Depuis quand durait cette liaison ?

— Depuis assez longtemps. Plus d'un an.

— Et comment votre époux s'en est-il rendu compte ? »

Elle haussa les épaules.

« Je l'ignore. Il a refusé de me le dire. Mais ça n'avait plus d'importance, à ce moment-là.

— Qui était votre amant ?

— Est-ce absolument nécessaire, inspecteur ?

— Oui, madame Nagorski. J'en ai peur.

— Il s'appelait Lev Zalka.

— Zalka !

— On dirait que vous le connaissez...

— Je l'ai rencontré ce matin même, répondit Pekkala. Et il ne m'a rien dit de cette liaison…

— L'auriez-vous mentionnée vous-même, inspecteur, si vous aviez pu éviter le sujet ?

— Est-ce la raison pour laquelle il a cessé de travailler sur le projet ?

— Oui. Il y en avait d'autres, des choses futiles qui auraient pu être réglées, mais cette affaire a mis un terme définitif à leur relation. Mon mari interdisait même qu'on prononce le nom de Zalka au complexe. Les autres techniciens n'ont jamais su ce qui s'était vraiment passé. Ils ont simplement pensé qu'il s'agissait d'une divergence de points de vue sur l'un des aspects du projet…

— Et Constantin, le savait-il ?

— Non. J'ai supplié mon mari de ne pas lui en parler jusqu'à ce que le projet aboutisse. Alors, nous retournerions nous installer en ville, chacun de notre côté. Constantin partirait faire des études d'ingénieur à l'Institut technique de Moscou. Il vivrait en pension sur place et pourrait venir nous voir, son père ou moi, aussi souvent qu'il le voudrait.

— Votre mari a accepté ?

— Il ne m'a pas dit qu'il refusait et, étant donné les circonstances, je ne pouvais guère espérer plus.

— Ce matin, reprit Pekkala, mon assistant et moi avons écarté Zalka de la liste des suspects, mais après ce que vous venez de me dire, je ne sais plus trop quoi penser…

— Êtes-vous en train de me demander si je crois que Lev a tué mon mari ?

— Ou bien… qu'il a commandité ce meurtre ?

290

— Si vous connaissiez Lev Zalka, vous n'imagineriez jamais une chose pareille…

— Pourquoi ?

— Parce que Lev n'a jamais haï mon époux. La seule personne que Lev haïsse, c'est lui-même. Dès le jour où nous avons commencé à nous voir, j'ai compris que cela le détruisait de l'intérieur.

— Pourtant, vous dites que ça a duré plus d'un an…

— Parce qu'il m'aimait, inspecteur Pekkala. Et moi aussi, d'ailleurs. Une partie de moi continue de l'aimer. Je n'ai jamais eu la force de mettre fin à cette liaison. Ç'a été ma grande faiblesse, et celle de Lev également. J'ai été presque soulagée quand mon mari l'a découvert. Et toutes ces souffrances que Lev endure à présent, ces expériences médicales, c'est par culpabilité qu'il se les impose. Il vous dira qu'il fait ça pour pouvoir continuer ses recherches, mais cet homme est tout simplement en train de se laisser saigner à mort…

— Vous êtes restés en contact ?

— Non. Nous ne pourrons jamais redevenir de simples amis. »

Il y eut un grincement de porte à l'arrière de la datcha. L'instant d'après, la porte se referma. Pekkala se retourna. Constantin était debout dans la cuisine. Dans sa main, il tenait un anneau métallique sur lequel trois truites avaient été embrochées au niveau des branchies.

« Mon chéri, lui annonça Mme Nagorski, l'inspecteur Pekkala est ici.

— J'aimerais que vous nous laissiez tranquilles, inspecteur, répliqua Constantin en posant ses poissons sur le plan de travail de la cuisine.

— J'étais sur le point de le faire, répondit Pekkala en se levant.

— L'inspecteur recherche le pistolet de ton père, expliqua Mme Nagorski.

— Ta mère m'a dit qu'il le posait toujours sur sa table de chevet, ajouta Pekkala. Ou dans la poche de son manteau. L'as-tu déjà vu dans un autre endroit ?

— Je n'ai quasiment jamais vu cette arme, rétorqua le garçon, parce que je ne voyais quasiment jamais mon père. »

Pekkala se tourna vers Mme Nagorski.

« Je vous laisserai le soin de fouiller la maison. Si vous retrouvez l'arme, merci de me prévenir immédiatement. »

Devant la maison, elle lui serra la main.

« Je suis désolée de la manière dont Constantin vous a parlé. C'est après moi qu'il est en colère. Il refuse encore de l'admettre, c'est tout. »

Il était déjà tard quand Pekkala rentra à son bureau. Il s'était arrêté en route pour faire le plein de l'Emka, au prix d'un long détour, et le garagiste l'avait convaincu qu'il fallait vidanger l'huile et le liquide de refroidissement. Il découvrit alors que le radiateur lui-même devait être changé, ce qui avait pris une bonne partie de la journée.

« Nous devrions aussi remplacer la jauge d'essence, avait ajouté le mécanicien. Visiblement, elle est défectueuse.

— Ça prendra combien de temps ? avait demandé Pekkala, à bout de patience.

— Il faudrait faire venir la pièce de Moscou. Ce qui vous obligerait à laisser la voiture ici jusqu'à demain matin, mais il y a un lit de camp derrière, si vous voulez…

— Non ! s'était emporté Pekkala. Faites juste le nécessaire pour que je puisse reprendre la route ! »

Une fois les réparations terminées, Pekkala avait enfin regagné son bureau. Il tomba sur Kirov à mi-chemin des escaliers.

« Ah, vous voilà ! s'écria ce dernier.

— Que se passe-t-il ?

— Le Kremlin vient de vous appeler. »

Pekkala sentit son cœur se serrer.

« Savez-vous ce qu'ils me veulent ?

— Ils ne m'ont rien dit. Ils m'ont simplement demandé de vous conduire là-bas au plus vite. Le camarade Staline vous attend.

— Il m'attend ? grommela Pekkala. Eh bien, pour une fois que c'est lui… »

Les deux hommes regagnèrent ensemble la rue où les attendait l'Emka, le moteur encore chaud.

« C'est terminé ! » hurla Staline.

Ils remontaient le couloir qui menait à son bureau privé. Des officiers d'état-major et des secrétaires en uniforme se poussaient pour les laisser passer, collant le dos au mur et regardant droit devant eux, telles des statues. Comme s'il jouait son rôle dans ce jeu sophistiqué, Staline ignorait leur présence.

« Qu'est-ce qui est terminé ? demanda Pekkala.

— Cette affaire ! répliqua Staline. Nous avons retrouvé l'homme qui a tué Nagorski. »

Des bureaux qui s'ouvraient de part et d'autre du couloir leur parvenaient des cliquetis de machines à écrire, le frôlement de classeurs à tiroirs qu'on ouvrait et refermait, le murmure de voix indistinctes.

« Vraiment ? » Pekkala ne put cacher son étonnement. « De qui s'agit-il ?

— Je ne sais pas encore. Je n'ai pas reçu le rapport final. Tout ce que je peux vous dire, c'est que nous avons interpellé cet homme, qu'il a avoué avoir tué Nagorski, mais également avoir vendu aux Allemands des informations au sujet du projet Constantin. »

Quand ils se présentèrent devant la porte de la salle d'attente, deux gardes armés d'une mitraillette firent claquer leurs talons. L'un d'eux ouvrit la porte d'un geste si vif que Staline put entrer sans même ralentir le pas.

Les trois assistants, dont Poskrebytchev, se levèrent brusquement de leurs chaises. Poskrebytchev esquissa un pas vers la porte du bureau, afin de l'ouvrir pour Staline.

« Laissez-moi passer ! » rugit Staline.

Sans même changer d'expression, Poskrebytchev se figea net, fit volte-face et regagna sa table.

Staline referma la porte du bureau derrière lui, et se fendit d'un large sourire.

« Je dois avouer, Pekkala, que le fait que vous n'ayez pas résolu cette affaire-là me procure un certain plaisir...

— Comment avez-vous fait pour arrêter cet homme ?

— C'est cette femme qui l'a interpellé, ce major du NKVD dont vous estimiez qu'elle pourrait vous être utile...

— Lysenkova ?

— Elle-même. Elle a reçu un appel d'un des

employés du complexe de Nagorski, qui a identifié le tueur.

— Je n'en savais rien, déclara Pekkala. Nous étions convenus que le major Lysenkova me tiendrait informé. »

Staline laissa échapper un vague grognement de surprise.

« Tout cela n'a plus d'importance, maintenant. Ce qui compte, c'est que nous tenons l'homme qui a fait ça.

— Et la Confrérie blanche, alors, et les agents assassinés ?

— Cela n'a apparemment rien à voir, répliqua Staline.

— Puis-je rencontrer cet homme ? » demanda Pekkala.

Staline haussa les épaules.

« Bien sûr. Je ne sais pas dans quel état vous le trouverez, mais j'imagine qu'il peut encore parler…

— Où est-il détenu ?

— À la prison de la Loubianka, en cellule de confinement. Mais d'abord, venez… »

Staline posa la main sur l'épaule de Pekkala et le guida vers les hautes fenêtres qui dominaient le champ de manœuvres désert. Il s'arrêta à quelques pas de la fenêtre. Il ne prenait jamais le risque d'être vu depuis l'extérieur.

« D'ici quelques mois, déclara-t-il, vous pourrez voir des rangées de chars T-34 garés en bas, flanc contre flanc. L'Allemagne prépare ouvertement la guerre. Je fais tout mon possible pour gagner du temps. Hier, j'ai suspendu toutes les patrouilles le long de la frontière polonaise, pour éviter d'éventuelles incursions sur leur territoire. Tout mouvement de notre part au-delà de nos frontières nationales serait interprété par les Allemands comme un acte d'agression, et Hitler saisira le moindre prétexte pour ouvrir les hostilités... Ces mesures ne suffiront pas à empêcher l'inévitable. Elles ne peuvent que le retarder, assez longtemps, espérons-le, pour que des T-34 attendent nos ennemis lorsqu'ils passeront à l'offensive. »

Pekkala abandonna Staline devant la fenêtre, à contempler ce défilé de blindés imaginaire.

En bas, dans la rue, Kirov faisait les cent pas devant l'Emka.

Pekkala jaillit du bâtiment en courant.

« Foncez à la Loubianka ! »

Quelques minutes plus tard, l'Emka négociait en rugissant le coin de la place Dzerjinski et pénétrait dans la cour centrale de la prison de la Loubianka. Bien qu'il n'eût pas neigé depuis des semaines, on apercevait encore des congères crasseuses, rejetées à la pelle dans les coins sombres durant les mois d'hiver. Sur trois des côtés de la cour, des murs s'élevaient, hauts de plusieurs étages. Une rangée de fenêtres se déployait le long du rez-de-chaussée, mais au-dessus, il n'y avait plus que d'étranges alignements de plaques métalliques ancrées dans le mur par des rivets larges comme la main, cachant tout ce qui pouvait se trouver derrière.

Un garde les escorta jusqu'à la prison. Il portait un épais pardessus fait d'une laine grossière à la teinte marron violacé, et, sur la tête, une grosse chapka. Pekkala et Kirov se présentèrent à la réception. Ils inscrivirent leurs noms sur un énorme registre contenant des milliers de pages, muni d'une plaque de métal qui ne laissait apparaître que le seul espace destiné aux nouveaux arrivants.

L'homme derrière le guichet décrocha son téléphone.

« Pekkala est ici », annonça-t-il.

Un deuxième garde vint aussitôt prendre le relais et les conduisit dans la pénombre d'une série de couloirs interminables, privés de fenêtres et bordés d'innombrables portes métalliques, toutes verrouillées. Les lieux empestaient l'ammoniaque, la sueur et l'humidité des vieilles pierres. Le sol était recouvert d'une moquette brune, et les gardes allaient jusqu'à porter des bottes à semelles de feutrine, comme si le bruit lui-même avait été considéré comme criminel. À l'exception du choc assourdi de leurs pas sur la moquette, l'endroit était d'un silence absolu. Pekkala avait beau être venu souvent, chaque fois ce silence le mettait à cran.

Le garde s'arrêta devant l'une des cellules, fit jouer sur l'acier les jointures de sa main, et ouvrit sans attendre. D'un brusque mouvement de tête, il leur fit signe d'entrer.

Pekkala et Kirov pénétrèrent dans une salle d'environ trois pas de long sur quatre de large, sous un haut plafond. Les murs étaient peints en brun jusqu'à hauteur d'épaule. Au-dessus, tout était blanc. La lumière provenait d'une unique ampoule grillagée fixée au-dessus de la porte. Au centre de la pièce se trouvait une table sur laquelle était posée une pile de vieux chiffons.

Le major Lysenkova se tenait entre eux et la table, et leur tournait le dos. Elle portait la tenue de cérémonie du NKVD : une tunique vert olive aux boutons de cuivre polis, et des bottes noires montantes glissées sous un pantalon bleu marine, avec une bande rouge violacé sur le côté.

« Je vous ai dit de pas me déranger ! » hurla-t-elle en se retournant. C'est alors, seulement, qu'elle reconnut ses visiteurs. « Pekkala. » Ses yeux s'écarquillèrent. « Je ne m'attendais pas à vous voir…

— Manifestement. »

Pekkala aperçut une silhouette recroquevillée dans un coin de la cellule. C'était un homme, qui portait le fin pyjama de coton beige fourni à tous les prisonniers de la Loubianka. Ses genoux étaient ramenés sur sa poitrine, et sa tête reposait dessus. L'un de ses bras pendait mollement contre son flanc. L'épaule avait été démise. L'autre bras était enroulé autour de ses tibias, comme s'il avait tenté de se faire tout petit. Entendant la voix de Pekkala, il releva la tête.

Le côté de son visage était à ce point boursouflé d'ecchymoses que Pekkala, d'abord, ne le reconnut pas.

« Inspecteur », grommela l'homme d'une voix brisée.

Pekkala reconnut la voix.

« Ouchinsky ! » s'exclama-t-il, bouche bée devant le délabrement du chercheur.

Le major Lysenkova prit une feuille de papier sur le bureau.

« Voici ses aveux complets, où il reconnaît le meurtre et la tentative de vendre des secrets à l'ennemi. Il les a signés. Le dossier est clos.

— Major, répliqua Pekkala, nous nous étions mis

d'accord pour que vous n'entrepreniez aucune action sans m'en informer au préalable.

— Ne prenez pas cet air surpris, inspecteur. Je vous ai dit que j'avais appris à survivre. J'ai aperçu une chance de me tirer de ce pétrin, et je l'ai saisie. Tout accord entre vous et moi devenait alors caduc. Le camarade Staline ne se préoccupe pas de savoir qui a résolu cette affaire – la seule chose qui lui importe, c'est qu'elle soit résolue. Les seules personnes qui s'en préoccupent, c'est vous… » Elle jeta un regard à Kirov. « … et votre assistant. »

Kirov ne répondit rien. Il resta planté contre le mur, contemplant Lysenkova avec stupéfaction.

« Puisque le dossier est officiellement clos, reprit Pekkala, j'imagine que vous ne verrez pas d'objection à ce que j'échange quelques mots avec le prisonnier. »

Lysenkova se tourna vers l'homme avachi au coin de la pièce.

« Je crois que non. »

Finalement, Kirov prit la parole.

« Je n'arrive pas à croire que tu aies fait ça », déclara-t-il.

Lysenkova le fixa du regard. « Je sais bien », répondit-elle. Puis elle sortit dans le couloir en passant devant lui. « Prenez tout votre temps, messieurs les inspecteurs », leur lança-t-elle avant de refermer la porte.

Dans la cellule, personne ne parlait ni ne faisait le moindre geste. Au bout d'un long moment, Ouchinsky brisa le silence.

« C'est Gorenko, murmura-t-il d'une voix brisée. Il l'a appelée. Il a raconté que j'étais sur le point de remettre aux Allemands les plans du T-34… »

Pekkala vint s'accroupir devant le blessé.

« C'était le cas ?

— Bien sûr que non ! Quand je me suis pointé au travail et que j'ai découvert qu'on était venu chercher le prototype, j'ai explosé. J'ai rappelé à Gorenko que l'engin n'était pas encore prêt. Ces tanks auront sans doute fière allure. Ils rouleront. Leurs mitrailleuses tireront. Ils rempliront parfaitement leur rôle dans des conditions maîtrisées, comme celles que nous avons pu tester au complexe… Mais dès qu'on enverra ces machines dans le monde réel, il ne faudra pas longtemps pour voir apparaître des défaillances majeures du moteur et du système de suspension… Il faut que vous préveniez les gens de l'usine, inspecteur. Dites-leur qu'ils ne peuvent pas lancer la production. Il manque encore trop de pièces au puzzle.

— Qu'a répondu Gorenko quand vous lui avez dit cela ? demanda Pekkala.

— Il a répondu que le tank était assez bien ainsi. C'est ce qu'il dit toujours ! Alors je lui ai déclaré que nous aurions aussi bien fait de remettre directement les plans aux Allemands, puisqu'ils n'arrêteraient pas, eux, avant que tout soit parfait… Et là, j'ai été arrêté par le NKVD.

— Et Nagorski, alors ? intervint Kirov. Avez-vous quelque chose à voir avec sa mort ? »

Le prisonnier secoua la tête.

« Je ne lui aurais jamais fait de mal.

— Ces aveux affirment le contraire, lui rappela Kirov.

— Oui, reconnut Ouchinsky. Je les ai signés quand ils m'ont disloqué le bras…

— Appartenez-vous à la Confrérie blanche ? interrogea Pekkala.

— Non ! Je n'en avais même jamais entendu parler... Que vont-ils faire de moi, inspecteur ? Le major dit qu'ils vont m'envoyer dans un endroit spécial en Sibérie, un camp qui s'appelle Mamlin-Trois. »

En entendant ce nom, Pekkala dut se forcer à respirer. Brusquement, il se tourna vers Kirov. « Sortez d'ici, lui ordonna-t-il. Rejoignez la voiture et ne m'attendez pas. Je vous retrouverai au bureau. »

Kirov le regarda, confus.

« Pourquoi ? demanda-t-il.

— S'il vous plaît, insista Pekkala.

— Vous allez essayer de le faire sortir d'ici ? »

Lentement, Kirov leva les mains, paumes tournées vers Pekkala, comme pour repousser ce qui s'annonçait.

« Oh non, inspecteur. Vous ne pouvez pas faire ça.

— Partez, Kirov.

— Mais il ne faut pas ! bredouilla Kirov. C'est totalement contraire aux règles... »

Ouchinsky ne semblait plus conscient de leur présence. Sa main valide glissait sans force sur son corps, comme s'il espérait, par quelque apposition miraculeuse, guérir ses blessures.

« Cet homme est innocent, déclara Pekkala. Vous le savez aussi bien que moi.

— Mais il est trop tard, protesta Kirov, en brandissant les aveux. Il a signé !

— Vous auriez signé vous aussi s'ils vous avaient fait subir ce traitement...

— Je vous en prie, inspecteur. Cela ne nous concerne plus... »

— Je sais où ils l'envoient, répliqua Pekkala. Je sais ce qui se passe là-bas.

— Vous ne pourrez pas le sortir d'ici, plaida Kirov. Même avec un passe fantôme.

— Partez, maintenant. Retournez au bureau. Une fois là-bas, appelez le major Lysenkova. Passez par le standard.

— Quelle raison aurais-je de vouloir lui parler ?

— Aucune, répondit Pekkala. Mais il faut que l'opérateur enregistre l'heure de votre appel. Cela fournira la preuve que vous ne vous trouviez plus à l'intérieur de la Loubianka. Trouvez n'importe quelle excuse, parlez-lui deux minutes, puis raccrochez et attendez mon retour.

— Vous avez vraiment l'intention de faire ça ?

— Je ne peux pas rester sans rien faire et les laisser envoyer un innocent à Mamlin-Trois. À présent, Kirov, mon ami, faites ce que je vous dis. »

Sans prononcer un mot de plus, le jeune homme se tourna vers la porte.

« Merci », murmura Pekkala.

Alors Kirov fit brusquement volte-face et cette fois le canon de son Tokarev était braqué sur Pekkala.

« Qu'est-ce que vous faites ? s'écria celui-ci.

— Vous me remercierez plus tard, répondit Kirov. Quand vous serez revenu à la raison. »

Sans perdre son sang-froid, Pekkala fixa le canon du pistolet.

« Je vois que vous avez emporté votre arme, cette fois. Je vous aurai au moins appris ça.

— Vous m'avez également appris que la loi est la loi, rétorqua Kirov. Il ne nous appartient pas de décider quand il faut obéir ou pas. J'avais l'impression, autrefois, que vous faisiez la différence entre le bien et le mal…

— Plus je vieillis, Kirov, plus il m'est difficile de les distinguer l'un de l'autre. »

Les deux hommes restèrent immobiles pendant un long moment.

Le canon du pistolet commença à trembler dans la main de Kirov.

« Vous savez très bien que je ne vous tirerai pas dessus, murmura-t-il.

— Je le sais », répondit Pekkala d'une voix bienveillante.

Kirov baissa son arme. D'un geste maladroit, il la rengaina. Puis il secoua la tête et sortit.

Pekkala resta seul avec Ouchinsky.

Un râle sourd s'éleva de la gorge du chercheur.

Il fallut un moment à Pekkala pour comprendre que l'homme riait.

« Le major Kirov a raison, n'est-ce pas ? Vous ne pouvez pas me faire sortir d'ici…

— Non, Ouchinsky. Je ne peux pas.

— Et ce qui se passe dans ce camp, est-ce aussi terrible que vous semblez le dire ?

— Pire que tout ce que vous pouvez imaginer. »

Un gémissement étouffé s'échappa de ses lèvres.

« Je vous en supplie, inspecteur, ne les laissez pas m'envoyer là-bas.

— Nous nous comprenons ? demanda Pekkala.

— Oui. »

Ouchinsky tenta de se relever, mais il en était incapable.

« Aidez-moi. »

Pekkala passa une main sous le bras valide d'Ouchinsky et l'aida à se redresser.

Le chercheur s'affaissa contre le mur, le souffle court.

« Gorenko pense que je le déteste, mais la vérité, c'est qu'il est mon seul ami. Ne lui dites pas ce qui m'est arrivé.

— C'est promis.

— Quel tank ont-ils emporté ? demanda Ouchinsky.

— Je l'ignore.

— J'ai toujours espéré qu'ils prendraient le numéro 4.

— Professeur, nous n'avons plus beaucoup de temps. »

Ouchinsky hocha la tête.

« Je comprends. Au revoir, inspecteur Pekkala.

— Au revoir, professeur Ouchinsky. »

Pekkala passa la main sous son manteau et dégaina son Webley.

À l'autre bout du couloir, le garde en faction entendit la détonation. Elle était si assourdie qu'il la confondit d'abord avec le cliquetis des plaques métalliques qu'un autre garde faisait coulisser sur les portes d'un couloir voisin, pour inspecter les cellules. Mais quand son collègue pointa la tête au coin du couloir et lui demanda : « Qu'est-ce que c'était que ça ? », il comprit ce qui venait de se passer.

Le garde se précipita vers la cellule d'Ouchinsky, ses pieds s'écrasant lourdement sur la moquette du couloir. Il repoussa le verrou et ouvrit grand la porte. La première chose qu'il aperçut fut un halo de sang sur le mur.

Ouchinsky gisait dans un coin, une jambe repliée

sous lui, l'autre tendue. Pekkala se tenait au centre de la pièce, son Webley au creux de la main. Un filet de fumée tourbillonnait autour de l'ampoule, et l'âcre odeur de la cordite brûlée flottait dans la pièce.

« Bon Dieu, mais que s'est-il passé ? s'écria le garde.

— Conduisez-moi chez le commandant de la prison. »

Cinq minutes plus tard, Pekkala se trouvait dans le bureau d'un homme au cou de taureau et au crâne rasé qui s'appelait Maltsev. Il dirigeait la Kommenda-tura, une branche spéciale intégrée au système de la prison de la Loubianka, et chargée de mener à bien les exécutions. Au cours des trois dernières années, Maltsev avait lui-même liquidé plus d'un millier de personnes. Assis à son bureau, il avait l'air abasourdi, comme incapable de se lever.

« Donnez-moi votre version des faits. » Ses poings serrés pesaient sur son bureau comme deux grenades charnues. « Il vaudrait mieux pour vous qu'elle soit convaincante. »

Pekkala sortit de sa poche son carnet d'identification du NKVD et le tendit à Maltsev. « Lisez ceci », dit-il d'un ton calme.

Maltsev ouvrit le livret. Ses yeux se fixèrent aussitôt sur le permis d'opérations classifiées. Il se tourna vers les gardes. « Vous deux, ordonna-t-il, sortez. »

Les gardes quittèrent la pièce à la hâte.

Maltsev lui rendit le carnet. « J'aurais dû me douter que vous possédiez un passe fantôme. Je ne peux pas vous arrêter. Je ne peux même pas vous demander pourquoi vous avez fait ça, n'est-ce pas ? » Il parais-sait plus contrarié encore qu'une minute auparavant.

« Non », répondit Pekkala.

Maltsev se rassit de tout son poids au fond de son siège et joignit les mains.

« J'imagine que ça n'a pas d'importance. Nous avons ses aveux. Son transfert vers Mamlin était déjà organisé. D'une manière ou d'une autre, il n'en avait plus pour très longtemps. »

Quinze minutes plus tard, tandis que le portail de la Loubianka se refermait derrière lui, Pekkala parcourut la rue du regard. L'Emka n'était plus là. Kirov avait suivi ses instructions. Pekkala se mit en route, à pied, pour rejoindre le bureau.

Mais ce n'est pas là que ses pas le guidèrent.

Il avait, figée dans son esprit, l'image de Kirov pointant son revolver sur lui. Kirov avait fait ce qu'il fallait. Il avait simplement appliqué les règles, et s'il avait continué de les appliquer, alors il se trouverait à présent au bureau, en train de rédiger un rapport pour dénoncer la faute professionnelle de Pekkala. Plus Pekkala y pensait, plus les mots de Kropotkine résonnaient fort à son oreille – cette idée que, tôt ou tard, il lui faudrait choisir entre les actes que son métier exigeait de lui et ce que lui dictait sa conscience. Peut-être le moment était-il enfin venu de disparaître, se dit-il et, soudain, cela ne lui parut plus impossible.

Il se souvint du matin où il était sorti avec le tsar sur la terrasse du palais de Catherine et avait regardé Ilya guider ses élèves vers le Théâtre chinois, de l'autre côté du parc. « Si vous la laissez partir, lui avait déclaré le tsar, vous ne vous le pardonnerez jamais. Et moi non plus, d'ailleurs. »

Le tsar avait dit vrai. Pekkala ne se l'était jamais pardonné. Nous ne nous sommes pas séparés par choix, pensa-t-il. Nous avons été éloignés l'un de l'autre par des circonstances qu'aucun de nous deux n'avait provoquées ni souhaitées. Mais même si elle vit avec un autre à présent, même si elle a un enfant, en vertu de quel ordre universel devrais-je me contenter de vivre le restant de mes jours comme un simple fantôme au fond de son cœur ?

Deux rues avant d'atteindre son bureau, Pekkala changea de direction et prit le chemin du café Tilsit. Il n'était pas certain d'y trouver Kropotkine, mais il ne tarda à l'apercevoir debout sur le trottoir, devant le tableau triangulaire sur lequel Bruno, le patron, inscrivait le menu du jour. Kropotkine fumait une cigarette, le visage obscurci par son képi, mais Pekkala le reconnut à sa manière de se tenir – les jambes légèrement écartées, fermement plantées sur le sol, une main dans le dos. On reconnaissait du premier coup d'œil la posture du policier, bien qu'il eût quitté l'uniforme.

Kropotkine l'aperçut et lui sourit.

« Je me demandais si je vous reverrais un jour », déclara-t-il, avant de jeter, d'une chiquenaude, sa cigarette sur la chaussée.

Ils trouvèrent deux places libres à l'intérieur, à l'écart des bancs conviviaux, de part et d'autre d'une petite table coincée sous l'escalier qui menait au premier étage. Là, personne n'entendrait leur conversation.

Bruno, le chef, avait préparé du bortsch. Il versa dans leurs écuelles de bois de grandes louches de soupe, comme des flots de sang.

« J'ai beaucoup repensé à notre dernière conversation, déclara Pekkala, tout en avalant de grandes cuillerées de cette soupe rouge rubis.

— J'espère que vous m'avez pardonné de m'être exprimé aussi franchement, répondit Kropotkine. C'est ma nature, je n'y peux rien…

— Il n'y a rien à pardonner. Vous m'avez parlé d'un moyen de disparaître…

— Oui, répliqua Kropotkine, et je me rends compte à présent que j'ai eu tort. »

Ces mots frappèrent Pekkala de plein fouet. C'était la dernière chose qu'il s'attendait à entendre de la bouche de Kropotkine.

« Ce n'est pas le moment de s'enfuir, poursuivit Kropotkine. Comment pourrons-nous changer les choses si nous nous contentons de nous volatiliser ? »

Pekkala ne répondit rien. La tête lui tournait.

Tout en parlant, Kropotkine mangeait bruyamment sa soupe.

« La vérité, Pekkala, c'est que j'espérais que nous pourrions travailler côte à côte, comme nous l'avions fait à Ekaterinbourg. »

Pekkala mit du temps à comprendre que Kropotkine lui demandait du travail. Toutes ces histoires de disparition n'avaient donc été que du vent. Il n'en voulait pas à Kropotkine. Au contraire, il s'en voulait à lui-même d'avoir cru ces fadaises. Sur le moment, Kropotkine pensait peut-être vraiment ce qu'il disait. Il serait peut-être même allé jusqu'au bout, mais c'était à ce moment-là, et maintenant il pensait tout à fait autrement.

Ces journées harassantes à traverser le pays de long en large ont fini par le rattraper, jugea Pekkala. Il s'est mis à repenser au bon vieux temps, quand il était dans la police, et il voudrait que les choses redeviennent comme avant. Mais le monde dont il se souvient n'existe plus. Peut-être n'a-t-il même jamais existé, d'ailleurs. En outre, se dit Pekkala, la raison pour laquelle on l'a renvoyé de la police interdirait toute réintégration, même en faisant jouer mes contacts...

« Je ne peux pas, répondit Pekkala. Je regrette, Kropotkine. C'est impossible. »

Quand Kropotkine entendit ces mots, ses yeux perdirent tout leur éclat. « Votre réponse m'attriste. » Il inspecta la salle du regard. « Je reviens dans une minute, Pekkala. Je suis censé passer prendre une cargaison à l'autre bout de la ville, et il faut que je me renseigne pour voir si elle est prête à être chargée.

— Bien sûr, répondit Pekkala. Je ne bouge pas d'ici. »

Tandis qu'il attendait le retour de Kropotkine, Pekkala eut soudain l'impression d'avoir rêvé. Il se sentit honteux, profondément honteux, d'avoir même envisagé d'abandonner son poste et de laisser Kirov en assumer les conséquences. Il pensa à Ilya, dont le visage scintillant émergea peu à peu du flou de sa mémoire, et il fit l'expérience d'une étrange hallucination.

Il se tenait debout sur le quai de la gare impériale de Tsarskoïe Selo. Ilya était à ses côtés. La lumière hivernale luisait comme la chair d'un abricot sur les briques aux jointures de plâtre. C'était l'anniversaire d'Ilya. Ils partaient dîner à Petrograd. Il se tourna pour lui parler et, brusquement, elle disparut.

Pekkala se retrouva alors devant un portail en fer forgé orné d'une gerbe de bronze ciselée, au pied du palais d'Alexandre. Il connaissait bien cet endroit. Il venait souvent y retrouver Ilya, à la fin de sa journée de classe. Ils partaient ensuite se promener ensemble dans le parc du palais. Un an plus tard, la tsarine et ses filles se retrouveraient devant cette grille et supplieraient les gardes du palais de leur rester fidèles, tandis que les soldats de la garde révolutionnaire avançaient sur Tsarskoïe Selo. Mais cela viendrait plus tard. Pour l'instant, Pekkala voyait Ilya marcher vers lui, ses manuels scolaires à la main, ses pas faisant crisser le pâle tapis de gravier. Il tendit la main pour lui ouvrir le portail et, cette fois, c'est lui qui disparut.

Il était maintenant sur le port de Petrograd et

regardait s'approcher du quai le voilier du tsar, le Standart. *Les marins jetèrent leurs amarres, nouées à leur extrémité en lourdes pommes de touline. Des dizaines de drapeaux de signalisation étaient accrochés aux drisses, formant un ensemble si bariolé qu'on aurait dit un fil à linge sur lequel des bouffons du roi auraient fait sécher leurs tenues. De nouveau, Ilya l'accompagnait, la brise légère soulevant sa robe d'été blanche autour de ses genoux. Pekkala portait son éternel manteau noir, sous prétexte que l'on annonçait l'arrivée d'un front froid. La vérité, c'est qu'il portait ce manteau parce que, même par ce temps, il ne se sentait bien que dans cette tenue-là. On les avait conviés à dîner à bord – c'était la première fois que les Romanov les invitaient en couple. Ilya était très heureuse. Pekkala se sentait mal à l'aise. Il n'appréciait guère les dîners, et encore moins dans l'espace confiné d'un bateau, fût-ce le voilier impérial. Ilya savait ce qu'il pensait. Il sentit son bras se poser autour de sa taille.*

« Je ne veux pas partir », lui dit-il, mais à peine avait-il prononcé ces mots que ses yeux s'ouvrirent et qu'il se retrouva de nouveau au fond du café.

D'abord, Pekkala se sentit perdu.

C'était comme si ses souvenirs d'Ilya avaient été jetés en l'air tels des confettis et voletaient tout autour de lui. Il s'était si souvent réfugié dans ces images, en se retirant du monde qui l'entourait, et leur éclat vif effaçait les années écoulées entre le monde d'alors et celui d'aujourd'hui. Mais, à présent, le temps se précipitait. Les événements défilaient sous ses yeux, trop vite pour qu'il puisse les comprendre, jusqu'au moment où, finalement, les rubans de souvenirs dans lesquels il s'était blotti commencèrent à se déchirer. Au bout du compte, quand le dernier ruban eut cédé, Pekkala comprit qu'il ne pourrait jamais revenir en arrière.

Kropotkine vint le rejoindre.

« Ma cargaison est prête, déclara-t-il. J'ai bien peur de devoir y aller.

— Je vous raccompagne dehors », répondit Pekkala en se levant, courbant le dos sous l'escalier qui se dressait au-dessus d'eux.

Devant le café, les deux hommes échangèrent une poignée de main.

La foule du déjeuner quittait les lieux. Les gens se rassemblaient sur le trottoir, reboutonnant leur manteau ou allumant une cigarette qui leur tiendrait compagnie sur le chemin du travail.

« Au revoir, mon vieil ami », dit Kropotkine.

Bruno, le chef, sortit en portant un chiffon mouillé et un bâton de craie.

« Plus de soupe ! » leur annonça-t-il au passage. Il s'accroupit devant le tableau noir et commença à effacer le mot « bortsch ».

En lâchant la main de Kropotkine, Pekkala repensa à tous les gens qui avaient traversé sa vie. Leurs visages fusionnèrent dans son esprit. Et à cette longue série, comme s'il avait fixé une photographie dans un album, il ajouta l'image de Kropotkine.

« Au revoir », répondit-il, mais sa voix fut couverte par le grondement sourd d'une grosse moto déboulant dans la rue.

« Hé ! » s'écria Bruno.

En se retournant, Pekkala vit Bruno agiter son chiffon devant le pilote de l'engin qui approchait à vive allure, au ras du caniveau. Le motard portait un casque de cuir et des lunettes de moto, évoquant, aux yeux de Pekkala, la tête d'un insecte géant posée sur un corps d'homme. Il tendit le bras, comme s'il voulait arracher le chiffon des mains de Bruno.

Quelle mauvaise plaisanterie, pensa Pekkala. Mais alors, il se rendit compte que le motard tenait un pistolet. Ce qui suivit ne dura que quelques secondes, mais Pekkala eut soudain l'impression que tout se déroulait au ralenti, au point qu'il put quasiment distinguer les balles jaillissant du canon.

Le motard ouvrit le feu, son doigt pressant en

cadence la gâchette, et les salves se succédèrent. Son bras pivotait chaque fois qu'il visait, mais le trottoir était tellement bondé que Pekkala ne put identifier ses cibles.

Il entendit un fracas de verre brisé dans son dos, quand la vitrine du café Tilsit vola en éclats. Kropotkine se jeta de côté. Cherchant à s'écarter de la moto, Bruno se prit le pied dans le lourd tableau noir, qui décolla dans les airs, ses deux panneaux se déployant comme les ailes d'un oiseau.

Pekkala le vit jaillir vers lui.

C'était la dernière chose dont il se souvenait.

Quand il reprit ses esprits, un homme était penché au-dessus de lui.

Pekkala l'agrippa par le cou.

Le visage de l'homme prit une teinte écarlate. Ses yeux lui sortaient de la tête.

« Arrêtez ! » hurla une voix de femme.

Quelqu'un avait empoigné la main de Pekkala, tentant de le forcer à lâcher la gorge de l'homme.

Totalement désorienté, Pekkala se tourna vers cette paire de mains, et ses yeux remontèrent jusqu'au corps de la femme. Elle portait l'uniforme des infirmières d'ambulance – une jupe grise, une tunique blanche et une coiffe blanche avec une croix rouge sur le front.

« Lâchez-le, hurla la femme. Il essayait seulement de vous aider ! »

Pekkala desserra son emprise.

L'homme retomba en arrière et s'effondra sur le trottoir, suffoqué.

Pekkala se redressa tant bien que mal. Il comprit qu'il se trouvait devant le café Tilsit. Le trottoir était jonché d'éclats de verre. Un cadavre gisait sous un drap noir, à un mètre de lui à peine. Plus loin, sur le trottoir, il aperçut d'autres corps, eux aussi recouverts. Un filet de sang s'écoulait de sous l'un de ces draps, suivant les zébrures du trottoir comme un éclair rouge.

L'homme que Pekkala avait tenté d'étrangler se redressa à grand-peine, en se tenant la gorge. Il portait lui aussi l'uniforme d'un ambulancier.

Pekkala se souvint alors du pistolet.

« J'ai reçu une balle ? demanda-t-il.

— Non, répondit l'homme, d'une voix éraillée. C'est ça que vous avez reçu... »

Pekkala suivit la direction indiquée par son doigt, et ses yeux se posèrent sur le tableau noir de Bruno.

« Vous avez eu de la chance, déclara l'homme. Vous n'aurez même pas besoin de sutures. »

Pekkala porta la main à son visage. Il sentit sous son doigt une éraflure irrégulière à la base des cheveux. Quand il retira sa main, ses doigts étaient tachés de sang.

Des hommes en uniforme du département de police de Moscou s'activaient autour d'eux. Le verre brisé crissait sous les semelles de leurs bottes.

« Puis-je lui parler, maintenant ? demanda l'un des policiers en désignant Pekkala.

— Dans une minute, répondit sèchement l'infirmière. Laissez-moi d'abord lui poser un bandage.

— Combien de temps suis-je resté inconscient ? voulut savoir Pekkala.

— Environ une heure, répondit l'infirmière, qui s'agenouilla à côté de lui en déroulant une bande de gaze. Nous avons d'abord pris en charge les blessés

315

les plus graves. Ils ont été emmenés à l'hôpital. Vous avez eu de la chance… »

Elle n'avait pas terminé sa phrase quand Pekkala se leva brusquement et se dirigea vers le drap noir le plus proche. Il le souleva. Les yeux de Bruno étaient grands ouverts et vitreux. Puis il s'approcha des deux autres draps et les souleva à leur tour. Il y avait un homme et une femme, qu'il ne connaissait ni l'un ni l'autre. Un court instant, il se sentit soulagé en constatant que Kropotkine ne figurait pas parmi les victimes.

« Il y avait un homme avec moi, déclara-t-il en se retournant vers l'infirmière.

— La police a laissé partir ceux qui n'étaient pas blessés, répondit-elle. Votre ami est sans doute rentré chez lui, tout simplement. Nous n'avons recouvert que les victimes, votre ami doit donc savoir que vous êtes vivant. »

Pekkala se souvint que Kropotkine devait passer prendre une cargaison avec son camion. Il n'était pas surpris qu'il ne soit pas resté. Quand ils s'étaient dit au revoir, il y avait eu dans la voix de Kropotkine un ton définitif, et Pekkala avait alors compris qu'ils ne se reverraient plus jamais. Kropotkine avait probablement déjà repris la route en direction, qui sait, de la Mongolie…

« Avez-vous le signalement du motard ? » demanda-t-il au policier.

L'agent fit non de la tête.

« Tout ce que nous savons, c'est qu'il s'agissait d'un homme. Il est passé si vite que personne n'a vraiment eu le temps de le voir. »

Pendant que l'infirmière lui bandait la tête, Pekkala fit sa déposition. Il était assis sur le rebord du trottoir, et les semelles de ses chaussures formaient comme deux îlots dans une flaque de sang, celui de Bruno. Il n'avait pas grand-chose à dire. Tout s'était déroulé si vite. Il se souvenait du visage du motard, dissimulé sous les lunettes et le casque de cuir.

« Et la moto ? interrogea le policier.

— Elle était noire, et plus grosse que celles qu'on voit généralement dans les rues de Moscou. Il y avait une inscription sur le côté du réservoir. En lettres argentées. Je n'ai pas pu lire ce qui était écrit. »

Le policier griffonna quelques mots sur son calepin.

« Vous savez qui était visé ? demanda Pekkala.

— Difficile à dire. Il y avait beaucoup de gens sur le trottoir quand il a débarqué. Peut-être ne visait-il personne en particulier… »

L'infirmière aida Pekkala à se relever.

« Vous devriez nous accompagner à l'hôpital, dit-elle.

— Non, répliqua-t-il. Je dois absolument me rendre quelque part. »

Elle posa le pouce sur la paupière de Pekkala, juste sous son sourcil droit. Puis elle lui ouvrit l'œil et lui éclaira la pupille avec une petite torche.

« Très bien, déclara-t-elle à contrecœur. Mais si vous avez des maux de tête, des vertiges ou si votre vision se brouille, il faudra immédiatement consulter un médecin. Compris ? »

Pekkala acquiesça. Il se tourna vers l'ambulancier. « Je suis vraiment désolé. »

L'homme sourit. « La prochaine fois, je vous laisserai vous débrouiller. »

Pekkala rejoignit son bureau à pied. Sa tête le faisait souffrir, comme un matin de gueule de bois, et l'odeur de la gaze et du désinfectant lui donnait mal au cœur. Une fois dans l'immeuble, il se dirigea vers les toilettes du rez-de-chaussée, défit le bandage et se rinça le visage à l'eau froide. Puis il monta l'escalier.

Kirov était en train de balayer la pièce.

« Inspecteur ! s'exclama-t-il en le voyant entrer. Bon Dieu, mais que vous est-il arrivé ? »

Pekkala le lui raconta.

« Vous croyez que c'est vous qu'il visait ? interrogea Kirov, abasourdi.

— Qu'il m'ait visé ou non, il a bien failli me régler mon compte. Combien de personnes ai-je envoyées derrière les barreaux, Kirov ?

— Des dizaines. » Kirov haussa les épaules. « Et même plus que ça…

— Exactement, et n'importe laquelle aurait pu vouloir s'en prendre à moi. La police mène son enquête. Ils ont promis de me prévenir s'ils découvrent quoi que ce soit. » Pekkala s'interrompit. « Il faut que je vous dise quelque chose, Kirov. »

Sans un mot, Kirov posa son balai contre le mur et s'assit à son bureau.

« Inspecteur, j'ai réfléchi à…

— Moi aussi, j'ai bien réfléchi, l'interrompit Pekkala. Au sujet des règles. Aujourd'hui, à la Loubianka, j'ai enfreint toutes celles que je vous ai enseignées. Si vous estimez qu'il faut faire un rapport concernant ma conduite, je vous soutiendrai. »

Kirov eut un sourire.

« Pas toutes les règles, inspecteur. Vous m'avez dit un jour de ne rien faire qui heurte ma conscience. C'est ce que vous avez fait, dans cette prison, et c'est ce que je fais maintenant. Oublions donc ces histoires de rapport. En outre, l'assassin de Nagorski court toujours : nous avons encore du pain sur la planche…

— Je suis bien d'accord. »

Pekkala se dirigea vers la fenêtre et contempla les toits de la ville. Les ardoises grises étincelaient comme du cuivre dans la lumière du crépuscule.

« Ils ont peut-être ses aveux, mais ils n'ont pas la vérité. Pas encore. »

Il inspira longuement, puis laissa échapper un soupir, et son souffle dessina une auréole grise sur la vitre.

« Merci, Kirov, ajouta-t-il.

— Et puis, il est hors de question que le major Lysenkova s'attribue tout le mérite… » Kirov croisa les bras et s'enfonça dans son fauteuil. « Quelle garce !

— Parce qu'elle a réussi à mieux profiter de vous que vous n'avez profité d'elle ?

— Ce n'est pas ce que vous croyez ! protesta Kirov. Je commençais vraiment à l'apprécier !

— Alors, elle a vraiment profité de vous.

— Je ne comprends pas comment vous pouvez être aussi jovial, grommela Kirov, vexé. J'ai failli vous tirer dessus, aujourd'hui.

— Mais vous ne l'avez pas fait et rien que ça, ça mérite d'être arrosé… »

Pekkala ouvrit l'un des tiroirs de son bureau et en sortit une bouteille aux formes étrangement arrondies, enveloppée d'osier, scellée par un bouchon de liège. Elle contenait l'eau-de-vie de prune que lui fournissait un Ukrainien éperdu d'amour du marché de Sukharevka. Comme souvent sur ce marché, la transaction se faisait sous forme d'échange. L'Ukrainien avait une petite amie en Finlande. Il l'avait rencontrée lorsqu'il travaillait à bord d'un navire de commerce sillonnant la Baltique. Elle lui écrivait dans sa langue maternelle des lettres que Pekkala se chargeait de traduire. Ensuite, l'Ukrainien épanchait son cœur, et Pekkala rédigeait une traduction destinée à la Finlandaise. En échange de ce service, et de sa discrétion, il recevait chaque mois un demi-litre d'eau-de-vie.

« De la slivovitz ! s'exclama Kirov. Là, ça commence à me plaire… »

Il prit deux verres sur l'étagère, souffla la poussière qui les recouvrait et les posa devant Pekkala. Lequel y versa le breuvage d'un jaune verdâtre. Puis il en fit glisser un vers Kirov.

Ils portèrent un toast, levant leurs verres à hauteur du front.

À la première gorgée, un goût de prune explosa doucement sous le crâne de Pekkala, inondant son esprit des arômes poussiéreux et violacés du fruit mûr.

« Vous savez, déclara-t-il quand l'incendie se fut éteint au creux de ses bronches, c'était le seul alcool fort que s'autorisait le tsar.

— Cela me semble fort peu patriotique, remarqua Kirov d'une voix rendue rauque par l'alcool, d'être russe et de ne pas apprécier une goutte de vodka de temps en temps…

— Il avait ses raisons », répliqua Pekkala, décidant de s'en tenir là.

Pekkala était seul dans l'immensité du parc d'Alexandre.

C'était un soir de la fin mai. Les jours commençaient à rallonger, et le ciel restait clair bien après le coucher du soleil. Les pétales roses et blancs des cornouillers étaient déjà tombés, cédant la place à des feuilles luisantes, vert citron. Dans cet endroit, l'été n'arrivait pas progressivement. Il semblait au contraire embraser d'un coup le paysage.

Après une longue journée de travail dans la ville de Petrograd, Pekkala faisait une promenade, chaque soir après dîner, à travers le domaine. Il ne rencontrait jamais personne à cette heure avancée, mais ce jour-là, il aperçut un cavalier qui venait à sa rencontre. Le cheval avançait d'un pas tranquille, rênes lâches, son cavalier avachi sur la selle. À la silhouette de l'homme, Pekkala reconnut aussitôt le tsar. L'étroitesse de ses épaules. L'étrange posture de sa tête, comme si les articulations de son cou avaient été trop raides.

Enfin, le tsar parvint à sa hauteur.

« Qu'est-ce qui vous amène ici, Pekkala ?

— Je sors souvent marcher le soir.

— Je pourrais vous trouver un cheval, vous savez... », répondit le tsar.

Les deux hommes partirent d'un éclat de rire contenu en se souvenant du fait que c'était une histoire de cheval qui les avait fait se rencontrer. Dans le cadre de la formation suivie par Pekkala au sein de la Légion finlandaise, il avait reçu l'ordre de faire sauter son cheval par-dessus une barrière au sommet de laquelle l'instructeur avait tendu un fil barbelé. À la moitié de l'exercice, la plupart des chevaux saignaient déjà abondamment, les pattes et le ventre déchirés. La sciure était éclaboussée de sang étincelant comme un rubis. Quand Pekkala refusa de faire sauter son cheval, l'instructeur le menaça d'abord, puis l'humilia, et enfin tenta de le raisonner. Pekkala savait, avant même de prononcer un mot, que ce refus d'obéissance entraînerait son exclusion du corps des cadets. Il prendrait le prochain train pour la Finlande. Mais, à cet instant, le sergent et les cadets s'aperçurent qu'on les observait. Le tsar se tenait dans l'ombre du manège.

Quand Pekkala ramena son cheval aux écuries, le tsar l'y attendait. Une heure plus tard, il quittait la Légion finlandaise, transféré sur ordre du tsar pour suivre une formation spéciale auprès de la police impériale, de la police d'État et de l'Okhrana. Deux ans et deux mois plus tard, Pekkala fixait au revers de son manteau l'insigne de l'œil d'émeraude. Depuis ce jour, il avait toujours préféré, dans la mesure du possible, se déplacer à pied.

Par cette soirée printanière, le tsar sortit une flasque en étain de la poche de sa tunique, dévissa le bouchon, en but une gorgée et la tendit à Pekkala.

C'était la première fois que Pekkala goûtait la slivovitz. D'abord, il ne put reconnaître de quoi il s'agissait. L'arrière-goût lui rappela cette eau-de-vie que sa mère distillait jadis, à base de mûres arctiques qu'elle ramassait dans la forêt, près de chez eux. Ces baies n'étaient pas faciles à trouver. Les mûres arctiques ne poussaient pas toujours au même endroit d'une année sur l'autre, mais un peu au hasard, dans les lieux les plus inattendus, si bien que, pour la plupart des gens, il fallait tant de chance pour tomber dessus qu'ils ne se donnaient pas cette peine. Mais la mère de Pekkala semblait toujours capable, d'un seul regard aux broussailles du sous-bois, de savoir où elles abonderaient. Comment elle le savait, cela restait tout aussi mystérieux aux yeux de Pekkala que les raisons pour lesquelles le tsar avait fait de lui l'Œil d'Émeraude.

« Demain, c'est l'anniversaire de mon mariage, remarqua le tsar.

— Félicitations, Majesté, répondit Pekkala. Avez-vous prévu quelque chose pour marquer l'occasion ?

— Ce n'est pas une occasion que je fête », répliqua le tsar.

Pekkala n'eut pas besoin de lui demander pourquoi. Le jour du couronnement du tsar, en mai 1896, le tsar et la tsarine étaient restés assis cinq heures durant sur leurs trônes d'or et d'ivoire pendant que l'on lisait à voix haute les noms de leurs territoires – Moscou, Petrograd, Kiev, Pologne, Bulgarie, Finlande. Enfin, après qu'il eut été proclamé seigneur et juge de la Russie, les cloches sonnèrent dans toute la ville et des coups de canon résonnèrent dans le ciel.

Pendant ce temps, une foule d'un demi-million

de personnes s'était rassemblée en périphérie de la ville, sur un champ de manœuvres militaire connu sous le nom de Khodynka, attirée par des promesses de nourriture et de bière à volonté, et de grandes tasses commémoratives. Quand la rumeur se répandit qu'il n'y avait presque plus de bière, la foule se rua en avant. Plus d'un millier de personnes, trois mille selon certains, furent piétinées à mort dans cette bousculade.

Pendant les heures qui suivirent, des charrettes chargées de cadavres sillonnèrent les rues de Moscou, leurs conducteurs cherchant des lieux où dissimuler les morts le temps que le cortège nuptial ait fini de passer. Dans la confusion, certaines de ces charrettes, recouvertes de bâches d'où dépassaient parfois des bras et des jambes, se retrouvèrent coincées devant et derrière le défilé royal.

« Cet après-midi-là, confia le tsar à Pekkala, avant que la cérémonie du mariage ne commence, j'ai bu un verre à la santé des gens rassemblés sur le champ de Khodynka. C'est la dernière fois que j'ai touché à la vodka. »

Le tsar sourit dans le vague, s'efforçant d'oublier. Il leva la flasque.

« Alors, que dites-vous de ma solution de remplacement ? Je la fais venir de Belgrade. Je possède des vergers, là-bas.

— J'aime assez, Majesté.

— Vous aimez assez, répéta le tsar, et il but une autre gorgée.

— Ce n'était pas votre faute, Majesté, reprit Pekkala. Ce qui s'est passé à Khodynka. »

Le tsar inspira brusquement.

« Vraiment ? Je n'ai jamais pu m'en persuader...

— Ce sont des choses qui arrivent. On n'y peut rien.

— Je le sais bien. »

Mais Pekkala vit qu'il mentait.

« Le problème, poursuivit le tsar, c'est que soit j'ai été désigné par Dieu pour régner sur ces terres, auquel cas le jour de mon mariage est la preuve que nous vivons et périssons selon la volonté du Tout-Puissant, soit... » Il marqua une pause. « ... soit ce n'est pas le cas. Savez-vous seulement combien j'aimerais croire que vous avez raison – que ces gens sont morts, tout simplement, par accident ? Ils me hantent. Je ne peux oublier leurs visages. Mais si je crois qu'il s'agissait d'un accident, Pekkala, alors que penser de tous les autres événements qui se sont déroulés ce jour-là ? Soit Dieu est responsable de ce qui nous arrive, soit il ne l'est pas. Je ne peux pas me contenter de choisir en fonction de ce qui m'arrange. »

Pekkala lut le tourment sur son visage.

« Pas plus que la prune ne peut choisir son goût, Majesté. »

Le tsar eut un beau sourire.

« Je m'en souviendrai », dit-il, et il lança la flasque dans les mains de Pekkala.

Pekkala la portait sur lui cinq ans plus tard, quand des gardes bolcheviques l'arrêtèrent à la frontière, le jour où il avait tenté de fuir le pays, au début de la révolution. Son insigne et son revolver lui avaient été rendus par la suite, mais la flasque s'était volatilisée en chemin.

Depuis ce soir-là, dans la lumière crépusculaire du parc d'Alexandre, le vert vitreux de la slivovitz revêtait *une signification quasi sacrée aux yeux de Pekkala. Dans un monde où un passe fantôme lui donnait le droit de faire à peu près tout ce qu'il jugeait bon, le goût de prunes mûres de cette eau-de-vie venait lui rappeler tout ce qu'il ne pouvait maîtriser.*

Tard dans la nuit, Pekkala était assis à l'extrémité de son lit à lire le *Kalevala* quand le téléphone sonna au bout du couloir. Il n'y avait qu'un combiné par étage, et les appels ne lui étaient jamais destinés, si bien qu'il ne détacha même pas les yeux de son livre. Il entendit la porte de l'appartement de Babayaga s'ouvrir et le pas léger de Talia qui courait décrocher.

Personne n'aimait être celui qui devait sortir de chez lui pour répondre au téléphone, surtout à une heure pareille, et on s'était donc mis d'accord, de manière officieuse, pour que Talia prenne les appels et prévienne leurs destinataires. En contrepartie, l'enfant recevait un petit cadeau, de préférence à base de sucre.

Le bruit de pas reprit et Pekkala eut la surprise d'entendre Talia frapper à sa porte.

« Inspecteur, dit-elle. C'est pour vous. »

La première chose que fit Pekkala en entendant ces mots fut d'inspecter sa chambre du regard, en quête d'un cadeau pour la petite. Ne trouvant rien, il se leva et fouilla ses poches. Il étudia sa poignée de pièces de monnaie.

« Inspecteur, insista Talia, vous êtes là ?

— Oui, répondit-il à la hâte. J'arrive tout de suite.

— Vous me cherchez un cadeau ? demanda-t-elle.

— Tout à fait.

— Alors prenez votre temps. »

Quand il ouvrit enfin la porte, elle cueillit la pièce au creux de sa main.

« Suivez-moi, inspecteur ! »

C'est seulement au moment d'empoigner le combiné que Pekkala eut le loisir de se demander qui pouvait bien l'appeler si tard.

« Inspecteur ? dit une voix féminine. Est-ce vous ?

— Je suis Pekkala. À qui ai-je l'honneur ?

— Yelena Nagorski.

— Oh ! s'écria-t-il, surpris. Tout va bien ?

— Eh bien non, inspecteur, je le crains…

— Que se passe-t-il, Yelena ?

— Constantin a découvert la raison pour laquelle mon mari et moi allions nous séparer.

— Mais comment ?

— C'est Maximov qui le lui a dit.

— Pourquoi aurait-il fait une chose pareille ?

— Je ne sais pas. Il a débarqué ici ce soir. Maximov s'est mis dans la tête que lui et moi, nous devions nous marier…

— Vous marier ? Il était sérieux ?

— Je crois qu'il était on ne peut plus sérieux, répondit-elle, mais je pense aussi qu'il était on ne peut plus ivre. J'ai refusé de le laisser entrer. Je l'ai prévenu que s'il ne partait pas, j'allais prévenir les gardes du complexe.

— Il est parti ?

— Pas tout de suite. Constantin est sorti et lui a

ordonné de s'en aller. C'est là que Maximov lui a raconté ce qu'il y avait eu entre Lev Zalka et moi.

— Comment Maximov était-il au courant ?

— Mon mari lui a peut-être tout raconté, et même s'il ne l'a pas fait, Maximov a très bien pu le deviner tout seul. Je l'ai toujours soupçonné de savoir...

— Où se trouve Maximov, maintenant ?

— Je l'ignore. Je crois qu'il est rentré au complexe en voiture, à moins qu'il ne soit sorti de la route en chemin... Après, je n'ai pas la moindre idée de l'endroit où il a pu aller. La raison de mon appel, inspecteur, c'est que je n'ai pas non plus la moindre idée de celui où mon fils est passé... Quand j'ai finalement réussi à faire partir Maximov, je me suis retournée et j'ai vu que Constantin n'était plus là. Il doit être quelque part dans la forêt. Il n'a pas d'autre endroit où aller. Constantin sait se repérer dans ces bois en plein jour, mais il fait nuit noire là-dehors. Je suis morte d'inquiétude à l'idée qu'il puisse se perdre et errer trop près du complexe. Vous savez bien ce qu'il y a là-bas, inspecteur. »

L'image du capitaine Samarin, empalé sur son tuyau rouillé, traversa l'esprit de Pekkala.

« Très bien, Yelena, répondit-il. J'arrive. En attendant, tâchez de ne pas vous inquiéter. Constantin est un jeune homme plein de ressources. Je suis sûr qu'il saura prendre soin de lui. »

Une heure plus tard, tandis que les phares de l'Emka labouraient les ténèbres de la piste qui bordait le complexe, Pekkala sentit le moteur perdre soudainement de la puissance. Alors qu'il tentait de comprendre quelle pouvait en être la cause, l'engin eut de nouveau des ratés.

Il examina les cadrans du tableau de bord. Batterie. Horloge. Compteur de vitesse. Essence. Pekkala jura entre ses dents. La jauge d'essence, qui indiquait les trois quarts d'un plein lorsqu'il avait quitté la ville, était retombée à zéro. Il se rappela que le mécanicien l'avait prévenu : la jauge semblait défectueuse et méritait d'être changée. Pekkala regrettait à présent de ne pas l'avoir écouté. Le moteur poussa un gémissement. Les phares vacillèrent. On aurait dit que la voiture s'était évanouie.

« Oh non, pas maintenant », grogna Pekkala d'un ton impérieux.

Comme pour le contrarier, le moteur choisit ce moment pour s'étouffer complètement. Il n'y eut plus que le roulement des pneumatiques qui ralentissait peu à peu, et Pekkala se rangea sur le bas-côté.

Il descendit et observa les environs. Puis il jura en finlandais – une langue particulièrement riche en jurons. *« Jumalauta ! »* rugit-il dans l'obscurité.

La route se poursuivait droit devant, légèrement luisante de rosée. De part et d'autre, la forêt se dressait, noire et impénétrable. Les étoiles encombraient le ciel jusqu'à l'horizon, suspendues aux cimes en dents de scie des sapins, telles des décorations de Noël.

Pekkala reboutonna son manteau et commença à marcher.

Un quart d'heure plus tard, il atteignit le portail d'entrée.

Devant la guérite, le gardien de nuit était assis sur un petit tabouret de bois et tisonnait son feu de camp du bout d'un bâton. La lumière orangée faisait briller sa peau, comme s'il avait été sculpté dans l'ambre.

« Bonsoir », dit Pekkala.

Le garde bondit sur ses pieds. Le tabouret se renversa.

« Sainte Mère de Dieu ! s'écria-t-il.

— Non, répliqua calmement Pekkala. Ce n'est que moi. »

Maladroitement, l'homme retrouva son équilibre et se rua aussitôt à l'intérieur de la guérite. Il réapparut quelques secondes plus tard, un fusil à la main.

« Qui est là, bon Dieu ? hurla-t-il à la nuit.

— L'inspecteur Pekkala. »

Le garde abaissa son arme et examina Pekkala à travers le grillage.

« Vous avez failli me faire mourir de peur !

— Ma voiture est tombée en panne. »

En entendant ces mots, le garde reprit ses esprits. Il posa le fusil et ouvrit le portail dans un grincement de métal.

« Maximov est-il là ? interrogea Pekkala.

— Il est entré juste avant le coucher du soleil. Il n'est pas ressorti depuis, et j'étais de garde tout ce temps.

— Merci », répondit Pekkala.

Il remonta la piste en direction du complexe. Quand il se retourna au bout de quelques instants, il aperçut le garde, de nouveau assis sur sa chaise, devant le feu qu'il tisonnait de son bâton.

Il ne restait plus que deux heures avant le lever du soleil quand Pekkala atteignit la cour centrale, boueuse, du complexe. Il trouva la voiture de Maximov garée devant la cantine où les employés prenaient leurs repas. La porte était ouverte. À l'intérieur, il découvrit Maximov évanoui sur le sol, bouche ouverte, le souffle lourd. Il poussa du bout de sa botte le pied du garde du corps.

« Arrêtez, grommela Maximov. Laissez-moi tranquille.

— Réveillez-vous, ordonna Pekkala.

— Je vous ai dit de… »

Maximov se redressa. Sa tête décrivit une courbe bancale, jusqu'à ce qu'il aperçoive Pekkala.

« Vous ! s'exclama-t-il. Qu'est-ce que vous voulez ?

— Yelena Nagorski m'a demandé de venir. Elle dit que vous avez causé des problèmes.

— Je ne causais pas de problèmes, protesta Maximov. Je l'aime. Et son fils aussi !

— Vous avez une drôle de manière de le montrer, Maximov. »

Maximov jeta un regard trouble autour de lui.

« Peut-être ai-je dit des choses que je n'aurais pas dû… »

Pekkala posa la semelle de sa botte contre la poitrine de Maximov. Sans violence, il le repoussa en arrière.

« Laissez Mme Nagorski tranquille. »

Dans un bruit sourd, les épaules de Maximov se reposèrent sur le sol.

« Je l'aime, grommela-t-il de nouveau.

— Rendormez-vous et faites de beaux rêves, rétorqua Pekkala. Pendant que j'emprunte votre voiture un petit moment. »

Mais Maximov dormait déjà profondément.

Pekkala prit les clés dans sa poche. À peine était-il installé au volant que l'une des portes de la Maison d'Acier s'ouvrit, et un homme se rua vers lui. C'était Gorenko.

« Inspecteur ? C'est vous ? Je dois vous parler, inspecteur ! J'ai fait une chose terrible ! Ouchinsky est arrivé à l'usine juste après notre conversation, l'autre jour. Quand il a découvert que l'un de nos T-34 avait été envoyé à l'usine pour lancer la production, il est devenu à moitié fou. Comme je l'avais prévu ! Il a dit que le prototype n'était pas prêt et que nous ferions aussi bien de le donner aux Allemands ! J'ai essayé de vous appeler, inspecteur. Je voulais que vous lui parliez, comme nous en étions convenus, mais votre bureau ne répondait pas, alors j'ai contacté le major Lysenkova. Je lui ai tout raconté. Je lui ai dit que j'avais juste besoin que quelqu'un vienne lui parler pour le ramener à la raison. Et maintenant, j'apprends qu'on l'a arrêté. Ils le gardent prisonnier à la Loubianka ! Il faut que vous l'aidiez, inspecteur. »

Pekkala l'avait écouté en silence, mâchoires serrées, mais brusquement il explosa.

« Que pensiez-vous qu'il se passerait, quand vous avez appelé le major Lysenkova ? hurla-t-il. Nagorski vous a protégé de ces gens tant qu'il était vivant, car il savait de quoi ils étaient capables. Vous avez vécu dans une bulle, professeur, à l'intérieur de ce complexe. Vous ne comprenez pas. Ces gens sont dangereux, plus dangereux encore que les armes que vous fabriquez pour eux !

— Je ne savais plus comment m'y prendre avec Ouchinsky ! protesta Gorenko en se tordant les mains. Je voulais juste que quelqu'un lui parle…

— Eh bien, quelqu'un lui a parlé, rétorqua Pekkala. Et moi, j'ai fait ce que j'ai pu…

— Il y a autre chose, inspecteur. Une chose que je ne comprends pas. »

Pekkala tourna la clé pour démarrer.

« Ça attendra ! » cria-t-il pour couvrir le rugissement du moteur.

Gorenko leva les bras au ciel, exaspéré.

Pekkala fit demi-tour et prit la direction de la maison de Nagorski. Tout en filant à tombeau ouvert sur la piste boueuse, il se demanda de nouveau ce qu'allaient devenir Yelena et Constantin, maintenant que le T-34 était achevé. Ni l'une ni l'autre ne semblaient prêts à affronter le monde, au-delà des barrières du complexe. Dommage que Maximov se soit ridiculisé ce soir, pensa Pekkala. D'après ce qu'il connaissait de cet homme, Maximov aurait pu être un bon compagnon pour Yelena et, par substitution, un bon père pour le garçon.

Pekkala était perdu dans ces pensées quand soudain il entendit un claquement sourd, et un objet vint heurter le pare-brise. Il pensa d'abord qu'il s'agissait d'un oiseau. À cette heure de la nuit, se dit-il, c'était certainement une chouette. L'air froid s'engouffrait en sifflant par le verre craquelé. Pekkala hésitait encore à s'arrêter quand le pare-brise explosa, projetant des débris à travers l'habitacle. Il sentit des éclats rebondir contre son manteau, et une vive douleur lui enflamma la joue lorsqu'un fragment de verre se planta dans sa peau.

Quand il se rendit compte qu'il perdait le contrôle de la voiture, il était déjà trop tard. Les roues arrière dérapèrent et la voiture partit en tête-à-queue, dans un raclement assourdissant de sable et de boue. Il y eut un choc terrible, sa tête alla s'écraser contre la vitre de sa portière et, d'un seul coup, tout devint calme.

Pekkala comprit qu'il avait terminé sa course dans le fossé. L'avant de la voiture pointait dans la mauvaise direction. Ouvrant la portière, il tomba dans l'herbe mouillée. Il resta quelques instants à quatre pattes, incertain de pouvoir se relever, s'efforçant d'y voir plus clair. La tête lui tournait, à cause du choc, mais il ne pensait pas être gravement blessé. Lentement, péniblement, il se mit debout. Les jambes en coton, il s'adossa à la carrosserie de la voiture.

Alors, Pekkala aperçut un homme au milieu de la route. Il ne distinguait que sa silhouette.

« Qui est là ? demanda-t-il.

— Vous auriez dû partir pendant qu'il était encore temps », répliqua la silhouette.

Cette voix lui était familière, mais Pekkala n'arrivait pas à la remettre.

Brusquement, l'éclair d'un coup de feu brisa l'obscurité.

Au même instant, Pekkala entendit une balle frapper la portière, près de lui.

« Je vous avais prévenu, Maximov !

— Je ne suis pas Maximov ! » s'écria Pekkala.

L'ombre approcha. Elle se figea au bord du fossé, les yeux baissés sur Pekkala.

« Mais alors, qui êtes-vous ? »

À présent, Pekkala reconnaissait la voix.

« Constantin, dit-il. C'est moi. L'inspecteur Pekkala. »

Ils étaient désormais assez proches l'un de l'autre pour que Pekkala distingue le visage du garçon et le pistolet braqué sur sa poitrine.

À son canon court au bout légèrement arrondi et à l'angle caractéristique que formait la partie antérieure du pontet avec le canon, Pekkala reconnut l'arme qu'ils avaient vainement cherchée. C'était le PPK de Nagorski. À cet instant, la vérité s'abattit sur lui.

« Qu'as-tu donc fait, Constantin ? balbutia-t-il en se hissant hors du fossé.

— J'ai cru que c'était Maximov. J'ai vu sa voiture…

— C'est de ton père que je parle ! » le coupa hargneusement Pekkala.

Il pointait du doigt le PPK serré dans le poing de Constantin.

« Nous savons que c'est cette arme qui a tué le colonel Nagorski, assena-t-il. Pourquoi as-tu fait ça, Constantin ? »

Pendant ce qui lui parut être une éternité, le garçon ne répondit rien.

Leurs souffles embuaient l'air entre eux.

Doucement, Pekkala lui tendit la main.

« Mon garçon, dit-il, tu ne peux aller nulle part. »

Lorsqu'il entendit ces mots, les yeux de Constantin se remplirent de larmes. Après un court moment d'hésitation, il déposa le PPK sur la paume de Pekkala, dont les doigts se refermèrent dessus.

« Pourquoi as-tu fait ça ? répéta-t-il.

— Parce que c'était de sa faute, répondit Constantin. Enfin, je le croyais.

— Que s'est-il passé ce jour-là ?

— C'était mon anniversaire. Une semaine plus tôt, quand mon père m'avait demandé ce que je voulais comme cadeau, j'avais répondu que j'aimerais faire un tour dans le tank. Au début, il m'a répondu que c'était impossible. Que ma mère ne serait jamais d'accord. Mais il a fini par dire que si je promettais de ne pas lui en parler, il m'emmènerait faire un tour dans la machine, sur le terrain d'essais. Ma mère a cru qu'il avait complètement oublié mon anniversaire. Ils ont commencé à se disputer. Mais bon, ça ne me faisait presque plus rien…

— Comment ça ? s'étonna Pekkala.

— Maximov m'avait envoyé une lettre. Une lettre à l'intérieur d'une carte d'anniversaire.

— Et cette lettre, que disait-elle ?

— Il m'écrivait que mes parents se séparaient. Il écrivait qu'il s'était senti obligé de me le dire, parce que mes parents, eux, n'allaient pas m'en parler.

— Ils allaient t'en parler, déclara Pekkala, dès que vous seriez rentrés à Moscou. C'était la meilleure chose à faire, Constantin. En outre, cela ne regardait pas Maximov. Et pourquoi te l'écrire le jour de ton anniversaire ?

— Je ne sais pas, répondit Constantin. Pour ce genre de nouvelles, il n'y a pas de bon jour.

— As-tu gardé cette lettre ? »

Constantin sortit de sa poche un portefeuille en toile. D'un fatras de billets froissés et de pièces, il tira la lettre pliée.

« J'ai bien dû la relire cent fois. Chaque fois, j'attends en vain que les mots me disent autre chose. »

Pekkala regarda la lettre. Il ne pouvait la lire clairement dans cette obscurité mais, d'après ce qu'il voyait, c'était exactement ce que Constantin lui avait décrit.

« Puis-je la garder quelque temps ? demanda-t-il.

— Je n'en ai plus besoin », murmura le garçon.

Il paraissait au bord des larmes. Tout semblait lui tomber dessus d'un seul coup.

« As-tu dit à tes parents ce qu'il y avait dans la lettre ? l'interrogea Pekkala, repliant la feuille et la plaçant en lieu sûr à l'intérieur de son carnet d'identification.

— Ça aurait servi à quoi ? J'avais peur qu'ils ne se séparent. Quand j'ai lu la lettre, quelque part, je savais déjà. Et je savais que Maximov ne m'aurait jamais menti. Il s'occupait de moi. Plus que mes propres parents.

— Et alors, qu'est-ce que tu as fait ?

— J'ai retrouvé mon père, comme nous l'avions prévu. Il m'a emmené jusqu'au terrain d'essais et m'a laissé piloter le tank à travers les mares, sur les bosses, déraper dans la boue. Mon père s'amusait. C'est l'une des rares fois où je l'ai vu rire. J'aurais dû m'amuser aussi, mais je n'arrêtais pas de penser à la lettre de Maximov. Plus j'y pensais, plus j'étais en colère après mon père – qu'il ait préféré cet engin à notre famille… Je ne supportais pas l'idée de le voir nous faire encore plus de mal, à ma mère et à moi, qu'il n'en avait fait jusque-là. Nous avons arrêté le char au milieu du terrain d'essais, au fond d'un trou boueux. Nous nous sommes embourbés dedans. J'ai cru que l'eau allait inonder l'intérieur du char d'un instant à l'autre. J'ai eu peur de nous voir mourir noyés dans ce char. Mais mon père n'était pas inquiet. Il m'a dit que cette machine pouvait se sortir de n'importe quoi. On ne s'entendait pas bien. Il y avait trop de bruit dans le compartiment de pilotage. Alors nous avons laissé tourner le moteur, au point mort, et nous sommes sortis sur la tourelle.

— Que s'est-il passé, ensuite ?

— Il s'est tourné vers moi, et soudain il a cessé de rire. "Quoi qu'il arrive, m'a-t-il dit, je veux que tu saches que j'aime profondément ta mère." C'est quand il s'est glissé dans la trappe pour redescendre à l'intérieur que le pistolet est tombé de sa poche. Il a atterri à l'arrière du tank, juste au-dessus du compartiment moteur. Comme j'étais plus près, mon père m'a demandé de le ramasser, ce que j'ai fait. Jusqu'à ce que je tienne le pistolet dans ma main, je n'avais jamais pensé lui faire du mal, je le jure. Mais là, j'ai commencé à réfléchir à ce qu'il venait de dire – qu'il aimait ma mère. Je n'ai pas supporté l'idée de le laisser proférer un tel mensonge en toute impunité… Il était debout sur la tourelle, le dos tourné, observant ce champ de boue comme s'il s'était agi du plus bel endroit de la terre.

— Et c'est à ce moment-là que tu lui as tiré dessus ? »

Le garçon ne répondit pas.

« J'étais si furieux après lui la seconde d'avant, mais quand je l'ai vu tomber dans l'eau, toute ma colère a soudain disparu. Je n'arrivais pas à croire que j'avais pu faire ça. Je ne sais pas comment le dire, inspecteur, mais malgré ce pistolet dans ma main, j'avais l'impression que ce n'était pas moi qui avais tiré. C'était comme si quelqu'un d'autre avait appuyé sur la détente. J'ignore combien de temps je suis resté planté là. Ça m'a paru une éternité, mais ça n'a peut-être duré que quelques secondes. Puis je suis redescendu dans le char, j'ai enclenché une vitesse et j'ai essayé de sortir de la fosse.

— Pourquoi ?

— J'ai paniqué. Je me suis dit que j'arriverais peut-être à faire passer ça pour un accident. Personne ne savait que j'étais parti avec mon père, ce jour-là. Même ma mère l'ignorait. Mais je ne savais pas vraiment comment faire marcher cet engin. J'étais à moitié sorti du trou quand le moteur a calé, et le char a glissé en arrière. Le corps de mon père s'est retrouvé broyé sous les chenilles. Alors je suis sorti, et j'ai couru jusqu'à l'entrepôt des pièces détachées. Je suis resté longtemps caché. J'étais couvert de boue, et trop terrifié pour faire le moindre geste. Mais alors les soldats sont arrivés, et j'ai compris qu'il fallait déguerpir, alors j'ai foncé vers la forêt. C'est à ce moment-là que vous m'avez pris en chasse et que le capitaine Samarin a été tué…

— Comment as-tu pu traverser les bois sain et sauf ? Tu n'avais pas peur des pièges ?

— Mon père avait cloué de petits disques de métal sur les arbres. Il y a un code, un ordre de couleurs. Rouge, bleu, jaune. Tant qu'on suit cette séquence, on ne risque rien. Il ne l'a jamais dit à personne, sauf à moi. »

Pekkala faisait déjà défiler dans sa tête, en détail, ce qu'il allait advenir de Constantin à présent. Il avait l'âge d'être jugé comme un adulte. Quelles que soient les circonstances atténuantes, il serait quasiment à coup sûr exécuté pour un tel crime. Pekkala repensa à leur première conversation, quand le garçon l'avait supplié de traquer les assassins de son père. « Trouvez-les, avait dit Constantin. Trouvez-les et tuez-les. » Ces paroles, prononcées devant celui dont Constantin savait alors sans doute qu'un jour il le retrouverait, cachaient l'acceptation du prix qu'il aurait à payer.

« Je vous en prie, inspecteur, croyez-moi, reprit

Constantin. Je ne vous voulais aucun mal. J'ai vu la voiture de Maximov arriver sur la piste, et j'ai cru que c'était lui. Je ne comprends même pas ce que vous faites ici…

— Ta mère m'a appelé. Elle s'inquiétait pour toi après la visite de Maximov, hier soir. Sa voiture était la seule que j'aie pu trouver. Il y a quelque chose que je ne saisis pas, Constantin : si tu avais confiance en Maximov, pourquoi as-tu essayé de le tuer ?

— Parce que, après tout ce qui s'est passé, je ne sais plus à qui faire confiance. Quand il s'est pointé hier soir, il n'était plus lui-même. Nous lui avons hurlé dessus, et j'ai cru que c'était terminé. Alors, quand j'ai aperçu sa voiture qui revenait, j'ai pensé qu'il allait nous tuer.

— Si tu veux mon avis, répondit Pekkala, je crois que Maximov serait incapable de te faire du mal. Et je crois aussi qu'à sa manière il aime vraiment ta mère. » Les ecchymoses de Pekkala commençaient à le lancer. « Pourquoi t'es-tu enfui dans les bois après son départ ? »

Constantin haussa les épaules, dans un geste d'impuissance.

« Maximov a dit que ma mère avait eu une liaison. J'avais peur qu'il n'ait dit la vérité, et je ne supportais pas l'idée d'entendre ces mots dans la bouche de ma mère.

— Il disait la vérité. Je sais bien qu'il n'aurait pas dû t'écrire cette lettre ni te parler de l'infidélité de ta mère, mais les gens font des choses étranges quand ils sont amoureux. Tu peux me croire, Constantin, des choses vraiment étranges… »

La voix de Constantin se brisa.

« Alors, ce n'était pas la faute de mon père si ma mère et lui allaient se séparer…

— Je suis persuadé que si ton père était là, il te dirait que les torts étaient partagés. » Il posa la main sur l'épaule du garçon. « Maintenant, il faut que tu m'accompagnes. » Un regard à la voiture de Maximov suffit à lui faire comprendre qu'elle n'irait pas plus loin. « On va devoir y aller à pied.

— Comme vous voudrez, inspecteur. »

Il y avait du soulagement dans sa voix.

Pekkala avait déjà vu cela, par le passé. Chez certaines personnes, l'attente d'être pris était un fardeau bien pire que tout ce qui risquait de leur arriver ensuite. Il avait vu des hommes marcher d'un pas vif vers leur propre mort et grimper quatre à quatre les marches du gibet, impatients d'en finir avec ce monde.

C'était un matin de janvier. La Neva charriait à travers Petrograd des blocs de glace, que la marée repoussait ensuite dans l'autre sens, vers la Baltique. À bord d'une petite navette à moteur, Pekkala, le tsar et son fils, le tsarévitch Alexeï, remontaient le fleuve vers les sinistres remparts de l'île-prison de Pierre-et-Paul.

Les trois hommes se tenaient debout, blottis dans les pans de leurs manteaux, tandis que le pilote manœuvrait autour d'icebergs miniatures qui virevoltaient comme des danseuses dans le courant. Alexeï portait un uniforme militaire dépourvu d'insignes, et une casquette de fourrure – la copie conforme de la tenue de son père.

Ils avaient quitté Tsarskoïe Selo avant l'aube. Les heures avaient passé et le soleil s'était levé, projetant des reflets pâles et laiteux sur les immenses blocs de pierre qui formaient la muraille de la prison.

« Je veux que vous assistiez à ça, avait confié le tsar à Pekkala, après l'avoir convoqué dans son bureau.

— Quelle est la nature de cette excursion, Majesté ?

343

— Vous le verrez quand nous serons là-bas », avait répondu le tsar.

Ils débarquèrent sur l'île, écrasés par la masse gigantesque de la forteresse, dont les remparts se détachaient comme des dents émoussées sur le ciel crasseux de l'hiver. Des serpentins d'algues caoutchouteux s'agrippaient au pied des murailles, et les vagues qui venaient s'écraser contre la pierre semblaient aussi épaisses et noires que du goudron.

On porta Alexeï à terre, et les trois hommes remontèrent la rampe de béton qui menait aux portes de la prison.

À l'intérieur, un garde vêtu d'un pardessus qui lui descendait jusqu'aux chevilles les escorta le long d'une série d'escaliers en pierre, jusqu'à un souterrain. Là, les murs étaient couverts de givre, et le froid humide s'infiltra sous leurs habits. Pekkala était déjà venu là, mais jamais en hiver. Il semblait impossible que quiconque pût survivre longtemps dans de telles conditions. Et il savait qu'au printemps les conditions de vie dans les basses-fosses de la forteresse devenaient pires encore, quand les cellules se retrouvaient noyées dans l'eau à hauteur de genou.

La seule lumière, dans ce couloir, provenait de la lampe à huile tenue par le garde, qui illuminait de petites portes en bois ménagées dans les parois. L'ombre de l'homme titubait comme un ivrogne sur le plafond, au-dessus d'eux.

Le garde les conduisit vers une cellule et ouvrit la porte. Derrière se dressaient les barreaux d'une grille, qui permettait de voir le prisonnier confiné à l'intérieur sans risque qu'il s'échappe.

Quand le garde brandit sa lampe, Pekkala jeta un

coup d'œil à travers les barreaux et aperçut un homme étrangement recroquevillé par terre. Seuls ses genoux, ses coudes et le bout de ses orteils touchaient le sol. Sa tête reposait sur ses mains, et il semblait dormir.

Alexeï se tourna vers le garde.

« Pourquoi se tient-il comme ça ?

— Le prisonnier préserve la chaleur de son corps, Excellence. C'est la seule manière pour lui de ne pas mourir de froid.

— Dites-lui de se lever, ordonna le tsar.

— Debout ! » mugit le garde.

D'abord, l'homme ne bougea pas. Ce n'est que lorsque le garde fit tinter son trousseau de clés, prêt à se ruer dans la cellule pour le relever de force, que le prisonnier obéit.

Pekkala le reconnut alors, mais à peine. C'était Grodek, le tueur condamné deux mois plus tôt pour tentative de meurtre sur la personne du tsar. Le procès avait été expéditif et s'était tenu dans le plus grand secret. Une fois le verdict prononcé, Grodek, qui était à peine plus vieux qu'Alexeï, avait disparu dans les catacombes du système pénitentiaire russe. Pekkala pensait qu'il avait tout simplement été exécuté. Même s'il avait échoué à assassiner le tsar, le simple fait d'avoir essayé, ou même d'évoquer la chose, était passible de la peine de mort. En outre, Grodek était parvenu à tuer plusieurs agents de l'Okhrana avant que Pekkala ne le rattrape sur le pont Potseluev. C'était une raison plus que suffisante de condamner le jeune homme à pourrir au fond d'un cachot.

Pekkala ne reconnaissait que les contours du visage de Grodek. Ses cheveux avaient été rasés, et le large dôme de son crâne était couvert de croûtes de gale.

Ses habits de prisonnier, réduits en lambeaux, pendaient de son corps décharné, et sa peau avait l'aspect gris poli d'une couche de crasse aussi vieille que son emprisonnement. Ses yeux caves, qui semblaient si alertes pendant le procès, contemplaient à présent les visiteurs, démesurés et absents, du fond de leurs orbites bleuies.

Grodek s'adossa au mur, parcouru de tremblements incontrôlables, les bras croisés sur la poitrine. Pekkala avait de la peine à croire qu'il pût s'agir du même homme qui avait défié la Cour en hurlant à la barre des témoins, maudissant la monarchie et tout ce qu'elle représentait.

Grodek plissa les yeux, ébloui par l'éclat de la lampe à huile.

« Qui est là ? demanda-t-il. Qu'est-ce que vous me voulez ?

— Je t'ai amené de la visite », répondit le garde.

Le tsar se tourna vers lui.

« Laissez-nous, ordonna-t-il.

— Bien, Majesté. »

Le garde posa la lanterne à ses pieds et repartit le long du couloir, effleurant les murs des doigts pour trouver son chemin.

Maintenant qu'il n'était plus aveuglé par la lampe, Grodek put distinguer ses visiteurs.

« Sainte Mère de Dieu », murmura-t-il.

Le tsar attendit que les pas du garde s'estompent avant de s'adresser à Grodek.

« Vous me reconnaissez, dit-il.

— Oui.

— Et mon fils, Alexeï », ajouta le tsar en posant ses mains sur les épaules du jeune homme.

Grodek se tut.

« *Cet homme, expliqua le tsar à son fils, est coupable de meurtre et de tentative de meurtre. Il a essayé de me tuer, mais il a échoué.*

— *Oui, acquiesça Grodek. J'ai échoué. Mais j'ai déclenché un processus qui aboutira à votre mort, et à la fin du mode de vie qui est le vôtre...*

— *Tu vois ! s'exclama le tsar, élevant le ton pour la première fois. Tu vois comme il persiste dans ses provocations ?*

— *Oui, père, répondit Alexeï.*

— *Que faut-il faire de lui, Alexeï ? Il est du même sang que toi ; la famille éloignée, mais la famille quand même.*

— *Je ne sais pas ce qu'il faut faire* », déclara le garçon. *Sa voix tremblait.*

« *Un jour viendra, Alexeï, reprit le tsar, où tu devras décider si des hommes comme lui doivent vivre ou mourir.* »

Grodek s'avança jusqu'au centre de la cellule, où les empreintes de ses genoux et de ses coudes marquaient encore la boue.

« *Cela vous surprendra peut-être, dit-il, mais je n'ai personnellement rien contre vous ou votre fils. Je lutte contre ce que vous représentez. Vous êtes le symbole de tout ce que ce monde a de mauvais. C'est pour cette raison que je me suis battu contre vous.*

— *Vous aussi, vous êtes devenu un symbole, répliqua le tsar. Ce que je vous soupçonne d'avoir cherché depuis le début. Quant aux nobles raisons qui vous ont poussé à tenter de me tirer dans le dos, elles ne sont que pur mensonge. Mais je ne suis pas venu ici pour me réjouir de votre sort. Je suis venu parce que,* dans quelques instants, mon fils va décider de ce que nous devons faire de vous. »

Alexeï se tourna vers son père, aussi perdu et apeuré que le jeune homme debout de l'autre côté des barreaux.

« Mais je dois être exécuté, répondit Grodek. Les gardes me le rappellent chaque jour...

— Et il en sera peut-être ainsi, répliqua le tsar. Si mon fils le décide.

— Je ne veux pas tuer cet homme », protesta Alexeï.

Le tsar tapota l'épaule de son fils.

« Tu ne tueras personne, Alexeï. Ce n'est pas ton rôle dans la vie.

— Mais vous me demandez de décider s'il doit mourir ! s'emporta le garçon.

— Oui », confirma le tsar.

Grodek tomba à genoux, paumes à plat sur le sol.

« Excellence, plaida-t-il en s'adressant au tsarévitch. Nous ne sommes pas si différents, vous et moi. En d'autres temps et d'autres lieux, nous aurions même pu être amis. Tout ce qui nous sépare, ce sont ces barreaux et les choses que nous avons vues en ce bas monde.

— Êtes-vous innocent ? demanda Alexeï. Avez-vous tenté de tuer mon père ? »

Grodek garda le silence.

Des gouttes d'eau tombaient quelque part, dans la pénombre. On entendait les vagues se briser contre les murailles de la forteresse, tel un orage dans le lointain.

« Oui, je l'ai fait, avoua Grodek.

— Et que feriez-vous, maintenant, si j'ouvrais cette grille et vous laissais sortir ?

« — Je m'en irais très loin d'ici, promit Grodek. Vous n'entendriez plus jamais parler de moi. »

L'humidité des oubliettes avait fini par pénétrer la peau et jusqu'aux os de Pekkala, qui s'était mis à frissonner.

Alexeï se tourna vers son père.

« N'exécutez pas cet homme. Gardez-le prisonnier de cette cellule jusqu'à la fin de ses jours.

— Je vous en prie, Excellence, supplia Grodek. Je ne vois jamais le soleil. La nourriture qu'ils me servent, même un chien la refuserait... Laissez-moi sortir ! Laissez-moi m'en aller. Je disparaîtrai. J'aimerais mieux mourir que de rester un jour de plus dans ce cachot. »

Alexeï dévisagea Grodek.

« Alors trouvez un moyen de vous tuer vous-même », répondit-il.

La peur avait disparu de ses yeux.

Avant de partir, le tsar approcha son visage de la grille.

« Comment osez-vous affirmer que vous êtes semblable à lui ? Vous ne lui arrivez pas à la cheville. N'oubliez pas ceci : Alexeï régnera sur mon pays quand je serai mort, et si vous êtes encore vivant, alors, vous le devrez à la pitié que lui inspirent les animaux tels que vous. »

En regagnant la rive, Pekkala resta debout près du tsar. Il inspirait profondément, emplissant ses poumons de l'air froid et iodé, et chassant les relents fétides de cette prison.

« Vous me trouvez cruel, Pekkala ? » interrogea le tsar.

Il regardait droit devant lui, scrutant la berge.

« Je ne sais quoi penser, répondit Pekkala.

— Il lui faut apprendre le fardeau du pouvoir...

— Mais pourquoi m'avoir fait venir pour assister à cela, Majesté ?

— Un jour, il dépendra de vous, Pekkala, comme je dépends de vous aujourd'hui. Vous devez apprendre à connaître ses forces et ses faiblesses mieux encore qu'il ne les connaît lui-même. Par-dessus tout, ses faiblesses.

— Que voulez-vous dire, Majesté ? »

Le tsar posa les yeux sur lui, puis se détourna de nouveau. Une couche de givre s'était formée sur les revers de son manteau, là où son souffle les frôlait.

« Quand j'étais jeune, mon père m'a emmené sur cette île. Il m'a conduit dans la basse-fosse et m'a montré un homme qui avait participé à un complot pour l'assassiner. J'ai dû faire le même choix qu'Alexeï.

— Et qu'avez-vous fait, Majesté ?

— J'ai abattu l'homme moi-même. » Le tsar marqua une pause. « Mon fils a le cœur plein de gentillesse, Pekkala, et nous savons très bien, vous et moi, que dans le monde tel qu'il est la gentillesse finit toujours par se faire écraser. »

Moins de cinq ans plus tard, après avoir été libéré de la prison de Pierre-et-Paul par les gardes révolutionnaires, Grodek partit retrouver les Romanov dans la ville d'Ekaterinbourg, en Sibérie occidentale. C'est là, dans le sous-sol d'une maison appartenant au marchand Ipatiev, que Grodek exécuta le jeune tsarévitch et tous les membres de sa famille.

Pekkala et Constantin remontèrent la piste obscure en direction du complexe.

Tout en marchant, Pekkala s'efforçait de se représenter ce qui avait bien pu passer par la tête du garçon au moment précis où il avait ramassé l'arme pour abattre son père. Il y avait des crimes que Pekkala parvenait à s'expliquer. Les motifs de certains meurtres lui semblaient même parfois compréhensibles. La peur, l'appât du gain ou la jalousie incontrôlés étaient capables de vous conduire aux confins de la raison. Ce qui pouvait se passer ensuite, au-delà de ce point, les meurtriers eux-mêmes étaient incapables de le prévoir.

Pekkala se rappela la dernière fois qu'il avait vu son père, ce jour où le train pour Saint-Pétersbourg avait quitté la gare. Mais à présent, l'image semblait étrangement s'inverser. Pekkala ne se trouvait pas à bord du train mais sur le quai, et il voyait la scène à travers les yeux de son père. Là-bas, au loin, il apercevait le jeune homme qu'il était alors, le bras levé dans un dernier salut, penché par la fenêtre du wagon, en route pour Petrograd et la Légion finlandaise.

Puis le train disparut, et il se retrouva seul. La tristesse étreignit son cœur tandis qu'il se retournait et sortait de la gare. À cet instant, Pekkala comprit une chose qu'il n'avait encore jamais saisie – que son père savait certainement qu'ils ne se reverraient jamais. Et si, au bout du compte, le vieil homme ne lui avait jamais pardonné d'être parti, c'était tout simplement qu'il n'y avait rien à pardonner.

L'image vacilla peu à peu dans le néant, comme un rouleau de film qui se détache en cliquetant de sa bobine, et les pensées de Pekkala revinrent au présent. Il se demanda alors si Nagorski aurait pu lui aussi pardonner à son fils, s'il en avait eu l'occasion et la force.

Le temps qu'ils atteignent le complexe, le ciel commençait déjà à s'éclaircir.

Pekkala frappa à la porte de la Maison d'Acier et recula d'un pas.

Constantin attendit à ses côtés, résigné à tout ce qui surviendrait.

La porte s'ouvrit. Une bouffée d'air confiné s'engouffra au-dehors, charriant des relents de tabac froid et d'huile lubrifiante destinée aux armes. Gorenko remplit l'embrasure de la porte. Il avait enfilé sa blouse de laboratoire élimée, et en attachait les boutons de métal noir, tel un homme accueillant chez lui des invités.

« Inspecteur, déclara-t-il. Je vous croyais rentré à Moscou pour la nuit... » Puis il aperçut Constantin et lui adressa un sourire. « Bonjour, jeune homme ! Qu'est-ce qui vous amène de si bon matin ?

— Bonjour, professeur. »

Constantin ne put lui retourner son sourire. Son visage, au contraire, parut se décomposer.

« J'ai besoin de vous pour le surveiller, expliqua

Pekkala en s'adressant à Gorenko. J'ai bien peur qu'il ne faille lui passer les menottes...

— Les menottes ? » Gorenko écarquilla les yeux, stupéfait. « C'est le fils du colonel. Je ne peux pas !

— Ce n'est pas une requête, répliqua Pekkala, mais un ordre.

— Inspecteur, intervint Constantin. Je vous donne ma parole que je n'essaierai pas de m'enfuir.

— Je le sais bien, répondit Pekkala d'une voix tranquille. Crois-moi, Constantin, je le sais. Mais, à partir de maintenant, il y a des procédures et nous devons les suivre.

— Je n'ai même pas de menottes ! » s'exclama Gorenko.

Pekkala enfonça la main dans sa poche et en tira une paire. Une clé était accrochée à la chaîne. Il les tendit à Gorenko.

« Maintenant, vous en avez. »

Gorenko contempla les menottes.

« Mais pour combien de temps ?

— Deux ou trois heures, je pense. Ma voiture est tombée en panne sèche sur le bord de la route. Il faut que je retourne là-bas avec un bidon d'essence, puis que je revienne au complexe. Alors je prendrai Constantin avec moi et nous rentrerons à Moscou. Sauf ordre de ma part, personne ne doit le voir ni lui parler. Vous avez bien compris ? »

Gorenko dévisagea Constantin.

« Mon cher petit, dit-il, qu'avez-vous donc fait ? »

Le vieux professeur semblait abasourdi, au point qu'on aurait dit que Constantin allait être obligé de se passer lui-même les menottes.

« Où entreposez-vous votre carburant, professeur ? interrogea Pekkala.

— Il y a des bidons de cinq litres posés sur une palette de l'autre côté de ce bâtiment. Avec deux de ceux-là, vous devriez rentrer sans problème à Moscou. »

Pekkala posa sa main sur l'épaule du garçon.

« Je reviens aussi vite que possible, dit-il en se retournant pour partir.

— Inspecteur, l'interpella Gorenko. Il faut que je vous parle. C'est très important.

— Nous parlerons d'Ouchinsky plus tard, répondit Pekkala.

— Il ne s'agit pas de lui, insista Gorenko. Il s'est passé quelque chose. Quelque chose que je ne comprends pas. »

Pekkala le contempla pendant un long moment, puis il secoua la tête, entra dans le bâtiment et menotta Constantin à une table. Puis il se tourna vers Gorenko.

« Suivez-moi », dit-il. À l'arrière de l'entrepôt, Pekkala prit deux bidons d'essence. « De quoi s'agit-il, professeur ? »

Les fûts étaient lourds et le liquide clapotait à l'intérieur. Il espérait avoir la force de les porter jusqu'à l'Emka.

« C'est au sujet du tank… » Gorenka baissa la voix. « Celui qu'ils ont envoyé à l'usine de Stalingrad.

— Le prototype ? Eh bien, professeur ?

— Le tank n'est jamais arrivé. J'ai appelé pour vérifier. Vous savez, au cas où on m'interrogerait…

— Stalingrad, ce n'est pas la porte à côté. Peut-être le camion est-il tombé en panne ?

— Non, inspecteur. J'ai bien peur que ce ne soit

pas ça… Voyez-vous, ils m'ont dit qu'ils n'avaient jamais déposé de demande pour qu'on leur envoie le char… »

Lentement, Pekkala posa ses deux bidons.

« Ils l'ont forcément fait, pourtant. Vous avez vu le formulaire, n'est-ce pas ?

— Oui. Je l'ai même gardé. » Gorenko fouilla la poche de sa blouse et en tira une feuille de papier jaune, froissée. « C'est mon exemplaire. J'allais justement l'encadrer. »

Tenant le document bien haut afin de pouvoir le lire à la lumière des projecteurs, Pekkala l'examina en détail, en quête du moindre élément inhabituel. C'était un formulaire type de demande du gouvernement, correctement rempli par un employé de l'usine de tracteurs de Stalingrad qui, Pekkala le savait, avait été reconvertie dans la construction de chars d'assaut. Le code de l'usine semblait correct – KhPZ183/STZ. La signature avait été griffonnée si hâtivement qu'elle était illisible, comme presque toujours sur ce genre de document. Il n'y avait rien d'inhabituel.

« J'ai reçu un appel la veille de l'arrivée du camion, poursuivit Gorenko. C'était l'usine de Stalingrad qui m'informait de la réquisition et me demandait de préparer le tank pour le transfert.

— Vous en avez parlé aux gens de Stalingrad ?

— Oui.

— Et qu'est-ce qu'ils ont répondu ?

— Qu'ils ne m'avaient jamais appelé, inspecteur…

— Il s'agit sans doute d'un simple problème de communication. Ce genre d'erreur arrive fréquemment. Le camion ou son conducteur avaient-ils quelque chose de suspect ?

— Non. C'était juste un gros camion, comme on en croise tous les jours sur l'autoroute de Moscou. Le conducteur connaissait même Maximov…

— Il connaissait Maximov ? »

Gorenko acquiesça du chef.

« Je les ai vus discuter ensemble, une fois que le tank a été chargé sur le camion. Ça ne m'a pas surpris outre mesure. Ce sont tous deux des conducteurs, chacun à leur manière. Je me suis dit qu'ils avaient dû se croiser quelque part, comme nous autres, chercheurs, sommes amenés à nous rencontrer dans le cadre de nos recherches, même lorsque nous vivons aux deux extrémités du pays…

— Ce camion, insista Pekkala, était-ce un semi-remorque à plateau ou un porte-conteneurs ?

— Je ne sais pas de quoi vous parlez, inspecteur…

— Le tank était-il posé sur une plate-forme, ou dans une remorque fermée ?

— Oh, je vois… Oui. C'était un conteneur. Un gros conteneur en métal, assez grand pour accueillir le tank.

— Comment le conducteur a-t-il fait pour le faire entrer dans la remorque ?

— Il a pris les commandes lui-même. Je lui ai montré comment se servir du levier de vitesse et des pédales du T-34. Il ne lui a fallu qu'une minute pour prendre le coup de main. Quand on sait manœuvrer un tracteur ou un bulldozer, on maîtrise déjà les principes de base… Ensuite, il a fait monter le char sur une rampe et l'a mis dans le conteneur.

— Ce conteneur, il était fermé ?

— Oui, par deux grandes portes en métal.

— Il ressemblait à quoi ?

« — Il était peint en rouge, avec "Commission d'État au transport" inscrit en vert sur le côté. »

Comme tous les porte-conteneurs qui empruntaient l'autoroute, pensa Pekkala.

« Et le conducteur ? De quoi avait-il l'air ?

— Petit, trapu. Une moustache. » Gorenko haussa les épaules. « Il avait l'air plutôt sympathique.

— En avez-vous parlé à Maximov ? Il sait peut-être comment joindre cet homme…

— J'ai essayé, mais il était trop soûl.

— Apportez-moi un seau d'eau. »

L'espace d'un instant, l'arc argenté parut se figer dans les airs au-dessus du corps endormi de Maximov. Puis l'eau se fracassa sur son visage comme s'il s'était agi d'un carreau de verre fin. Maximov se redressa d'un bond, et ses lèvres plissées recrachèrent une pleine gorgée d'eau.

Pekkala envoya rouler le seau à l'autre bout de la pièce, dans un fracas métallique.

« *Mudak !* » hurla Maximov. Il se plia en deux, pris d'une quinte de toux, puis s'essuya les yeux et lança un regard sombre à Pekkala. « Je croyais que vous deviez me laisser dormir !

— C'est ce que je comptais faire, répliqua Pekkala. Mais maintenant, j'ai besoin que vous me disiez quelque chose…

— Quoi ?

— Quel est le nom du chauffeur qui est venu prendre le tank ?

— Comment le saurais-je ? grommela Maximov, en lissant ses cheveux en arrière.

— Vous connaissiez le chauffeur. Gorenko vous a vus discuter.

— Il me demandait la route. C'est tout. Pourquoi ?

— Le tank n'est pas arrivé à Stalingrad.

— Alors c'est peut-être un conducteur très lent. » Maximov se passa la main sur la bouche. « Qu'est-ce qui vous arrive, Pekkala ? Vos pouvoirs magiques ont fini par vous lâcher ?

— Mes pouvoirs magiques ? » Pekkala s'accroupit devant Maximov. « Il n'y a jamais eu de magie, Maximov, mais je fais ce métier depuis assez longtemps pour savoir quand quelqu'un me ment… J'ai vu la manière dont votre dos s'est tendu quand je vous ai dit que le tank avait disparu. J'ai vu vos yeux dévier vers la droite quand vous me parliez, à l'instant. Je vous vois vous couvrir les lèvres, et je sais déchiffrer ces signes comme on prédit la pluie en regardant les nuages. Alors dites-moi, Maximov : qui a récupéré cet engin, et que compte-t-il en faire ? Vous ne voudriez pas avoir cela sur la conscience…

— Ma conscience ! éructa Maximov. C'est vous qui avez besoin d'un examen de conscience. Vous avez prêté le serment de servir le tsar, et ce n'est pas parce qu'il est mort que ce serment n'est plus valable.

— Vous avez raison, reconnut Pekkala. J'ai prêté serment, et ce que j'ai juré de faire, c'est justement ce que je fais en ce moment.

— Alors je vous plains, Pekkala, car pendant que vous perdez du temps à me parler un vieil ami à vous est en train de faire basculer le destin de ce pays…

— Vous devez faire erreur, rétorqua Pekkala. Tous mes vieux amis sont morts.

— Tous, sauf celui-ci ! s'écria Maximov en éclatant de rire. Alexandre Kropotkine. »

Pekkala revit aussitôt la mâchoire carrée, les dents solides, jointes dans un sourire, et les épaules voûtées comme celles d'un ours.

« Non, murmura-t-il. C'est impossible. Il vient de me demander un travail dans la police…

— Lui, demander du travail ? Non, Pekkala, il vous offrait une chance d'œuvrer à nos côtés. La Confrérie blanche aurait eu grand besoin d'un homme tel que vous… »

Les mots de Maximov mirent quelques instants à s'imprimer dans l'esprit de Pekkala.

« La Confrérie ?

— Exactement, mais il a dit que les communistes avaient fini par vous changer. L'incorruptible Œil d'Émeraude finalement corrompu ! »

À présent que Pekkala se repassait les mots de sa dernière conversation avec Kropotkine, tout commençait à s'inverser dans son cerveau. Il avait tout compris de travers.

« Comment avez-vous trouvé Kropotkine ?

— Ce n'est pas moi, rétorqua Maximov. C'est lui qui m'a trouvé. Kropotkine est celui qui a découvert que la Confrérie blanche n'était qu'une simple façade, destinée à leurrer les ennemis de Staline et à précipiter leur mort. Il a donc décidé de retourner la Confrérie blanche contre les communistes…

— C'est vous qui avez tué ces agents, n'est-ce pas ?

— Oui, et il m'a donné l'ordre de vous tuer, vous aussi. Je l'aurais fait si Bruno ne s'était pas mis sur ma route…

— C'était donc vous, au café Tilsit… Mais pourquoi ?

— Kropotkine avait décidé de vous offrir une dernière chance de rejoindre nos rangs. Il attendait au café tous les jours, en sachant que vous finiriez par revenir. Quand vous avez refusé sa proposition, il m'a téléphoné. J'ai foncé à moto vers le café. En vous voyant allongé par terre, j'ai cru que je vous avais eu. Je n'ai appris que plus tard que vous étiez toujours vivant. Dans les appartements des agents que nous avons éliminés, nous avons trouvé assez d'armes et de munitions pour tenir plusieurs mois. Nous avons même mis la main sur une motocyclette allemande dernier cri, que l'un des agents avait garée au beau milieu de son séjour ! C'est celle que je conduisais quand je vous ai tiré dessus… Puis Kropotkine a eu l'idée de voler un T-34. Le temps que vous compreniez, vous autres, ce qui s'était passé, il serait déjà trop tard.

— Trop tard pour quoi ?

— Pour arrêter la guerre que nous sommes sur le point de déclarer. »

Pekkala se demanda si Maximov n'avait pas perdu la tête pour de bon.

« Vous avez certes réussi à assassiner une poignée d'agents du gouvernement, mais croyez-vous vraiment la Confrérie blanche capable de renverser le régime ?

— Non. Mais l'Allemagne, si. Les Allemands attendent le moindre prétexte pour nous envahir. Tout ce que nous avons à faire, c'est leur fournir une raison. Et quelle meilleure raison qu'une attaque à travers la frontière polonaise avec l'arme la plus récente et la plus dévastatrice de l'Union soviétique ? Si nous pénétrons en Pologne, les Allemands vont considérer cela comme un acte d'agression contre l'Ouest – le prétexte tant attendu...

— Pensez-vous qu'un seul tank puisse faire tant de ravages ?

— Kropotkine a choisi un endroit où les Polonais n'ont posté près de la frontière que quelques malheureuses unités de cavalerie. Un seul tank pourrait balayer une brigade entière.

— Mais ne comprenez-vous pas ce que les nazis feront subir à ce pays s'ils nous envahissent ? Nous ne sommes pas préparés pour nous défendre...

— Kropotkine dit que plus vite nous serons vaincus, moins le sang coulera.

— C'est un mensonge, Maximov ! Vous qui avez prêté serment au tsar, pensez-vous honnêtement qu'il aurait voulu cela ? Vous allez déclencher un processus que vous ne pouvez pas maîtriser... Les Allemands ne se contenteront pas de renverser les communistes. Ils vont dévaster ce pays.

— Je ne vous crois pas.

— Kropotkine, lui, le sait ! Vous croyez peut-être lutter pour la même cause que lui, mais je connais Kropotkine depuis longtemps, et j'ai vu agir les hommes de son espèce. Sa seule cause, c'est la vengeance d'un monde qui n'est plus. Il ne veut qu'une chose : voir ce pays brûler.

— Eh bien, qu'il brûle ! répliqua Maximov. Je n'ai pas peur. »

En entendant ces mots, Pekkala sentit la rage l'envahir. Il bondit sur Maximov, l'empoigna par le col et le repoussa violemment.

L'homme alla s'écraser contre le mur de la cantine et retomba lourdement, en poussant un gémissement.

« Avez-vous seulement réfléchi au fait que vous ne serez pas le seul à être dévoré par les flammes ? hurla Pekkala. Kropotkine se moque totalement de qui vivra et qui mourra ! C'est toute la différence entre lui et vous. Il y a des gens que vous chérissez, et qui souffriront plus que vous encore. Yelena, par exemple. Et Constantin. Je l'ai d'ores et déjà placé en état d'arrestation...

— Écoutez, Pekkala, grommela Maximov en se massant la nuque. Il n'a rien à voir avec la Confrérie. Vous n'avez pas le droit de l'arrêter pour une conspiration dont il ignorait jusqu'à l'existence...

— Je l'ai arrêté, répliqua Pekkala, parce qu'il a assassiné son père. »

Maximov se figea, le visage soudain blême.

« Quoi ?

— Qui, d'après vous, a tué le colonel Nagorski ?

— Je ne sais pas ! s'écria Maximov. Ce n'était pas nous, c'est la seule chose dont je suis certain. Tout un tas de gens auraient pu commettre ce crime. Quasiment tous ceux qui ont côtoyé Nagorski ont fini par haïr ce salopard. Mais ça ne peut pas être Constantin !

— Comment pensiez-vous qu'il allait réagir après avoir reçu votre lettre ?

— Quelle lettre ? Bon Dieu, mais de quoi parlez-vous ?

— Celle que vous lui avez envoyée pour son anniversaire, où vous lui appreniez que ses parents étaient sur le point de se séparer.

— Vous êtes devenu fou, ou quoi ? Je ne lui ai jamais écrit de lettre, et, si je l'avais fait, jamais je ne lui aurais raconté une telle chose. Ce pauvre garçon était déjà au bord de la rupture. Pourquoi aurais-je voulu aggraver encore sa situation, surtout le jour de son anniversaire ?

— Dans ce cas, comment expliquez-vous ceci ? »

Pekkala déplia la lettre. Il marcha jusqu'à Maximov, toujours adossé au pied du mur, et tendit la feuille sous ses yeux.

Maximov examina la lettre.

« Ce n'est pas mon écriture.

— C'est celle de qui, alors ? Et pourquoi aurait-on signé cette lettre de votre nom ?

— Je… » Le visage de Maximov n'était plus qu'un masque de confusion. « Je ne sais pas.

— Qui d'autre avait connaissance de cette rupture, à part les Nagorski et vous ?

— Quel aurait été l'intérêt de… ? » s'interrogea Maximov. Puis soudain, il tressaillit. « Montrez-moi cette lettre ! »

Pekkala la lui tendit.

« Oh, non… », murmura-t-il. Lentement, il releva la tête. « C'est l'écriture de Kropotkine.

— Que lui avez-vous raconté au sujet des Nagorski ?

— Uniquement que je ne voulais pas qu'ils soient impliqués là-dedans. Je savais que Nagorski et sa femme se séparaient. Constantin était déjà au bord du gouffre. Je savais que dès lors qu'il comprendrait ce qui était en train de se passer entre ses parents, son univers tout entier s'effondrerait.

— Kropotkine était-il au courant de la liaison avec Lev Zalka ?

— Non, répondit Maximov. Il savait juste que les Nagorski divorçaient.

— D'après ce que vous lui avez dit, Kropotkine a certainement deviné que le garçon risquait de commettre un acte de ce genre. De cette manière, non seulement il volerait le T-34, mais il serait débarrassé de son inventeur.

— Mais comment Constantin a-t-il pu mettre la main sur un pistolet ?

— Le PPK de Nagorski a été retrouvé sur lui. Il m'a tiré dessus avec, cette nuit. Le truc, Maximov, c'est que c'est sur vous qu'il croyait tirer…

— Sur moi ? Pourquoi aurait-il fait une chose pareille ? Il sait que je ne leur ferais jamais de mal, à sa mère et à lui.

— Je crois volontiers que vous les aimez, Maximov, et si vous n'aviez pas débarqué ivre mort, vous auriez peut-être pu vous montrer plus convaincant. Au lieu de quoi, la seule chose que vous avez réussi à faire a été de les terroriser…

— Que va-t-il lui arriver, maintenant ? demanda Maximov, abasourdi par ce qu'il venait d'entendre.

— Constantin est coupable de meurtre. Vous savez ce qu'ils lui feront…

— Kropotkine m'avait juré de les laisser à l'écart de tout ça.

— Alors aidez-moi à l'arrêter, répliqua Pekkala. Kropotkine vous a trahi et, quoi que vous puissiez penser de moi, ça n'a jamais été mon cas. »

Un long moment s'écoula avant que Maximov ne réponde.

« Si je vous aide, Pekkala, vous ferez en sorte que Constantin ne soit pas envoyé en prison. Ou pire encore.

— Je ferai ce que je pourrai pour ce garçon, mais vous, vous êtes coupable de meurtre et de trahison, sans mentionner le fait que vous avez tenté de me faire sauter la tête…

— Je n'ai pas besoin de votre aide, Pekkala. Faites juste votre possible pour sauver Constantin.

— Vous avez ma parole. »

Maximov avait l'air d'être sur le point de parler, mais soudain il se ravisa, comme s'il ne pouvait se résoudre à trahir Kropotkine, malgré tout ce que cet homme lui avait fait.

« Maximov », reprit Pekkala d'une voix douce.

En entendant son nom, il sembla retrouver ses esprits.

« Kropotkine est en route vers un endroit du nom de Rusalka, à la frontière polonaise. C'est au beau milieu d'une forêt. Je pourrais vous la montrer sur une carte. Vous avez un plan, pour l'arrêter ?

— Pour arrêter un tank, il faut un autre tank, répondit Pekkala. Même s'il s'agit d'un T-34, nous pourrions envoyer une division entière pour l'intercepter…

— C'est exactement ce que Kropotkine souhaiterait vous voir faire. L'afflux soudain de troupes dans un secteur paisible, au bord de la frontière, sera forcément mal interprété par les Polonais. Et si des combats venaient à éclater, même s'ils se déroulent de notre côté de la frontière, l'Allemagne n'hésitera pas à les considérer comme une agression…

— Alors, nous allons devoir y aller seuls, répliqua Pekkala.

— Quoi ? Rien que vous et moi ? » Maximov éclata de rire. « Et même à supposer que nous le retrouvions à temps, que ferions-nous, alors ? Vous toquerez simplement sur la carrosserie du char, et vous lui donnerez l'ordre de sortir ? Je veux bien vous aider, Pekkala, mais je ne suis pas un faiseur de miracles...

— Non, l'interrompit Pekkala. Vous êtes un assassin et, maintenant, ça m'arrange. »

Confiant Maximov à un garde, Pekkala alla retrouver Gorenko à la Maison d'Acier.

Gorenko et Constantin étaient assis côte à côte sur deux caisses de munitions, comme s'ils attendaient le car. Les menottes étaient si lâches autour des poignets de Constantin que, Pekkala le savait, le garçon aurait pu s'en débarrasser sans peine s'il l'avait voulu.

« Y a-t-il quelque chose qui puisse détruire un T-34 ? interrogea Pekkala.

— Eh bien, répondit Gorenko, tout dépend...

— Il me faut une réponse maintenant, Gorenko.

— Très bien, marmonna-t-il à contrecœur. Il y a cette arme sur laquelle nous travaillons depuis quelque temps... » Il conduisit Pekkala jusqu'à un recoin du bâtiment et désigna un objet recouvert d'une bâche de toile. « La voilà. »

Gorenko souleva la toile, dévoilant une longue caisse en bois équipée de poignées de corde et enduite d'une couche fraîche de peinture militaire, couleur pomme pourrie.

« Personne n'est censé le savoir...

— Ouvrez-la », répliqua Pekkala.

Gorenko posa un genou sur le sol, fit sauter les attaches de la caisse et ôta le couvercle. À l'intérieur se trouvait un fin tube d'acier. Il fallut un moment à Pekkala pour comprendre qu'il s'agissait d'une sorte de fusil. Un épais tampon incurvé, à l'une des extrémités du tube, était destiné à épouser l'épaule de l'utilisateur, et une autre protection était fixée sur le côté, sans doute pour recouvrir le visage du tireur lorsqu'il faisait feu. Plus en avant, Pekkala aperçut une large crosse de pistolet et une pièce de métal courbe protégeant la gâchette. L'arme était dotée d'une poignée de transport au milieu du canon, et d'un trépied pour la stabiliser. Un embout métallique aux formes anguleuses entourait l'extrémité du canon, dont Pekkala jugea qu'il devait s'agir d'un cache-flamme. L'arme paraissait rudimentaire et peu fiable – à mille lieues des pièces parfaitement usinées de son revolver Webley ou de l'assemblage sophistiqué du PPK de Nagorski.

« Qu'est-ce que c'est ? demanda Pekkala.

— Ceci, répondit Gorenko, cachant mal sa fierté d'inventeur, est le PTRD – *Protivo Tankovoye Rujyo Degtyaryova*...

— Vous manquez d'imagination en matière de noms..., remarqua Pekkala.

— Je sais, reconnut Gorenko. J'ai même un chat qui s'appelle Chat. »

Pekkala pointa l'arme du doigt.

« Ce fusil est capable d'arrêter un char ? »

Gorenko tendit le bras vers un compartiment de métal vert, encastré dans la caisse.

« Pour être plus précis, inspecteur... » Il souleva le couvercle du compartiment et en sortit l'une des balles les plus démesurées que Pekkala eût jamais vues. « ... voici les munitions qui arrêteront votre char. » Soudain, il hésita. « Enfin, en théorie. Mais elles ne sont pas encore prêtes... En fait, il faudra peut-être des années pour développer le produit fini. En attendant, c'est un projet top secret !

— Plus maintenant », répondit Pekkala.

Depuis le bureau du capitaine Samarin, Pekkala téléphona à Staline, au Kremlin.

Poskrebytchev décrocha. C'était toujours lui qui répondait au téléphone, de jour comme de nuit.

En entendant sa voix, Pekkala ne put s'empêcher de se demander s'il quittait jamais son bureau.

« Passez-moi le camarade Staline, lui dit-il.

— Il est tard, répliqua Poskrebytchev.

— Non, corrigea Pekkala. Il est tôt. »

La voix de Poskrebytchev disparut dans un clic, tandis qu'il redirigeait l'appel vers les quartiers privés de Staline. Au bout de quelques instants, une voix bourrue résonna dans le combiné.

« Qu'y a-t-il, Pekkala ? »

Pekkala lui raconta les événements de la nuit.

« Constantin Nagorski a avoué le meurtre de son père ? répéta Staline, comme s'il ne comprenait pas ce qu'on lui disait.

— C'est exact. Il sera transféré à la Loubianka dès demain matin.

— Ces aveux, ont-ils été obtenus de la même manière que les autres ?

— Non. L'usage de la force n'a pas été nécessaire. »

Il contempla les papiers éparpillés sur le bureau de Samarin. Nul ne semblait les avoir touchés depuis la mort du capitaine. Sur un coin de la table était posée une petite photographie encadrée, sur laquelle Samarin posait avec celle qui devait être son épouse.

« Croyez-vous, interrogea Staline, que cet Ouchinsky avait vraiment l'intention de remettre le T-34 aux Allemands ?

— Non, camarade Staline. Je ne le crois pas.

— Pourtant, vous êtes en train de me dire qu'un des tanks est porté disparu ?

— C'est également exact, mais Ouchinsky n'avait rien à voir avec ça. »

Pekkala entendit une allumette craquer – Staline allumait une cigarette.

« C'est la deuxième fois, gronda Staline, que le major Lysenkova me transmet des informations erronées…

— Camarade Staline, je pense être en mesure de localiser le T-34 manquant. J'ai resserré les recherches sur un carré de terrain recouvert d'une forêt dense, aux abords de la frontière polonaise. Un endroit baptisé forêt de la Rusalka.

— Le tank est-il armé ?

— Il porte son armement complet, camarade Staline.

— Mais il n'y a qu'un seul homme ? C'est bien ce que vous me dites ? Peut-il opérer seul ?

— Le processus consistant à piloter le char, à charger les munitions, viser et tirer peut être accompli par une personne seule. Les procédures prennent alors un temps considérablement plus long, mais…

— Mais le tank est tout aussi dangereux entre les mains d'une seule personne qu'avec un équipage de… combien d'hommes, déjà ?

— Quatre, camarade Staline. Et la réponse est : oui. Un seul homme sachant ce qu'il fait peut transformer le T-34 en une machine extrêmement dangereuse… »

Il y eut un long silence. Puis Staline explosa.

« Je vais envoyer sur place toute une division d'infanterie ! La 5e division de fusiliers fera l'affaire. Je vais également mobiliser la 3ᵉ division blindée. Ils ne possèdent pas de T-34, mais ils lui barreront la route jusqu'à ce qu'il soit à court de munitions. Peu importe le nombre d'hommes qu'il faudra pour l'arrêter. Peu importe le nombre d'engins. Je lui enverrai toute l'Armée rouge à ce salopard, s'il le faut !

— Dans ce cas, vous offrirez aux Allemands le prétexte qu'ils attendent... »

Il y eut une nouvelle pause.

« Vous avez sans doute raison, admit Staline. Mais quel que soit le prix à payer, je ne laisserai pas ce traître s'en tirer comme ça... »

Pekkala entendit Staline vider tout l'air de ses poumons. Il imagina le brouillard grisé de la fumée de cigarette autour de son visage.

« Il existe un détachement spécialisé dans les techniques de guérilla. Il est dirigé par un certain major Derevenko. Il s'agit d'un groupe restreint. Nous pourrions les envoyer, eux...

— Je suis content de vous l'entendre dire, camarade Staline. »

Pekkala entendit un choc sourd, quand Staline posa le combiné pour décrocher un autre téléphone.

« Passez-moi le major Derevenko, du détachement spécialisé dans les techniques de guérilla, à Kiev, ordonna-t-il. Pourquoi ? Quand ? Vous en êtes certain ? J'ai fait ça ? »

Staline raccrocha brutalement, puis reprit sa conversation avec Pekkala.

« Derevenko a été liquidé. Le détachement de guérilla a été démantelé. Je ne peux pas envoyer l'armée régulière...

— Non, camarade Staline.

— Vous me suggérez donc de laisser cette attaque se dérouler sans rien faire ?

— Ma suggestion, c'est que vous me laissiez aller sur place et l'arrêter moi-même…

— Vous, Pekkala ?

— Je ne serai pas seul. Mon adjoint m'accompagnera, ainsi qu'un troisième homme. Il s'appelle Maximov.

— Vous voulez dire l'homme qui a aidé Kropotkine à dérober le tank ?

— Oui. Il a accepté de collaborer.

— Et vous avez besoin de lui ?

— Je crois qu'il est notre meilleure chance de pouvoir négocier avec Kropotkine.

— Et si Kropotkine refuse de négocier ?

— Dans ce cas, d'autres mesures sont à notre disposition…

— D'autres mesures ? s'étonna Staline. Quel tour de magie avez-vous encore dans votre sac, Pekkala ?

— De la magie, non. Mais du tungstène…

— Une nouvelle arme ?

— Oui. Elle en est encore au stade de l'expérimentation. Nous la testerons une dernière fois avant de partir.

— Pourquoi n'en ai-je jamais entendu parler ?

— Comme pour le reste, camarade Staline, Nagorski avait ordonné que ce projet soit tenu secret.

— Mais pas pour moi ! rugit Staline dans l'écouteur. C'est moi, le gardien des secrets ! Rien ne doit rester secret pour *moi* ! Vous vous rappelez ce que je vous ai dit, au sujet de ces rumeurs que les services secrets britanniques faisaient courir ? Que nous étions en train de planifier une attaque contre l'Allemagne *via* la frontière polonaise ? Les Allemands croient que ces rumeurs sont fondées, Pekkala, et ils croiront précisément que c'est de cela qu'il s'agit, si vous n'arrêtez pas ce tank ! Notre pays n'est pas prêt pour mener une guerre ! Il vaudrait donc mieux que votre plan fonctionne, Pekkala ! Je vous donne quarante-huit heures pour intercepter l'engin. Ensuite, j'envoie l'armée…

— Je comprends, répondit Pekkala.

— Saviez-vous, ajouta Staline, que j'ai moi aussi un fils qui s'appelle Constantin ?

— Oui, camarade Staline. »

Staline soupira dans le combiné, et un bruit d'averse résonna à l'oreille de Pekkala.

« Imaginez un peu, murmura-t-il. Être assassiné par la chair de sa chair… »

Avant d'avoir eu le temps de répondre, Pekkala entendit un clic. Staline avait raccroché.

Tandis que le soleil se levait au-dessus des bois, Pekkala observait aux jumelles l'autre extrémité du terrain d'essais. Pris au piège comme une mouche dans les filaments du quadrillage télémétrique de ses jumelles, un T-34 déployait son énorme masse, un numéro 5 peint en blanc sur le côté de la tourelle.

« Prêt ? demanda-t-il.

— Prêt », répondit Kirov.

Il se tenait à plat ventre sur le sol, la crosse du PTRD calée au creux de son épaule, et son canon en équilibre sur le trépied. Il arrivait à peine de Moscou, deux heures après que Pekkala lui eut donné l'ordre de venir le rejoindre.

« Feu ! » ordonna Pekkala.

Une déflagration assourdissante se fit entendre.

Deux éclairs rouges jaillirent de la tourelle du T-34, suivis d'un nuage de fumée. Quand la fumée se dissipa, Pekkala aperçut une plaque de métal dénudé à l'endroit où le projectile avait frappé le tank, effaçant à demi le numéro blanc. Il baissa ses jumelles.

« Que s'est-il passé ? » interrogea-t-il.

Ce fut Gorenko qui répondit :

« La balle avait trop d'angle, et elle a ricoché. »

Kirov était resté allongé, bouche bée, les yeux écarquillés, secoué par le recul de l'arme.

« Je crois que j'ai la mâchoire cassée, grommela-t-il.

— En tout cas, vous l'avez touché, répliqua Pekkala.

— Ce qui compte, ce n'est pas seulement de le toucher, intervint Gorenko. Le tir doit être parfait si on veut percer le blindage – à cet endroit, il atteint soixante-dix millimètres d'épaisseur…

— Dites-moi, professeur, répondit Kirov en empoignant une deuxième balle. Qu'arrive-t-il à ces engins si on leur tire dessus en pleine bataille ?

— Tout dépend de ce qu'on leur tire dessus, répondit Gorenko avec détachement. De simples balles rebondiront sur le blindage, sans laisser plus de trace qu'une empreinte de doigt sur une motte de beurre froid. Même certains obus d'artillerie ne peuvent le traverser. Ça fait un sacré boucan, certes, mais c'est quand même moins terrifiant que ce qui se produit quand l'obus parvient à percer la carrosserie…

— Et que se passe-t-il lorsqu'un obus traverse ? »

Gorenko prit le projectile des mains de Kirov et en tapota l'extrémité du bout de son index.

« Au moment où cette ogive frappe sa cible, expliqua-t-il, elle se déplace à une vitesse de 1 012 mètres par seconde… Si elle parvient à entrer dans le char, elle se mettra à ricocher à travers l'habitacle. » Lentement, il fit virevolter le projectile dans un sens, puis dans l'autre. « Elle frappera une dizaine de fois, puis cent, puis mille. Tous les occupants du char seront taillés en pièces, comme s'ils avaient été découpés, morceau par morceau, avec un couteau de boucher… Ou alors, elle percutera l'un des obus du char et l'engin implosera. Croyez-moi, inspecteur, mieux vaut ne pas se trouver à bord quand l'un de ces projectiles transperce le blindage… Les parois en métal de l'habitacle sont tellement déchiquetées qu'elles ressemblent à un gigantesque nid d'oiseau…

— Réessayez », ordonna Pekkala.

Kirov cala de nouveau la crosse du fusil contre son épaule. Il déverrouilla la culasse, éjecta la douille vide et glissa une nouvelle balle dans la chambre.

« Cette fois, conseilla Gorenko, tâchez de viser l'endroit où la tourelle rejoint le châssis du char.

— Mais ce trou ne fait que deux ou trois centimètres de large ! s'exclame Pekkala.

— Nous n'avons pas conçu cette machine, répliqua Gorenko, dans le but de faciliter ce que vous êtes en train de faire… »

Kirov colla sa joue au tampon de protection. Il ferma un œil, montrant les dents. Ses orteils prirent appui sur le sol.

« Dès que vous serez prêt… », annonça Pekkala.

Il n'avait pas fini sa phrase qu'un éclair enflammé jaillissait du canon. L'air parut frissonner autour d'eux. Quand la fumée se dissipa autour du tank, une nouvelle éraflure argentée apparut au pied de la tourelle.

Gorenko secoua la tête.

Là-bas, la silhouette trapue du T-34 semblait se moquer d'eux.

« Ça ne sert à rien d'insister, marmonna Pekkala. Il va falloir trouver une autre solution. »

Kirov se releva et dépoussiéra sa chemise.

« Il est peut-être temps de faire intervenir l'armée. Nous avons tout essayé.

— Non, pas tout », rectifia Gorenko.

Les deux inspecteurs se tournèrent vers lui.

« Même un Achille a son talon », déclara le professeur en plongeant la main dans sa poche. Il en tira une autre cartouche destinée au PTRD. Mais celle-ci était différente. La surface terne du tungstène était en effet remplacée par l'éclat du mercure.

« C'est un alliage de chlorure de titane et de calcium, détailla Gorenko. Il a été inventé par un certain William Kroll, il y a quelques années à peine, au Luxembourg. Il existe moins d'un kilogramme de ce machin en tout et pour tout, à l'heure où je vous parle. Ouchinsky et moi avons réussi à nous en procurer une petite quantité pour mener à bien nos expérimentations. » Il lança la balle à Kirov. « Je n'ai aucune idée de ce que ça va donner. Elle n'a jamais été testée.

— Chargez le fusil », ordonna Pekkala.

Le tir suivant ne provoqua pas d'éclair rouge. Au lieu de quoi, un minuscule point noir marqua le flanc de la tourelle. Ils entendirent un grésillement assourdi, puis plus rien.

« Ça n'a rien donné, marmonna Kirov.

— Attendez », répliqua Gorenko.

Quelques secondes plus tard, un étrange éclat bleuté émana du T-34. Puis la tourelle du tank se hissa dans les airs, soulevée par un pilier de flammes. Le souffle de l'explosion se propagea autour du char, aplatissant les herbes. Quand le mur frappa Pekkala, il eut l'impression de recevoir un coup en pleine poitrine. La tourelle tournoya lentement dans les airs, comme si elle n'avait rien pesé, puis se fracassa au pied du char dans un choc d'une telle violence qu'il fit trembler le sol sous les pieds des trois hommes. Une épaisse colonne de fumée se dégageait des entrailles de l'engin. D'autres explosions retentirent, certaines aussi sourdes qu'un coup de tonnerre, d'autres brèves et crépitantes – les munitions embarquées sautaient dans l'habitacle en flammes.

Kirov bondit sur ses pieds et gratifia Pekkala d'une grande claque dans le dos.

« Maintenant, vous êtes forcé de le reconnaître !

— De reconnaître quoi ? demanda Pekkala, méfiant.

— Que je suis fin tireur ! Un vrai tireur d'élite ! »

Pekkala étouffa un ronchonnement. Kirov se tourna alors vers Gorenko, prêt à le féliciter pour l'efficacité de sa balle en titane.

Mais Gorenko avait le visage sombre. Il contemplait les débris du T-34.

« Tout ce travail pour leur donner le jour…, murmura-t-il. C'est dur de les voir mourir de la sorte. »

Les deux inspecteurs cessèrent de sourire en entendant la voix triste du vieux professeur.

« Combien vous reste-t-il de balles en titane ? l'interrogea Pekkala.

— Une. »

Gorenko sortit l'autre balle de sa poche et la déposa sur la paume ouverte de Pekkala.

« Pouvez-vous en fabriquer d'autres ? demanda Pekkala.

— Impossible. » Gorenko secouait la tête. « Ce que vous tenez au creux de votre main, c'est tout ce qui reste de titane dans ce pays. Si vous ratez la cible, vous n'aurez plus qu'un seul moyen à votre disposition, bien plus rudimentaire…

— Vous voulez dire que vous disposez d'une autre arme ?

— C'est un recours ultime, soupira Gorenko. Rien de plus. »

Il disparut à l'intérieur de l'usine d'assemblage. Au bout de quelques instants, il en ressortit en portant ce qui ressemblait à un panier de pique-nique en osier. Il le déposa au pied des enquêteurs et souleva le couvercle. À l'intérieur, séparées par des lamelles de bois, se trouvaient trois bouteilles de vin. À la place des bouchons, elles étaient scellées avec des lambeaux de chiffon qui pendaient le long du goulot, maintenus en place par des bandes de scotch noir enroulées plusieurs fois autour du cou de la bouteille.

Gorenko en souleva une.

« Elle contient un mélange de paraffine, de pétrole, de sucre et de goudron. Le bouchon de tissu de chacune des bouteilles a été trempé dans l'acétone, qu'on a ensuite laissée sécher. Pour s'en servir, on enflamme le chiffon, puis on lance la bouteille sur le char. Mais il faut la lancer avec une extrême précision. Elle doit atterrir sur la calandre du compartiment moteur. Cette grille comporte des aérations, et le liquide enflammé se déversera dans le moteur. En principe, cela devrait mettre le feu au moteur, mais même s'il ne s'embrase pas, le liquide fera fondre les tuyaux en caoutchouc reliés au radiateur, à l'injection d'essence et à l'arrivée d'air. Ça stoppera net le tank…

377

— Mais seulement si je parviens à m'approcher suffisamment pour jeter cette bouteille sur le moteur, remarqua Kirov.

— Exactement, approuva Gorenko.

— Mais pour ça, il faudrait pratiquement grimper sur la machine…

— Je vous avais prévenu qu'il s'agissait du recours de la dernière chance… », repartit Gorenko, replaçant la bouteille au fond du panier en osier.

Au moment de se séparer, Gorenko prit Pekkala à part.

« Pourriez-vous faire passer un message à Ouchinsky ?

— Tout dépend de l'issue de notre mission, répliqua Pekkala. Éventuellement.

— Dites-lui que je regrette notre dispute, déclara Gorenko. Dites-lui que sa présence me manque. »

Ils roulèrent sans interruption pendant vingt-quatre heures en direction de la frontière polonaise. Kirov et Pekkala se relayaient au volant toutes les trois heures. Maximov était assis derrière, menottes aux poignets. C'est Kirov qui avait insisté pour qu'on les lui passe.

« Êtes-vous sûr que c'est nécessaire ? demanda Pekkala.

— C'est la procédure de rigueur pour le transport des prisonniers, répliqua Kirov.

— Je ne peux pas lui en vouloir, intervint Maximov. Après tout, je n'ai pas accepté de vous aider parce que j'estimais que vous aviez raison. Si je suis ici, c'est uniquement pour sauver la peau de Constantin Nagorski…

— Que je vous fasse confiance ou pas, rétorqua

Kirov, ce n'est pas ça qui va faire changer d'avis Kropotkine. »

C'était le début du printemps, saison dont Pekkala, à Moscou, ne remarquait l'existence que dans l'espace confiné des pots de fleurs que Kirov posait sur la fenêtre du bureau, dans les grands seaux galvanisés du marché en plein air de la place Bolotnia, ou quand le grand magasin Elisseïev organisait son exposition annuelle de bouquets de tulipes en forme de faucille et de marteau. Mais ici, le printemps éclatait partout autour de lui, tel un lent tourbillon, peignant les flancs noirs de l'Emka d'une étincelante poussière jaune-vert.

Ils avaient eu la chance d'échapper à cette période de l'année qu'on appelle la *Rasputitsa*, lorsque la fonte des neiges transforme les routes en torrents de boue. Mais il restait des endroits où la route qu'ils empruntaient disparaissait soudain sous des lacs, pour réapparaître sur l'autre rive et poursuivre sa course entêtée à travers la campagne. Au beau milieu de ces étangs, des panneaux penchés de côté semblaient montrer la voie qui menait à un autre univers, sous la surface de l'eau.

Ces détours obligés leur faisaient perdre des heures précieuses, empruntant des chemins qui n'existaient pas sur leur carte, et ceux qui y figuraient s'interrompaient parfois inexplicablement alors qu'à en croire la carte ils étaient censés se poursuivre, telles des artères à l'intérieur du corps humain.

En chemin, ils traversaient des villages dont les jardins aux palissades blanches défilaient devant eux comme les images d'un film. Ils s'arrêtaient pour faire le plein dans des dépôts d'État, où le sol gorgé d'essence était couvert de petits arcs-en-ciel. À demi caché derrière les piles de pneumatiques abandonnés à l'arrière des dépôts, des jacinthes d'un violet laiteux tombaient en cascade du sommet des haies. Leurs senteurs se mêlaient aux relents du diesel.

Sur l'autoroute de Moscou, les dépôts étaient distants entre eux d'une centaine de kilomètres. On ne pouvait y obtenir de carburant que sur présentation de coupons gouvernementaux. Pour éviter la revente de ces coupons au marché noir, ils étaient nominatifs. À chaque dépôt, Kirov et Pekkala vérifiaient si Kropotkine avait converti l'un des siens. En vain.

« Et dans les dépôts situés à l'écart de l'autoroute ? » demanda Pekkala au gérant de l'une des stations.

Le duvet qui recouvrait ses joues évoquait la couche de moisissure déposée sur un pain rassis.

« Il n'y en a pas », répliqua le gérant. Il ôta ses fausses dents, qu'il lustra du coin de son mouchoir avant de les remettre en place. « La seule manière d'obtenir du carburant, c'est de s'arrêter dans les dépôts autoroutiers, ou de s'adresser aux commissariats locaux qui en distribuent pour les engins agricoles. Si le conducteur d'un poids lourd tentait de réquisitionner du carburant dans un de ces commissariats, on le lui refuserait. »

Kirov brandit la liasse de coupons que le gérant lui avait remise pour inspection.

« Est-il possible qu'un de ceux-là ait été échangé au marché noir ? »

Le gérant fit non de la tête.

« Soit vous avez un laissez-passer qui vous autorise à réquisitionner du carburant pour un usage officiel, soit vous possédez ces coupons, comme tout le monde. Et si vous avez des coupons, chacun d'entre eux doit correspondre à la carte d'identité et au permis de conduire de la personne qui le présente. Je fais ce métier depuis quinze ans et, croyez-moi, je sais faire la différence entre un vrai coupon et un faux... »

Pendant que le gérant faisait le plein, Pekkala ouvrit le coffre de l'Emka et examina la radio à ondes courtes fournie par Gorenko. Elle était du même type que celles qui équipaient les T-34 et leur permettaient de communiquer avec l'artillerie et l'aviation qui, sur le front, étaient hors de portée d'une radio normale. Si leur mission réussissait, ils pourraient s'en servir pour transmettre un message sur un canal d'urgence, supervisé par le Kremlin, avant l'échéance fatidique des quarante-huit heures. Dans le cas contraire, comme Staline l'avait annoncé, des troupes motorisées rassemblant plusieurs milliers d'hommes seraient envoyées sur la frontière polonaise.

Calé contre la radio, le PTRD déployait sa silhouette pataude. Plus Pekkala le regardait et moins il ressemblait à une arme, mais bien plutôt à une canne destinée à un géant boiteux. Il gardait la balle de titane dans la poche de son gilet, qu'il avait pris soin de fermer avec une épingle de nourrice.

« Laissez donc ce fusil tranquille, intervint Kirov en refermant le coffre. Il sera là quand on aura besoin de lui...

— Mais sera-t-il suffisant ? » s'inquiéta Pekkala.

La pensée qu'il puisse être déjà trop tard pour empêcher Kropotkine de faire entrer le tank en Pologne se répercuta sous son crâne.

À la dix-huitième heure de leur périple, Kirov s'endormit au volant. L'Emka partit en dérapage, quitta l'autoroute et alla terminer sa course dans un champ de tournesols. Par chance, il n'y avait pas de fossé au fond duquel l'Emka se serait fracassée.

Le temps que la voiture s'immobilise enfin, les flancs de la carrosserie et le pare-brise étaient recouverts d'une fine couche de boue, où se mêlaient les minuscules langues vert pâle des jeunes feuilles de tournesol. Sans un mot, Kirov descendit de la voiture, se dirigea vers la portière arrière et l'ouvrit.

« Sortez », ordonna-t-il à Maximov, qui s'exécuta aussitôt.

Kirov lui ôta ses menottes. Puis il tendit le bras vers le siège conducteur, vacant.

Maximov s'installa au volant, et les deux enquêteurs poussèrent la voiture. Les épaules collées aux ailes arrière, ils parvinrent à désembourber l'Emka et à la remettre sur la route.

Haut dans le ciel, des vautours tournaient en cercles lents, portés par les courants d'air chaud. L'odeur de ce monde enclavé, éloigné de la mer, planait tout autour d'eux, sa sécheresse et son empoussièrement s'infiltraient dans leur sang, aussi épicés que de la poudre de muscade.

Par précaution, ils se relayaient désormais toutes les deux heures. Quand ils arrivèrent en vue de la Rusalka, les trois hommes avaient atteint ce degré d'épuisement qui les aurait empêchés de dormir, même s'ils l'avaient voulu.

Sur la carte, la forêt ressemblait à un éclat de verre déchiqueté, de couleur verte, cerné par des zones blanches correspondant aux parcelles cultivées. Elle était à cheval sur la frontière russo-polonaise, indiquée par une simple ligne sinueuse, en pointillé. La Rusalka était située à environ deux cents kilomètres à l'est de

Varsovie. Côté russe, la forêt n'abritait qu'une poignée de villages, mais à en croire la carte de Pekkala, ils étaient bien plus nombreux du côté polonais.

Pekkala avait tant étudié cette carte que la forme de la forêt était désormais gravée dans son esprit. Comme si le fait de connaître par cœur les contours de la Rusalka le préparait à affronter ce qui l'attendait à l'intérieur.

L'après-midi touchait à sa fin lorsqu'ils atteignirent le hameau de Zorovka, ultime village russe avant que la route ne disparaisse sous les arbres. Zorovka se réduisait à une demi-douzaine de chaumières serrées les unes contre les autres de part et d'autre de la piste. Des poules à la mine indignée erraient au milieu de la route, si peu habituées aux voitures qu'elles semblaient à peine remarquer la présence de l'Emka jusqu'à ce que ses roues manquent de les écraser.

Le village paraissait désert, à l'exception d'une femme qui s'occupait de son jardin. Quand l'Emka pénétra dans son champ de vision, elle ne releva même pas la tête, mais continua de soulever des mottes de terre boueuses à petits coups de houe. Le fait qu'elle ne les regarde pas fit comprendre à Pekkala qu'elle devait sûrement les attendre. « Arrêtez-vous », ordonna-t-il.

Kirov freina brusquement. Pekkala descendit et se dirigea vers la femme. Comme il traversait la route pour la rejoindre, elle continua de l'ignorer. Sous les empreintes de roues de charrettes et de sabots, il distingua de larges traces de pneumatiques. Il sut alors qu'il était sur la bonne piste.

« Quand le camion est-il passé par ici ? » demanda-t-il à la femme, par-dessus la palissade du jardin.

Elle cessa de bêcher la terre, et leva la tête.

« Qui êtes-vous ? interrogea-t-elle.

— Inspecteur Pekkala, du Bureau des opérations spéciales, à Moscou.

— Ma foi, j'sais pas de quel camion vous parlez, répondit-elle d'une voix si forte que Pekkala se demanda si elle n'était pas dure d'oreille.

— J'ai vu les traces de ses pneus sur la route », répliqua-t-il.

La femme s'approcha de la palissade et se pencha pour regarder.

« Oui, dit-elle, hurlant presque. Je les vois aussi. Mais j'sais toujours pas de quoi vous parlez. »

Puis elle se tourna vers lui et, à l'expression de son visage, il sut qu'elle mentait. Plus encore – elle voulait qu'il sache qu'elle mentait.

Une secousse agita la poitrine de Pekkala. Il baissa les yeux vers le sol, comme si quelque chose avait attiré son attention.

« Il est ici ? murmura-t-il.

— Il était, murmura la femme en retour.

— Il y a combien de temps ?

— Hier, dans l'après-midi.

— Était-il seul ?

— Je n'ai vu personne d'autre.

— S'il est parti, pourquoi avez-vous encore peur ?

— Les autres sont terrés chez eux à nous observer et à écouter à leur porte… S'il arrive quelque chose, ils m'en voudront de vous avoir parlé, mais je m'en voudrai à moi-même si je ne dis rien.

— S'il arrive quelque chose ? » répéta Pekkala.

La femme le dévisagea pendant un long moment.

« Cet homme qui conduisait le camion, il a pris

quelqu'un avec lui. Quelqu'un du village. Il s'appelle Maklarsky ; il est forestier, ici, dans la Rusalka.

— Pourquoi prendre un otage ? s'étonna Pekkala.

— D'abord, le chauffeur a dit qu'il voulait seulement du carburant pour son camion. Le problème, c'est que le commissariat ne nous en accorde qu'une certaine quantité chaque mois. Nous ne possédons qu'un seul tracteur au village, et le carburant qu'ils nous donnent ne suffit même pas à le faire tourner tout le mois… Nous lui avons donc refusé. Alors, il a demandé à quelqu'un de lui montrer le chemin de la frontière. La Rusalka est patrouillée par la cavalerie polonaise. Nos soldats à nous viennent parfois jusqu'ici, une fois par mois à peu près, mais les Polonais traversent la forêt à cheval presque tous les jours. Il y a plein de chemins dans les bois. On s'y perd facilement. Nous avons conseillé au chauffeur de faire demi-tour et de traverser la frontière en empruntant l'autoroute de Moscou. C'est là qu'il a sorti son arme…

— À quoi ressemblait-il ? interrogea Pekkala.

— Large d'épaules, un gros visage carré et une moustache. Il avait les cheveux blonds, mais grisonnants.

— Il s'appelle Kropotkine, déclara Pekkala. Et c'est un homme extrêmement dangereux. Il est très important que j'arrête cet individu avant qu'il ne passe en Pologne…

— Il l'a peut-être déjà fait, remarqua-t-elle.

— Si c'était le cas, nous le saurions déjà.

— Il a dit que des hommes étaient à sa recherche, et qu'ils viendraient ici. Il a dit que nous devions guetter un homme en manteau noir, avec un insigne en forme d'œil sous son col… »

Pekkala souleva le revers de son manteau.

« Il voulait dire : ceci.

— Oui, acquiesça la femme, en contemplant l'œil d'émeraude. Il nous a promis que, si nous ne disions rien, il relâcherait l'otage. Mais je ne l'ai pas cru. C'est pour ça que je vous parle à présent. Les autres ont trop peur pour vous adresser la parole. Je m'appelle Zoya Maklarskaya et l'otage dont je vous ai parlé, c'est mon père. C'est à moi de décider si je dois vous parler, en pesant le pour et le contre…

— Nous ferons tout pour vous ramener votre père », promit Pekkala.

La femme désigna du chef la piste défoncée.

« Ces traces vous mèneront jusqu'à lui, et vous feriez mieux de partir tout de suite si vous voulez le retrouver avant le coucher du soleil. Une fois que la nuit tombe sur cette forêt, même les loups s'y perdent… »

En se retournant, Pekkala aperçut à la fenêtre d'une maison un visage qui recula dans l'ombre, comme un noyé happé par les profondeurs d'un lac.

La lumière s'estompait déjà quand ils pénétrèrent dans la forêt sur les traces de Kropotkine. Les arbres se refermèrent sur eux. Les rayons du soleil couchant filtraient à travers le feuillage, tels des piliers brisés, illuminant des clairières dont le tapis d'herbe luisait d'un éclat aussi fort que celui de l'émeraude incrustée dans l'œil d'or de Pekkala.

La piste elle-même semblait matérialiser la frontière.

D'un côté, ils aperçurent des panneaux de bois indiquant en polonais qu'ils se trouvaient à la limite des deux pays. De l'autre, clouées aux troncs, des plaques métalliques portaient l'emblème, faucille et marteau, de l'Union soviétique. Sous les pancartes, de l'endroit où les clous avaient percé l'écorce, des filets de sève blanche saignaient jusqu'au pied des sapins.

Après tant d'heures passées à étudier la carte, la Rusalka s'était à ce point condensée dans l'esprit de Pekkala qu'il avait fini par s'en persuader : un char aussi monstrueux ne pourrait s'y cacher longtemps.

Mais à présent qu'ils se trouvaient dans la forêt, brinquebalés sur des pistes en tôle ondulée, à s'arracher les yeux pour repérer les empreintes en peau de serpent des pneus du camion, Pekkala se rendit compte qu'une bonne centaine de ces engins auraient pu disparaître ici sans laisser aucune trace. Face à l'immensité vertigineuse de ces bois, les souvenirs qu'il avait de grandes villes telles que Leningrad, Moscou ou Kiev prenaient l'allure de simples rêves. On aurait dit que la seule chose qui existait sur terre, et avait jamais existé, était la forêt de la Rusalka.

Une fois que le soleil eut projeté ses derniers rayons, l'obscurité ne sembla pas descendre du ciel, comme elle le faisait en ville. Non, elle s'élevait du sol, comme un liquide noir engloutissant le monde. Ils ne distinguaient plus les traces du camion, et il était trop dangereux d'allumer les phares de l'Emka, car Kropotkine les attendait peut-être au détour du prochain virage.

Ils rangèrent l'Emka à l'écart de la piste, coupèrent le contact, et s'extirpèrent de la voiture, les jambes raides. La rosée était tombée. Une brise agitait la cime des grands arbres.

« Nous reprendrons les recherches aux premières lueurs de l'aube, déclara Pekkala. Tant qu'il fait noir, Kropotkine ne prendra pas non plus le risque de bouger.

— Pouvons-nous allumer un feu ? demanda Kirov.

— Non. Même s'il ne distingue pas les flammes, l'odeur de la fumée le mènera jusqu'à nous... Chacun de nous montera la garde à tour de rôle. Je commence. »

Pendant que Pekkala surveillait les alentours, Maximov et Kirov s'allongèrent dans l'espace confiné de l'habitacle, Maximov à l'avant et Kirov derrière.

Pekkala était assis sur le capot de l'Emka et sentait sous ses jambes la chaleur du moteur, qui soupirait et cliquetait en se refroidissant, comme le tic-tac irrégulier d'une horloge.

Après toutes ces années passées dans le fracas constant des métros qui serpentaient sous les trottoirs de Moscou, des tuyaux qui claquaient dans son appartement et du cliquetis lointain des trains entrant en gare de Biélorussie, le silence de la forêt lui tapait sur les nerfs. Les vieux souvenirs de son séjour forcé en Sibérie revinrent le hanter, tandis qu'il scrutait les ténèbres, impuissant, conscient que Kropotkine aurait pu s'approcher à quelques pas de lui sans qu'il l'aperçoive.

Des gouttes de rosée se formaient sur ses vêtements, transformant le noir terne de son manteau en une cape de perles qui scintillait, même dans cette nuit noire.

Au bout d'un moment, la portière arrière de l'Emka s'ouvrit, et Kirov descendit tant bien que mal. Les vitres de la voiture étaient devenues opaques, saturées de condensation.

« Ça fait déjà trois heures ? s'étonna Pekkala.

— Non, répondit Kirov. Je n'arrive pas à dormir. »

Il vint s'asseoir à côté de Pekkala en se frottant les côtes, frigorifié. « Combien de temps nous reste-t-il ? »

Pekkala sortit sa montre de gousset.

« Quatorze heures. Le temps que le soleil se lève, il n'en restera plus que deux.

— Cela suffirait-il vraiment à déclencher une guerre ? interrogea Kirov. Un seul tank, piloté par un dingue ? Même s'il parvenait à tuer quelques innocents, le monde finirait forcément par revenir à la raison... »

Pekkala lui coupa la parole.

« La dernière guerre a été déclenchée par un forcené qui s'appelait Gavrilo Princip. Il n'a eu besoin que d'un pistolet, et il n'a tué qu'une seule personne, l'archiduc Ferdinand.

— Un archiduc, ça m'a l'air assez haut placé...

— Même s'il possédait un titre important, Ferdinand l'était-il assez pour justifier la mort de plus de dix millions de personnes ? Voyez-vous, Kirov, la guerre a éclaté parce qu'un des deux camps voulait qu'elle éclate. Ils n'ont guère eu besoin que d'un mensonge assez gros pour convaincre leur peuple que son mode de vie se trouvait menacé... Et aujourd'hui, c'est la même chose. Alors, la réponse est oui : un seul cinglé est plus que suffisant. »

La portière s'ouvrit.

Pekkala sentit un souffle froid sur son visage, qui balaya l'air vicié de l'habitacle. Il s'était endormi les jambes repliées sous le siège conducteur et la tête posée sur celui du passager, le levier de vitesses lui poignardant les côtes. Il avait le cou désarticulé, comme le soufflet brisé d'un accordéon.

Quelqu'un lui secouait le pied.

Pekkala avait l'impression qu'il venait à peine de fermer l'œil. Il avait du mal à croire qu'il était l'heure de prendre un nouveau tour de garde.

« Levez-vous, inspecteur, murmura Kirov. Maximov est parti. »

Les mots de Kirov l'arrachèrent brusquement à son demi-sommeil. Il s'extirpa de la voiture.

« Comment ça, parti ?

— À la fin de mon tour de garde, expliqua Kirov, j'ai réveillé Maximov et lui ai dit de prendre le relais. Je me suis levé il y a quelques minutes pour aller pisser. Et là, j'ai vu qu'il n'était plus là…

— Il n'est peut-être pas loin…

— Je l'ai cherché partout, inspecteur. »

Les deux hommes scrutèrent les ténèbres.

« Il a filé prévenir Kropotkine », grommela Kirov.

Pekkala fut d'abord trop choqué pour répondre. Il refusait de croire, contre toute évidence, que Maximov ait pu les abandonner.

« Que doit-on faire ? interrogea Kirov.

— On ne les retrouvera pas dans le noir, répondit Pekkala. Pas dans cette forêt. En attendant le jour, laissons-les venir à nous. Mais dès qu'il fera assez clair, nous irons les chercher. »

Ils installèrent le fusil antichar PTRD un peu plus loin sur la route, dans le fossé, camouflé sous des branches de pin.

Ils passèrent le reste de la nuit blottis dans le fossé, à surveiller la piste. Dans cette obscurité, leurs yeux leurs jouaient parfois des tours. Des spectres flottaient entre les arbres. Des voix murmuraient dans les sifflements du vent, puis soudain elles disparaissaient et n'avaient jamais existé.

Dans la première lueur vert anguille de l'aube, ils aperçurent une forme qui venait dans leur direction. La créature n'avait rien d'humain. Elle ressemblait à un loup, qui trottinait prudemment sur le bas-côté.

Lentement, Pekkala se hissa sur le rebord du fossé et fit glisser son pistolet hors de l'étui d'épaule.

Kirov l'imita.

Bientôt, ils virent qu'il s'agissait d'un homme et, au bout de quelques instants, reconnurent le crâne chauve de Maximov. Il courait à grandes foulées régulières, courbé en avant, bras relâchés le long du corps.

Arrivé à la hauteur de l'Emka, Maximov s'arrêta et scruta le sous-bois, méfiant.

« Kirov ? murmura-t-il. Pekkala ? Vous êtes là ? »

Pekkala sortit du fossé et se redressa sur la piste, son pistolet au creux du poing.

« Que voulez-vous, Maximov ? » Malgré ce que lui dictait son instinct au sujet de Maximov, Pekkala était résolu à l'abattre au moindre geste brusque.

Maximov parut d'abord surpris de ne pas le trouver près de la voiture. Puis il comprit ce que les deux inspecteurs avaient dû croire.

« Je l'ai entendu ! déclara précipitamment Maximov, en marchant vers Pekkala. J'ai entendu un bruit métallique. Je l'ai suivi. Il fallait que j'agisse vite. »

Il s'immobilisa. C'est alors seulement qu'il remarqua Kirov au fond du fossé, et le PTRD sous son camouflage de branches. Il enveloppa les deux hommes d'un regard ahuri.

« Vous ne pensiez tout de même pas que je vous avais laissés tomber ?

« — Que vouliez-vous que nous pensions ? répliqua Kirov d'un ton cassant.

— Après ce que cet homme a fait à Constantin, s'indigna Maximov, vous croyez honnêtement que j'aurais envie de l'aider ?

— Vous dites que vous l'avez suivi ? » intervint Pekkala, avant que Kirov puisse répondre.

Maximov fit oui de la tête. Il désigna la piste.

« Il se trouve à environ quinze minutes d'ici. Une clairière, au bord de la route. Le tank est sorti du camion. On dirait bien qu'il se prépare à passer aux choses sérieuses dès qu'il fera suffisamment jour…

— Était-il seul ? demanda Pekkala. Avez-vous aperçu l'otage ?

— Le seul homme que j'ai vu, c'était Kropotkine. Il faut partir immédiatement si nous voulons le coincer. Ce char sera beaucoup plus difficile à arrêter une fois qu'il sera en mouvement. »

Sans prononcer un mot, Kirov replia le PTRD. En ressortant du fossé, il tendit son Tokarev à Maximov.

« Vous feriez mieux de prendre ça, dit-il. Au cas où vous n'arriveriez pas à le convaincre avec des mots… » Puis il leva les yeux au ciel, et s'écria à mi-voix : « Regardez ! »

Pekkala et Maximov se tournèrent. Une épaisse colonne de fumée s'élevait au-dessus des arbres, dans le lointain.

« Qu'est-ce que c'est que ça ? s'inquiéta Kirov. Les gaz d'échappement du char ?

— On dirait plutôt qu'il essaie de mettre le feu à la forêt », répliqua Maximov.

Dans le coffre de la voiture, chaque homme prit une bouteille remplie du cocktail explosif et autant de

392

munitions qu'il pouvait emporter. Puis ils se mirent en route à petites foulées. Maximov avançait en tête, ramassé comme un loup.

Tandis qu'ils couraient, la fumée noire se répandait à travers le ciel. Ils ne tardèrent pas sentir son odeur, et ils surent alors que ce n'était pas du bois qui brûlait. L'épais brouillard charriait des relents d'huile en flammes.

Ils progressaient aussi vite qu'ils pouvaient au milieu des arbres, sur un sol spongieux dont la terre mouillée collait aux talons de leurs bottes, et sur lequel d'étranges plantes carnivores, empestant la viande avariée, cabraient leurs bouches grandes ouvertes.

Kirov suivait de près Pekkala, jurant à mi-voix chaque fois qu'il s'écorchait les tibias sur les branches mortes. Des brindilles squelettiques leur fouettaient le visage et tentaient d'arracher leurs armes.

Quand Maximov leva le bras pour leur faire signe d'arrêter, Pekkala était déjà trempé de sueur. Il avait gardé son manteau, et la bouteille dans sa main rendait la course difficile.

Ployant sous la lourde masse du PTRD, Kirov était épuisé, lui aussi. Seul Maximov ne montrait aucun signe de fatigue, comme s'il avait pu continuer de courir, sans s'arrêter, jusqu'à ce que les rouleaux de l'Atlantique viennent lui lécher les pieds.

Ils se mirent à couvert sous les arbres. Le jour se levait rapidement, maintenant.

Devant, Pekkala aperçut la carcasse en flammes du camion.

« Mais que fait-il, à signaler sa position comme ça ? murmura Kirov. Cette fumée doit être visible jusqu'au centre de la Pologne ! »

Ils rampèrent à plat ventre jusqu'à ce qu'ils distinguent, à travers les flammes dansantes, la silhouette du tank. Au pied de l'engin se tenait Kropotkine. Il versait du carburant dans le réservoir du char, à l'aide d'un fût d'essence cabossé. Puis, avec un rugissement furieux, il lança le bidon à l'autre bout de la clairière.

« Voilà pourquoi il ne s'est pas arrêté aux dépôts, chuchota Maximov. Il a siphonné le carburant du T-34. Et maintenant, il ne lui en reste sans doute plus assez pour arriver jusqu'en Pologne…

— C'est pour ça qu'il a mis le feu à son camion, ajouta Pekkala. La femme à qui j'ai parlé, au village, m'a dit que la cavalerie polonaise menait des patrouilles quotidiennes à travers la forêt. Il a allumé l'incendie pour que les Polonais viennent à lui… »

Kropotkine disparut derrière le tank. Quand il réapparut, un vieil homme l'accompagnait. Le vieillard était de petite taille, chauve, les épaules frêles, il portait une chemise bleue de travailleur et un épais pantalon de velours côtelé. Pekkala comprit qu'il s'agissait du père de Zoya Maklarskaya. Kropotkine avait attaché les mains de Maklarsky dans son dos. Il traîna le vieil homme jusqu'au centre de la clairière.

« Vous m'aviez juré qu'il y aurait de l'essence, ici ! hurla Kropotkine.

— Il y en avait ! » Le vieil homme désigna du menton le fût vide. « Je vous l'avais dit, ils en laissent toujours ici, en cas d'urgence.

— Un bidon, ça ne suffit pas !

— Ça suffit pour un tracteur, protesta Maklarsky. Vous ne m'aviez pas dit combien il en fallait. Vous m'avez juste demandé s'il y avait de l'essence…

— Eh bien, tout ça n'a plus grande importance,

maintenant, déclara Kropotkine en tirant un couteau de sa poche.

— Que faites-vous ? s'écria Maklarsky, les yeux fixés sur le poignard.

— Je vous laisse partir, vieil homme. Comme je l'avais promis. » Il trancha ses liens, qui tombèrent sur le sol comme des serpents morts. « Partez », ordonna-t-il en le poussant dans le dos.

Mais Maklarsky ne prit pas la fuite. Il se retourna, au contraire, et fixa Kropotkine du regard, immobile.

« Partez ! » s'emporta Kropotkine. Il replia son couteau en faisant claquer la lame et le remit dans sa poche. « Je n'ai plus besoin de vous. »

Sans hâte, Maklarsky se dirigea vers l'orée de la clairière, le long du petit chemin qui menait à la piste.

Alors, les trois hommes regardèrent, impuissants, Kropotkine sortir un pistolet de son manteau. Le claquement sec de la détonation se répercuta à travers les bois.

Maklarsky chancela. Il ne semblait pas comprendre ce qui lui arrivait. Titubant, il avança de quelques pas.

Kropotkine traversa la clairière à grandes enjambées. Il posa le canon de son pistolet sur la nuque de Maklarsky et appuya sur la gâchette. Cette fois, le vieillard s'écroula, si brutalement qu'on aurait dit que le sol l'avait englouti.

Kropotkine regagna le char. Il se hissa sur la tourelle, dont la trappe était déjà ouverte, et se glissa à l'intérieur.

Pekkala comprit qu'il avait décidé de se mettre en route, essence ou pas. Il fit un signe de tête à l'intention de Kirov.

Celui-ci déplia le trépied du fusil antichar. Il installa l'arme et s'allongea à ses côtés.

« Votre ligne de mire est dégagée ? interrogea Pekkala.

— Non, grommela Kirov en jetant un coup d'œil à travers le viseur. Il y a trop d'arbres.

— Faisons le tour par là, et attendons-le à l'endroit où la clairière rejoint le sentier », ordonna Pekkala.

Kirov replia le fusil et les trois hommes remontèrent la piste, prenant soin de rester sous le couvert des arbres. Ils parvinrent à la jonction du grand chemin qui menait à la clairière. Là, ils constatèrent qu'il ne filait pas droit vers la piste, mais décrivait une courbe vers la gauche, si bien que le char n'était pas encore entré dans leur champ de vision. La seule chance pour Kirov d'avoir un angle de tir dégagé était d'attendre que le char rejoigne la piste principale.

Conscient du peu de temps qui leur restait, les trois hommes se ruèrent de l'autre côté de la route et se laissèrent glisser au fond du fossé. Les mains tremblantes, Kirov disposa le PTRD de telle sorte qu'il soit pointé directement vers le chemin de la clairière. Si Kropotkine décidait de rejoindre la route, aucun obstacle ne se dresserait entre Kirov et l'engin.

« Vous pensez toujours pouvoir le faire changer d'avis ? demanda Pekkala, en s'adressant à Maximov.

— J'en doute, mais je pourrai peut-être gagner un peu de temps.

— Très bien, accorda Pekkala. J'irai avec vous. Nous aurons de meilleures chances de le raisonner si nous sommes deux, mais s'il refuse de nous écouter, écartez-vous de son chemin le plus vite possible. Il va forcément vouloir gagner la route. Il ne voudra pas se retrouver coincé au milieu de cette clairière, et il ne peut pas en sortir autrement que par là…

— Se retrouver à découvert, face à un char, sans autre bouclier que vos belles paroles, ça ne paraît pas très raisonnable… », remarqua Kirov.

Pekkala tendit sous son nez la balle de titane.

« Si les mots ne suffisent pas à le convaincre, nous essaierons avec ceci. Quoi qu'il advienne, dès que vous aurez une opportunité de tir, saisissez-la immédiatement. C'est compris ?

— Vous prenez de sacrés risques, inspecteur. » Kirov lui prit la balle des mains. « Si ce machin vous touche, il vous réduira en pièces…

— C'est pour ça que je suis bien content que vous soyez si fin tireur…

— Enfin, vous le reconnaissez », déclara Kirov en se mettant en position.

Maximov et Pekkala partirent en direction de la clairière.

Pekkala ressentait autour de lui cet espace découvert comme s'il s'était agi d'un champ électrique. Il repéra le tank à l'orée de la clairière, ramassé sur lui-même tel un animal pris au piège. À chaque nouveau pas vers ce monstre d'acier, il sentait ses jambes faiblir. Son souffle se faisait de plus en plus court et haché. Jamais il n'avait été à ce point conscient de l'insoutenable fragilité de son propre corps.

Il remarqua les sentiers forestiers qui partaient de la clairière, trop étroits pour un camion, et s'enfonçaient dans l'obscurité du sous-bois. Sur l'un d'eux, un éclat argenté capta soudain son attention. Au bord du chemin, partiellement recouverte de branchages, une moto était posée contre le tronc d'un arbre. Une paire de lunettes en cuir était suspendue au guidon. L'engin semblait quasiment neuf, et Pekkala se trouvait assez près pour distinguer la marque de fabrique – Zundapp – peinte en lettres d'argent sur son réservoir profilé comme une larme. Aussitôt, il comprit qu'il s'agissait du bolide qu'il avait aperçu le jour où Maximov avait tenté de l'abattre sur le trottoir du café Tilsit. Cette moto était la preuve – la première, se dit Pekkala – que Kropotkine avait prévu de survivre à ce qu'il était sur le point de faire.

Il n'y avait aucun bruit, hormis le crépitement des flammes qui s'élevaient encore des débris du camion. La fumée tourbillonnait entre les rayons de soleil.

Les deux hommes atteignirent la clairière, dont le sol était jonché de vieilles bandes d'écorce laissées par les rondins de bois que les bûcherons du cru avaient empilés là. Le corps du vieil homme gisait entre le tank et eux, face contre terre, le tissu bleu pâle de sa chemise taché d'une auréole rouge.

Les deux hommes s'immobilisèrent.

Maintenant qu'il ne se trouvait plus qu'à quelques pas du T-34, Pekkala eut l'étrange impression que ce différend ne l'opposait plus à Kropotkine, mais à l'engin lui-même. Il avait du mal à se débarrasser de la sensation que ce monstre était vivant, et qu'il les observait à travers les yeux plissés de haine de ses sabords.

« Kropotkine ! » hurla Maximov.

Son appel resta sans réponse. Mais, aussitôt, le moteur du char démarra dans un meuglement terrifiant. Le fracas de l'engin était assourdissant. Deux jets de vapeur jaillirent des pots d'échappement. Dans une brusque embardée, le T-34 bondit en avant. Instinctivement, les deux hommes reculèrent.

Le char s'arrêta soudain, parcouru de secousses, tel un chien retenu par sa chaîne.

« Kropotkine ! cria Pekkala. Nous savons que vous êtes à court de carburant. Il faut nous écouter ! »

Mais si ses mots avaient franchi l'épaisseur du blindage, Kropotkine ne donna aucun signe montrant qu'il avait entendu.

Le T-34 s'ébranla de nouveau. Ses chenilles projetaient derrière elles des éclats de boue mêlés de débris d'écorce. Cette fois, l'engin ne s'arrêta pas.

« Courez ! » s'écria Pekkala.

Mais Maximov s'était déjà mis en mouvement.

Quand Pekkala fit volte-face pour sprinter vers la route, la bouteille d'explosif lui échappa des mains. Il n'avait plus le temps de s'arrêter pour la ramasser. Il sentait l'engin dans son dos.

Maximov, qui courait à ses côtés, plongea brusquement au milieu des arbres, et disparut.

Pekkala poursuivit sa course. Le tank était presque sur lui.

Le poids de son manteau le ralentissait. Ses pieds glissaient sur ce sol boueux. Il haletait. À chaque respiration, la fumée âcre du caoutchouc brûlé se déversait dans ses poumons. Pekkala aperçut la route devant lui. Il repéra Kirov parmi les hautes herbes qui poussaient au bord du fossé, et le canon du PTRD braqué sur lui.

Le rugissement se faisait plus assourdissant au fur et à mesure que le tank prenait de la vitesse. Pekkala comprit qu'il n'atteindrait jamais la route.

« Tirez ! » cria-t-il.

Le tank se rapprochait de lui, il n'était plus qu'à quelques pas.

« Tirez ! » hurla-t-il de nouveau. Puis il chuta. À peine le temps de comprendre qu'il avait glissé que, déjà, il heurtait le sol.

La seconde d'après, l'énorme machine lui roula dessus. Ses chenilles passèrent de part et d'autre de son corps, leurs cliquetis terribles lui brisant les tympans. Pekkala était certain qu'il allait être écrabouillé, comme un animal par une voiture.

Au moment où le ventre du T-34 filait au-dessus de lui, Pekkala aperçut l'éclair du PTRD, suivi d'un formidable fracas de métal quand le projectile en titane frappa la tourelle.

Les bogies du char se bloquèrent. L'engin s'arrêta dans un dérapage, et le moteur se mit au point mort.

La balle n'a pas dû transpercer le blindage, pensa aussitôt Pekkala. Kropotkine est toujours vivant.

Puis le crépitement déchirant de la mitrailleuse du T-34 résonna au-dessus de lui. Une salve de balles alla balayer le fossé. Les arbres derrière lesquels Kirov avait trouvé refuge se mirent à voler en éclats, l'écorce entaillée laissant derrière elle de pâles balafres.

Pekkala distingua des bruits de pas derrière lui. Tournant la tête, il vit Maximov se ruer hors des bois, les talons de ses bottes projetant des mottes de terre à chaque foulée. Il tenait à la main une bouteille explosive, dont le chiffon embrasé crachait des flammes graisseuses.

« Tirez-vous ! hurla Maximov. Bon sang, Pekkala, tirez-vous tout de suite ! »

Quelques foulées encore et il atteignit le T-34, dont il escalada aussitôt la calandre.

Sous le char, Pekkala se débattait dans la boue, agrippant le sol glissant pour se libérer avant que Maximov ne fasse tout sauter. Dans un dernier effort, il parvint à se dégager, et entendit un bruit de verre brisé au moment où Maximov lança la bouteille contre la carrosserie. Puis le liquide en flammes se répandit en rugissant à travers la calandre et inonda le compartiment moteur.

Pekkala distingua les hurlements de Kropotkine à l'intérieur du char.

Il ne se retourna même pas. Il venait à peine de se relever, prêt à se précipiter vers la route, quand la déflagration le décolla du sol. Il retomba lourdement, tête la première, le souffle coupé. L'instant d'après, une vague enflammée déferla sur lui, se déployant comme les doigts d'une main au-dessus du sol, incendiant la végétation.

« Levez-vous ! »

Kirov lui faisait des grands signes depuis le bord du fossé.

« Inspecteur, ça va exploser ! »

Pekkala se redressa et se mit à courir. Dans son dos, il entendait le crépitement des munitions qui éclataient au cœur de l'habitacle. Il se jeta par terre à côté de Kirov à l'instant précis où les obus surchauffés cédèrent à l'intérieur du tank, dans un bruit de tonnerre assourdi par la carrosserie.

Tout en frappant ses vêtements pour éteindre les dernières flammèches, Pekkala releva la tête et regarda l'engin tomber en lambeaux.

Le T-34 était envahi par les flammes. Ses sabords rougeoyèrent quand l'incendie dévora le compartiment du pilote, d'abord, puis celui du tireur.

Quelques secondes plus tard, le reste des munitions explosa et la trappe supérieure de la tourelle s'envola dans le hurlement suraigu du métal qui se déchire. Elle alla tournoyer au milieu du sous-bois comme une roue enflammée, laissant derrière elle un sillage de peinture fondue. Des geysers d'un orange étincelant, mêlé de traces noires, jaillissaient à présent de la carcasse éventrée du char, tels des chevaux incandescents. L'air était rempli de l'odeur du diesel en flammes, et de celle de la sève qui coulait des branches de pin cisaillées par la mitrailleuse. La fumée s'échappait à gros bouillons de l'épave, et le T-34 n'avait plus rien d'une machine aux yeux de Pekkala. Il évoquait plutôt une créature vivante en proie aux affres de l'agonie.

Quand les explosions s'estompèrent enfin, Pekkala et Kirov sortirent prudemment du fossé, à ce point captivés par les derniers soubresauts du T-34 qu'ils ne remarquèrent pas tout de suite les cavaliers qui venaient d'apparaître, en formation impeccable, au détour de la piste. Les chevaux allaient au petit galop, et les hommes avaient sorti les fusils de leurs fourreaux de selle.

« Les Polonais », murmura Pekkala.

L'escadron de cavalerie galopa jusqu'à eux. Les hommes tenaient leurs fusils le canon pointé vers le ciel et la crosse posée sur la cuisse. L'officier de cette troupe, un pistolet à la ceinture, restait figé sur sa selle à contempler le tank, qui évoquait désormais la carapace de quelque gigantesque insecte prédateur, demeurant hostile même une fois que son âme en avait été chassée par le feu. Puis l'officier se tourna vers ses hommes, qui attendaient un signe de sa part pour savoir ce qu'ils devaient faire.

Pekkala et Kirov étaient encerclés par les chevaux. Ne sachant que faire d'autre, ils levèrent les mains en l'air.

Le mouvement attira l'attention de l'officier. Il leur fit signe de baisser les mains en laissant échapper un grognement, pour leur faire comprendre que leur geste de reddition n'était pas nécessaire.

Déconcertés, Kirov et Pekkala baissèrent les bras.

Puis l'un des soldats, caché parmi ses compagnons, se mit à rire.

L'officier redressa brusquement la tête. Il eut d'abord l'air contrarié, mais bientôt, ses traits se fendirent d'un sourire. « Engin cassé ! » s'écria-t-il.

Les autres éclatèrent de rire à leur tour, et se mirent à hurler : « Engin cassé ! »

Stupéfait, Kirov se tourna vers Pekkala.

Lequel haussa les épaules.

Quand l'éclat de rire général finit par se calmer, les cavaliers replacèrent les fusils dans leurs fourreaux.

L'officier fit un signe de tête à l'intention de Pekkala. Il dit quelques mots en polonais, que Pekkala ne comprit pas. Puis il hurla un ordre et éperonna son cheval. La troupe se remit en mouvement. Dans les rangs, les hommes discutaient et plaisantaient bruyamment en tournant la tête vers les deux inspecteurs, mais un ordre cinglant de leur chef les replongea dans le silence. On n'entendit plus, alors, que le bruit des sabots sur la route.

Les deux hommes se retrouvèrent seuls.

« C'était quoi, cette histoire ? interrogea Kirov.

— Aucune idée », répondit Pekkala.

Ils marchèrent jusqu'au tank. La peinture de la carrosserie avait laissé place au métal écorché. La calandre était affaissée sur les pièces éparses du moteur, et les pneus en fondant avaient laissé des flaques noires au pied des chenilles.

Il n'y avait pas la moindre trace de Maximov.

« Je crois qu'il y est passé… », commenta Kirov.

Pekkala se prépara à la vision de son cadavre déchiqueté. Il se demanda ce qu'il pourrait bien subsister d'un homme pris au milieu d'un tel cataclysme. Mais nul signe de Maximov. Perplexe, Pekkala jeta un regard autour de la clairière, en se disant que les flammes avaient dû le consumer entièrement. Puis il vit que la Zundapp avait disparu. Il aperçut la trace de ses pneus, qui disparaissait le long d'un sentier forestier. Alors, Pekkala comprit que Maximov n'était pas mort mais s'était échappé, profitant du mur de flammes et du fracas des explosions pour ne pas se faire remarquer.

« Je m'étais trompé sur lui, déclara Kirov. Il est mort comme un brave. »

Pekkala ne le contredit pas. Il jeta un regard à Kirov, puis se détourna de nouveau.

Ils regagnèrent l'Emka.

« Combien de temps nous reste-t-il ? demanda Kirov.

— À peu près une heure, répondit Pekkala. J'espère que cette radio fonctionne. »

Il s'aperçut alors que son manteau continuait de se consumer. Il frappa sur ses manches, et un filet de fumée s'éleva du tissu calciné.

« Une chance que je vous aie acheté de nouveaux vêtements…

— Oui, répondit Pekkala. Quelle chance… »

S'il y avait un poste-frontière à la sortie de la forêt de la Rusalka, Maximov ne l'avait pas vu. Ce n'est qu'en traversant un village dans le grondement de son engin qu'une enseigne de boulangerie rédigée en polonais lui apprit qu'il avait changé de pays. Depuis, il ne s'était plus arrêté. Dans les stations-service de l'est de la Pologne, il avait pu régler avec son argent russe. Mais à l'approche de la frontière tchécoslovaque, on n'acceptait plus cette monnaie, et il fut contraint de troquer sa montre, puis une bague en or contre du carburant. Il finit même par siphonner les réservoirs d'autres véhicules à l'aide d'un morceau de tuyau en caoutchouc.

Maximov en était désormais au troisième jour de son périple. La Zundapp franchit le sommet d'une colline, et les rayons du soleil levant miroitèrent sur les verres de ses lunettes de motard. Il avait roulé toute la nuit à travers la campagne, le manteau boutonné jusqu'au cou pour se prémunir du froid. Il se rangea sur le bas-côté et contempla des champs où le blé, l'orge et le seigle commençaient à germer. De fines volutes de fumée s'élevaient des cheminées de fermes solitaires.

Maximov aperçut le minuscule poste-frontière au pied de la colline et sut que les vastes terres qui s'étendaient au-delà étaient la Tchécoslovaquie.

Quelques minutes plus tard, Maximov atteignit la frontière. Comme souvent sur ces routes secondaires peu fréquentées, le poste-frontière se résumait à une simple cabane qu'on avait divisée en deux, avec en travers de la route une simple barrière rouge et blanc, que les douaniers actionnaient à la main.

Un garde-frontière tchécoslovaque aux yeux bouffis

sortit à sa rencontre d'un pas traînant. Il tendit la main pour lui demander ses papiers.

Maximov passa la main sous son manteau et en sortit son carnet officiel.

Le Tchèque en feuilleta les pages, levant les yeux vers Maximov pour s'assurer que son visage correspondait à la photographie.

« Le Polaque dort », déclara-t-il, en désignant du chef l'autre moitié du bâtiment, dont les stores beiges étaient rabattus sur les fenêtres. « Où vous allez, le Russe ?

— En Amérique », répondit Maximov.

Le Tchèque fronça les sourcils. Pendant un long moment, il demeura planté sans rien faire, comme incapable de comprendre qu'on puisse voyager aussi loin. Puis ses yeux se posèrent sur la moto.

« Zundapp », dit-il, en prononçant « Soundop ». Laissant échapper un grognement admiratif, il posa les mains sur le réservoir chromé, comme s'il s'agissait d'un porte-bonheur. Enfin, il rendit son carnet à Maximov et souleva la barrière. « Roulez donc jusqu'en Amérique, dit-il, vous et votre belle Soundop ! »

Il fallut encore une semaine à Maximov pour atteindre Le Havre. Là, il vendit la belle Zundapp et acheta un billet pour New York. Quand le paquebot quitta le quai, il était sur le pont, appuyé contre la rambarde, et il contempla la côte de France jusqu'à ce que les vagues l'engloutissent.

Pekkala se tenait debout dans le bureau de Staline, au Kremlin, les mains derrière le dos, attendant que l'homme daigne se présenter.

Enfin, au bout d'une demi-heure, la porte secrète cliqueta et Staline se baissa pour entrer dans la pièce.

« Eh bien, Pekkala, dit-il en s'installant dans son fauteuil de cuir rouge. Sur vos conseils, j'ai chargé cet ingénieur nommé Zalka d'achever la conception du T-34. Il m'a assuré que les derniers ajustements seront prêts dans quelques semaines. Il m'a également précisé qu'il allait ajouter au projet initial plusieurs éléments relatifs à la sécurité. Apparemment, les pilotes d'essai avaient rebaptisé ce char le Cerc…

— Je sais, l'interrompit Pekkala.

— Il se trouve que je suis plutôt d'accord avec Nagorski, poursuivit Staline. L'aspect mécanique devrait primer, mais on ne peut pas laisser les gens traiter cet engin de cercueil avant même qu'il soit sorti des chaînes de production, n'est-ce pas ?

— C'est exact, camarade Staline.

— Toute mention du colonel Nagorski a été effacée du projet Constantin. Le reste du monde n'a pas à savoir quel rôle il a joué. Je ne tenais pas à ce que mes ennemis jubilent en apprenant la mort d'un de nos plus brillants inventeurs…

— Et le garçon ? interrogea Pekkala.

— J'ai beaucoup réfléchi. »

Staline tendit le bras pour attraper sa pipe.

« Il me semble que nous pouvons tous, un jour, être poussés à bout. Vous n'êtes pas d'accord, Pekkala ?

— Si, camarade Staline.

— Un assassin sommeille en chacun d'entre nous, continua Staline. Si ce n'était pas le cas, notre espèce tout entière aurait disparu depuis longtemps de la surface de cette planète. Et quel gâchis ce serait de se priver d'un jeune homme qui suivra peut-être un jour les traces de son père...

— Il a du potentiel, déclara Pekkala.

— Je le pense aussi, c'est pourquoi je l'ai nommé apprenti de Zalka jusqu'à l'achèvement du projet Constantin. Ensuite, il étudiera à l'Institut technique de Moscou. Mais j'attends des résultats. Je surveillerai cela de près. Et vous aussi, Pekkala, vous garderez votre œil d'émeraude sur lui...

— Vous pouvez compter sur moi », répondit Pekkala.

Staline pointa sa pipe sur lui.

« Je vois que vous avez une jolie veste toute neuve.

— Ah, soupira Pekkala, en baissant les yeux sur les habits que Kirov lui avait achetés. Ce n'est que temporaire. J'en ai commandé chez Linsky...

— Linsky ? s'étonna Staline, en fouillant le tiroir de son bureau en quête d'une allumette. Près du théâtre du Bolchoï ? Vous savez ce qu'on dit de ses créations ? Des habits pour les morts ! Qu'est-ce que ça vous inspire, Pekkala ?

— Je trouve ça de plus en plus drôle chaque fois qu'on me le dit...

— De toute manière, reprit Staline, vous n'aurez pas besoin des talents de Linsky.

— Comment ça ? »

Staline avait trouvé une allumette. Il la frotta, prise entre pouce, index et annulaire. Pendant les secondes qui suivirent, seul se fit entendre le bruissement sec de son souffle, tandis qu'il s'employait à mettre le feu au tabac. La fumée au parfum doux et sucré enveloppa Pekkala. Enfin, Staline reprit la parole.

« Je vous envoie en Sibérie.

— Quoi ? s'écria Pekkala.

— Vous retournez à Borodok. »

La porte s'ouvrit. Le secrétaire de Staline, Poskrebytchev, passa la tête à l'intérieur.

« Tout va bien, camarade Staline ?

— Dehors ! » ordonna Staline.

Poskrebytchev gratifia Pekkala d'un regard insistant et désapprobateur. Puis il referma la porte derrière lui.

« Vous m'envoyez en prison ? demanda Pekkala.

— Oui, mais pas comme prisonnier. Pas officiellement, en tout cas. Un meurtre a eu lieu au camp de Borodok…

— Avec tout le respect que je vous dois, camarade Staline, il y a des meurtres toutes les semaines au camp de Borodok…

— Celui-ci a attiré mon attention.

— Je pars quand ?

— Dans deux jours. D'ici là, considérez-vous en congé.

— Et le major Kirov ?

— Oh, le major aura du travail, ici à Moscou, où il sera chargé de l'autre volet de cette enquête. Je lui en ai déjà parlé, ici même, ce matin. Ce qui me fait penser… » Staline plongea la main dans sa poche et, de son poing fermé, laissa tomber quatre kumquats sur le bureau. « Il m'a donné ça. Qu'est-ce que je suis censé en faire ?

— Kirov ne vous l'a pas expliqué ?

— Il m'a simplement dit qu'il m'en faisait cadeau.

— Il faut les manger, camarade Staline.

— Quoi ? » Il ramassa l'un des fruits et l'étudia. « En petits morceaux ?

— Non, rectifia Pekkala. D'une pièce. Les quatre

d'un coup. Mettez-les dans votre bouche et mâchez. C'est un vrai délice.

— Mmm. » Staline rassembla les fruits sur la paume de sa main. « Eh bien, je pourrais toujours essayer...

— Il faut que je me sauve, camarade Staline, ou mes vacances seront terminées avant que je ne quitte ce bâtiment. »

Staline contemplait les kumquats, au creux de sa main.

« Très bien, marmonna-t-il. Au revoir, Pekkala.

— Au revoir, camarade Staline. »

En traversant la salle d'attente, Pekkala entendit Staline rugir lorsqu'il mordit dans les kumquats, puis les recracher dans la pièce.

« Pekkala ! »

Pekkala se contenta de sourire et poursuivit son chemin.

DISCARD
REVELE

Composé par Nord Compo
à Villeneuve-d'Ascq (Nord)

Imprimé en Allemange par
GGP Media GmbH, Pößneck
en novembre 2012

REJETÉ
DISCARD

POCKET – 12, avenue d'Italie – 75627 Paris cedex 13

Dépôt légal : novembre 2012
S23526/01